Value Proposition Design

Use este manual e para criar produtos e serviços que os clientes desejam. Comece pelo...

Value Proposition Design

Como construir propostas de valor inovadoras

Por
Alex Osterwalder
Yves Pigneur
Greg Bernarda
Alan Smith

Arte de
Trish Papadakos

ALTA BOOKS
EDITORA
Rio de Janeiro, 2019

Copyright © 2019 Starlin Alta Editora e Consultoria Eireli
Copyright © 2014 by Alexander Osterwalder, Yves Pigneur, Greg Bernarda, Alan Smith, and Patricia Papadakos. All rights reserved.
Publicado por John Wiley & Sons, Inc., Hoboken, New Jersey.
Publicado simultaneamente no Canadá.

Publisher: Renata Müllert
Coordenação de produção: Alexandre Braga
Tradução: Bruno Alexander
Edição: Oliva Editorial
Revisão técnica: Germán C. Alfonso, Luis Eduardo de Carvalho, Pedro Zanni e Saulo Bonassi
Cover image: Pilot Interactive
Cover design: Alan Smith & Trish Papadakos
Adaptação: Carolina Palharini e Carlos Borges Jr
Produção Editorial – HSM Editora – CNPJ: 01.619.385/0001-32

Todos os direitos estão reservados e protegidos por Lei. Nenhuma parte deste livro, sem autorização prévia por escrito da editora, poderá ser reproduzida ou transmitida. A violação dos Direitos Autorais é crime estabelecido na Lei nº 9.610/98 e com punição de acordo com o artigo 184 do Código Penal.

Erratas e arquivos de apoio: No site da editora relatamos, com a devida correção, qualquer erro encontrado em nossos livros, bem como disponibilizamos arquivos de apoio se aplicáveis à obra em questão.

Acesse o site www.altabooks.com.br e procure pelo título do livro desejado para ter acesso às erratas, aos arquivos de apoio e/ou a outros conteúdos aplicáveis à obra.

Suporte Técnico: A obra é comercializada na forma em que está, sem direito a suporte técnico ou orientação pessoal/exclusiva ao leitor.

A editora não se responsabiliza pela manutenção, atualização e idioma dos sites referidos pelos autores nesta obra.

Dados Internacionais de Catalogação na Publicação (CIP)
Angélica Ilacqua CRB-8/7057

Value proposition design / Alex Osterwalder ...[et al]; traduzido por Bruno Alexander; ilustrado por Trish Papadakos - Rio de Janeiro : Alta Books, 2019.
320 p. : il., color.

ISBN: 978-85-508-0725-6

1. Planejamento empresarial 2. Vendas - Administração 3. Negócios 4. Administração de produtos 5. Estratégia 6. Serviços ao cliente I. Osterwalder, Alex II. Alexander, Bruno III. Papadakos, Trish

14-0757 CDD 658.4012

Índices para catálogo sistemático:
1. Planejamento empresarial

Rua Viúva Cláudio, 291 — Bairro Industrial do Jacaré
CEP: 20.970-031 — Rio de Janeiro (RJ)
Tels.: (21) 3278-8069 / 3278-8419
ALTA BOOKS www.altabooks.com.br — altabooks@altabooks.com.br
EDITORA www.facebook.com/altabooks — www.instagram.com/altabooks

Prefácio à Edição Brasileira

O modo como o homem cria e usa ferramentas talvez seja o que mais nos distingue em relação a outras espécies. As ferramentas sempre tiveram um papel fundamental em nossa evolução e graças a elas pudemos superar muitas de nossas debilidades e avançar.

No mundo da gestão não é diferente. Mas quais ferramentas você utiliza para criar novos produtos e serviços? Você conhece, de fato, seu cliente e suas dores?

Alex Osterwalder já havia nos brindado com o Canvas no livro *Business Model Generation*, que se tornou um grande movimento, com milhares de usuários ao redor do mundo, traduzido para mais de 30 idiomas. Agora ele nos traz outra valiosa ferramenta para criar ou melhorar produtos e serviços, ao explorar a Proposta de Valor, pilar central de qualquer reflexão estratégica.

Temos aqui um livro que convida você a brincar, experimentar e aprender no sentido mais pleno da palavra. Um livro divertido, que dialoga entre o físico e o digital, que permite que você interaja com ele e traz consigo dois preciosos componentes: simplicidade e coerência. Simplicidade, ao trazer conteúdos profundos de forma leve e prática, e coerência ao permitir ver e sentir a importância do design.

Outro mérito importante do livro é estimular a abertura ao erro. Agora, você está preparado para errar? Sua organização reserva um espaço para a experimentação?

Esse, talvez seja um dos mais instigantes desafios, afinal não fomos ensinados a agir assim. Desde a escola até nossa vida profissional fomos moldados a escapar dos erros. Como reservar um espaço para que possam ser acolhidos e valorizados? É preciso repensar o modo de trabalhar, e isso é mais difícil que aplicar ferramentas.

A capacidade de planejar e executar continua sendo fundamental, mas desenvolver a capacidade de experimentar e inovar, criando novas fontes de vantagem competitiva, será cada vez mais importante. Para conciliar esse equilíbrio instável entre planejamento e inovação, é fundamental reservar na agenda executiva um espaço para experimentação, que apelidamos de Teste.

Fica o convite para que este livro possa estimular a criação de propostas de valor inovadoras nas mais diversas esferas da nossa sociedade.

Uma excelente leitura a todos!

Saulo Bonassi
Sócio-fundador da Nodal Consultoria

1. Canvas

1.1 Perfil do Cliente 10
1.2 Mapa de Valor 26
1.3 Encaixe 40

2. Design

2.1 Possibilidades com os Protótipos 74
2.2 Pontos de Partida 86
2.3 Compreendendo os Clientes 104
2.4 Fazendo Escolhas 120
2.5 Encontrando o Modelo de Negócio Certo 142
2.6 O Design em Organizações Estabelecidas 158

3. Teste

3.1 O Que Testar *188*
3.2 Teste Passo a Passo *196*
3.3 Biblioteca de Experimentos *214*
3.4 Tudo ao Mesmo Tempo *238*

4. Desenvolva

Crie Alinhamento *260*
Meça & Monitore *264*
Reinvente-se constantemente *266*
Taobao: reinventando o comércio eletrônico *268*

Posfácio

Glossário *276*
Índice Remissivo *278*
Equipe Principal *286*
Primeiros Leitores *287*
Bios *288*

Você vai adorar o *Value Proposition Design* se estiver...

... se sentindo sobrecarregado pela tarefa da verdadeira criação de valor.

... frustrado com reuniões improdutivas e equipes desalinhadas.

Às vezes, você sente como se...
- ... devesse contar com ferramentas de melhor qualidade para ajudá-lo a criar valor para seus clientes e seu negócio.
- ... estivesse envolvido com as tarefas erradas e se sente inseguro quanto aos passos seguintes.
- ... fosse difícil saber o que os clientes realmente desejam.
- ... as informações e os dados obtidos dos (potenciais) clientes o estivessem assoberbando, e você não sabe como organizá-los de outra maneira.
- ... fosse desafiador demais ir além dos produtos e recursos no sentido de uma compreensão profunda da criação de valor para o cliente.
- ... faltasse o cenário completo, a forma como as peças do quebra--cabeça se encaixam em sua totalidade.

Você já conheceu equipes...
- ... desprovidas de linguagem e entendimento compartilhados quanto à criação de valor para o cliente.
- ... atoladas em reuniões improdutivas, repletas de blá-blá-blá desconexo.
- ... que trabalhavam sem ferramentas nem processos claros.
- ... focadas principalmente em tecnologias, produtos e recursos, e não nos clientes.
- ... que conduziam reuniões, desperdiçavam energia e terminavam sem um resultado claro.
- ... que estavam desalinhadas.

... envolvido em projetos arrojados e brilhantes que foram pelos ares.

Você já viu projetos que...

- ... eram apostas grandiosas, mas falharam e resultaram em grande perda de dinheiro.
- ... exigiam energia no aprimoramento de um plano de negócios até criar a ilusão de que poderia funcionar de verdade.
- ... consumiam um bocado de tempo com planilhas detalhadas, completamente artificiais e que se mostraram erradas.
- ... usavam mais tempo desenvolvendo e discutindo ideias, em vez de testá-las com clientes e outros stakeholders.
- ... permitiam que as opiniões predominassem sobre os fatos.
- ... em que faltavam processos e ferramentas claras para minimizar o risco.
- ... recorriam a processos mais adequados para a gestão de negócios do que para o desenvolvimento de novas ideias.

... decepcionado com o fracasso de uma boa ideia.

Obtenha o pôster From Failure to Success.

O *Value Proposition Design* vai ajudá-lo a ser bem-sucedido...

... na compreensão de padrões relacionados à criação de valor.

Organize, de forma simples, as informações sobre o que os clientes desejam, de modo a tornar os padrões de criação de valor facilmente visíveis. O resultado é que você conceberá, com mais eficácia, propostas de valor e modelos de negócios rentáveis, direcionados às tarefas, perdas e ganhos mais importantes de seus clientes.

Obtenha clareza.

... na alavancagem da experiência e das habilidades de sua equipe.

Faça que sua equipe tenha uma linguagem comum para superar o blá-blá-blá, desenvolva conversas mais estratégicas, aplique exercícios criativos e fique alinhada. Essas ações resultam em reuniões mais agradáveis, cheias de energia e produtividade, além de foco na tecnologia, produtos e recursos voltados à criação de valor para seus clientes e seu negócio.

Alinhe os integrantes da equipe.

... e evitar a perda de tempo com ideias que não vão funcionar.

Teste, à exaustão, as hipóteses mais relevantes que fundamentam suas ideias de negócio, de modo a reduzir o risco de fracasso. Isso lhe permitirá buscar ideias ousadas e arrojadas, sem ter de zerar a conta bancária. Os processos empregados para moldar novas ideias serão ajustados à tarefa e vão complementar os processos já existentes, que o ajudam na condução do seu negócio.

Minimize o risco de um fiasco.

... e projetar, testar e entregar aquilo que os clientes desejam.

Obtenha o pôster From Failure to Success.

Nossa proposta de valor para você

Os links que você encontra na lateral de cada página indicam recursos online no companheiro virtual.

Fique atento ao ícone ⓤStrategyzer e para o link com 🏃exercícios online, ⚱ferramentas/templates, 🗒pôsteres e mais.

Nota: Para ter acesso ao conteúdo online do *Value Proposition Design* você precisa comprovar que comprou o livro. Mantenha o livro sempre por perto, assim você poderá responder às perguntas secretas e confirmar a aquisição.

**Livro VPD
+
Companheiro Online VPD**

Web App + Cursos Online
Vá além com ferramentas e cursos profissionais

As ferramentas e o processo do *Value Proposition Design*

zoom distanciado

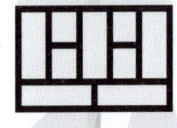

zoom aproximado

Canvas

Ferramentas

Design / Teste

Busca

A essência do *Value Proposition Design* é implantar **ferramentas** na **busca** desordenada de propostas de valor desejadas pelos clientes e, mais adiante, mantê-las alinhadas com aquilo que querem.

O *Value Proposition Design* mostra como usar o **Canvas da Proposta de Valor** voltado para o **Design** e o **Teste** de grandes propostas de valor, numa busca continuada daquilo que os clientes desejam. Trata-se de um processo ininterrupto, no qual é preciso **Desenvolver** propostas de valor constantemente, de modo a mantê-las relevantes para os clientes.

Progresso

Gerencie o processo desordenado e não linear do design de propostas de valor e reduza riscos por meio da aplicação sistemática de ferramentas e processos adequados.

Desenvolva

Busca posterior

Adaptado de That Squiggle of the Design Process, *de Damien Newman, Central. Disponível em: <http://v2.centralstory.com/about/squiggle/>. Acesso em: 1º set. 2014.*

Um conjunto integrado de ferramentas

O Canvas de Proposta de Valor é a ferramenta central deste livro. Ele torna as propostas de valor visíveis e tangíveis e, assim, fáceis de ser discutidas e administradas. Integra-se, de forma perfeita, ao Canvas de Modelo de Negócios e ao Mapa do Ambiente, duas ferramentas discutidas em detalhe no *Business Model Generation: Inovação em Modelos de Negócios**. Juntos, os dois livros configuram a base de um conjunto de ferramentas de negócios.

O Canvas de Proposta de Valor aproxima o zoom, detalhando dois dos blocos constituintes do Canvas de Modelo de Negócios.

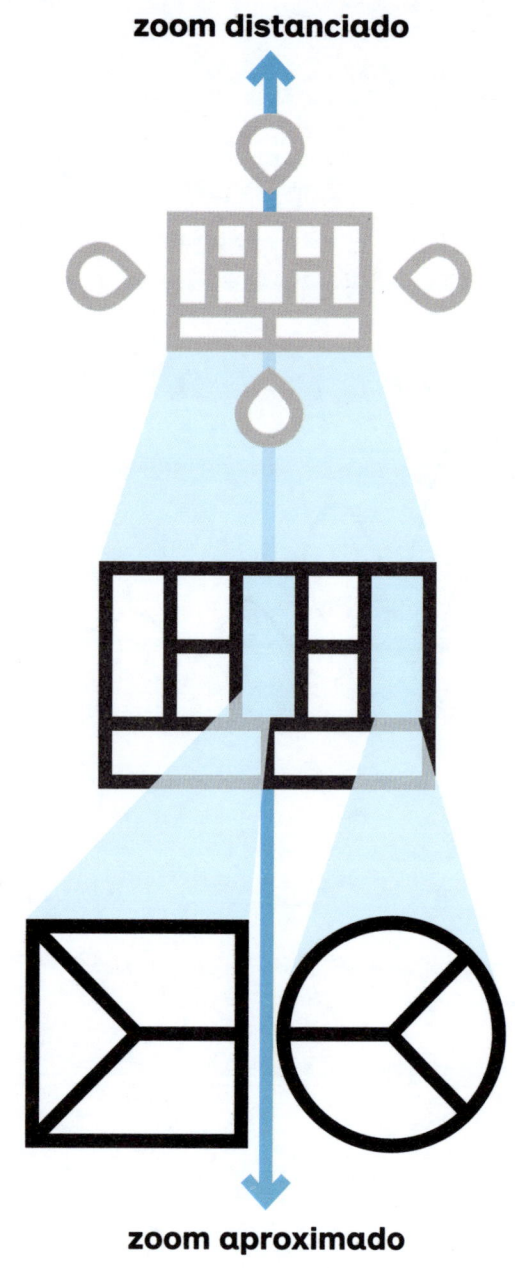

* *Business Model Generation: Inovação em Modelos de Negócios*, de Yves Pigneur e Alexander Osterwalder, 2011.

O
Mapa do Ambiente
ajuda a compreender o contexto no qual você cria.

O
Canvas de Modelo de Negócios
ajuda a criar valor para seu negócio.

O
Canvas da Proposta de Valor
ajuda a criar valor para seu cliente.

Adendo: O Canvas de Modelo de Negócios

Incorpore sua proposta de valor a um modelo de negócio viável para gerar riqueza à organização. Você pode usar o Canvas de Modelo de Negócios, ferramenta que ajuda a descrever como sua organização cria, entrega e gera valor. O Canvas de Modelo de Negócios e o Canvas de Proposta de Valor integram-se perfeitamente, sendo o segundo uma espécie de plug-in para o primeiro, permitindo-lhe observar os detalhes de como está a criação de valor para os clientes.

O adendo relativo ao Canvas de Modelo de Negócios aqui inserido é suficiente para o trabalho com este livro e para a criação de grandes propostas de valor. Acesse os recursos online caso queira saber mais ou obter o *Business Model Generation: Inovação em Modelos de Negócios**, livro-irmão deste.

Segmentos de clientes
são os grupos de pessoas ou organizações que uma empresa visa alcançar com uma proposta de valor exclusiva.

Propostas de valor
são baseadas numa porção de produtos e serviços que criam valor para um segmento de cliente.

Canais
descrevem como uma proposta de valor é comunicada e levada a um segmento de cliente por canais de comunicação, distribuição e vendas.

Relacionamento com clientes
desenha o tipo de relacionamento estabelecido e mantido com cada segmento de cliente e explica como os clientes são conquistados e mantidos.

Fontes de receita
resultam de uma proposta de valor oferecida com sucesso a um segmento de cliente. Trata-se de como uma organização gera valor com um preço que os clientes estão dispostos a pagar.

Recursos principais
são os ativos mais importantes necessários para oferecer e entregar os elementos descritos anteriormente.

Atividades-chave
são as atividades mais importantes, que uma organização precisa executar bem.

Parcerias principais
mostram a rede de fornecedores e parceiros que trazem atividades e recursos externos.

Estrutura de custos
descreve todos os custos envolvidos na operação de um modelo de negócio.

Lucro
é calculado subtraindo o total de todos os custos da estrutura de custos do total de todas as fontes de receita.

* *Business Model Generation: Inovação em Modelos de Negócios*, de Yves Pigneur e Alexander Osterwalder, 2011.

Canvas de Modelo de Negócios

| Elaborado para: | Elaborado por: | Data: | Versão: |

Parcerias principais	Atividades-chave	Propostas de valor	Relacionamento com clientes	Segmentos de clientes
	Recursos principais		**Canais**	

Estrutura de custos	Fontes de receitas

DESIGNED BY: Business Model Foundry AG
The makers of Business Model Generation and Strategyzer

Strategyzer
strategyzer.com

Faça o download da explicação detalhada e do PDF do Canvas de Modelo de Negócio.

O *Value Proposition Design* funciona para...

Você está criando algo da estaca zero, por conta própria, ou faz parte de uma organização já existente? Algumas coisas serão mais fáceis e outras mais difíceis, dependendo de seu playground estratégico.

O empreendedor de uma *startup* lida com limitações diferentes das de um líder de projeto em uma nova iniciativa dentro de uma organização já estabelecida. As ferramentas apresentadas neste livro aplicam-se a ambos os contextos. Dependendo de seu ponto de partida, você as empregará de maneira diferente para impulsionar forças diferentes e superar obstáculos diferentes.

Novas iniciativas

Indivíduos ou equipes partindo da estaca zero para a criação de uma proposta de valor e de um modelo de negócio.

Principais desafios
- Produzir evidências de que suas ideias podem funcionar dentro de um orçamento limitado.
- Gerenciar o envolvimento de investidores (caso você expanda suas ideias).
- Risco de o dinheiro acabar antes de você encontrar a proposta de valor e o modelo de negócio adequados.

Principais oportunidades
- Fazer uso da tomada de decisões rápida e da agilidade em benefício próprio.
- Potencializar a motivação do empreendedor como estímulo para o sucesso.

Organizações estabelecidas

Equipes dentro de empresas já estabelecidas, partindo para melhorar ou inventar propostas de valor e modelos de negócios.

Obtenha o pôster Inovação em empresas estabelecidas.

Principais oportunidades

- Melhorar as propostas de valor e os modelos de negócio existentes.
- Potencializar os recursos (vendas, canais, marca etc.) existentes.
- Criar portfólios de modelos de negócio e de propostas de valor.

Principais desafios

- Obter a adesão da alta gerência.
- Ter acesso aos recursos existentes.
- Gerenciar a canibalização.
- Superar a aversão ao risco.
- Superar processos rígidos e lentos.
- Produzir grandes ganhos que façam a diferença.
- Conduzir o gerenciamento de carreira dos inovadores.

Use o *Value Proposition Design* para...

... inventar e melhorar propostas de valor. As ferramentas que vamos estudar funcionam tanto para gerenciar e renovar propostas de valor (ou modelos de negócios) existentes quanto para construir novas. Coloque a proposta de valor e o modelo de negócio para funcionar de modo a criar uma linguagem comum de geração de valor em sua organização. Use-os para inventar e melhorar continuadamente as propostas de valor que atendam aos perfis dos clientes, uma empreitada que nunca termina.

Invente

Inventar novas propostas de valor que as pessoas desejam com modelos de negócios que funcionam.

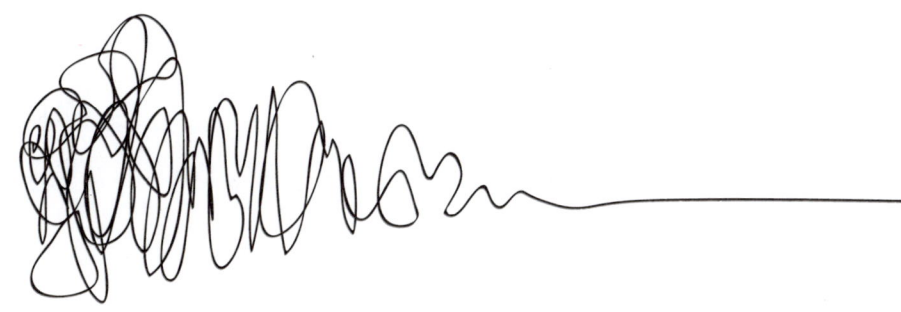

Aperfeiçoe
Gerenciar, mensurar, desafiar, melhorar e renovar propostas de valor e modelos de negócios existentes.

Avalie suas habilidades de *Value Proposition Design*

Responda ao nosso teste online e avalie se você possui a atitude e as habilidades requeridas para ser sistematicamente bem-sucedido no *Value Proposition Design*. Faça o teste antes e depois de enveredar pelo *Value Proposition Design* para medir o seu progresso.

 Avalie suas habilidades online.

Conhecimento empreendedor

Você gosta de experimentar coisas novas. Não entende o risco de fracasso como uma ameaça, mas sim como uma oportunidade para aprender e progredir. Você transita com facilidade entre o estratégico e o tático.

Habilidades com as ferramentas

Você emprega sistematicamente os Canvas de Proposta de Valor e de Modelo de Negócio ao buscar grandes propostas de valor e modelos de negócio.

Avalie-se online em: strategyzer.com/vpd/self-assessment

 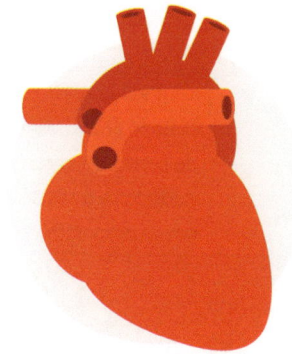 

Habilidades de *design thinking*

Você explora múltiplas alternativas antes de escolher e aprimorar uma direção em particular. Sente-se à vontade com a natureza não linear e iterativa da criação de valor.

Empatia com o cliente

Você assume, incansavelmente, a perspectiva do cliente e é ainda melhor ouvindo-os do que vendendo para eles.

Habilidades de experimentação

De forma sistemática, você procura evidências que sustentem suas ideias e testem seu ponto de vista. Você faz testes nos estágios iniciais para saber o que funciona e o que não funciona.

Venda para seus colegas usando o *Value Proposition Design*

Eu estou...

... aborrecido por focarmos demais em produtos e recursos, em vez de criar valor para os clientes.

... impressionado com a falta de diálogo entre desenvolvimento de produto, vendas e marketing quando se trata de elaborar novas propostas de valor.

... preocupado por não dispormos de uma metodologia para acompanhar nosso progresso no desenvolvimento daquela nova proposta de valor e modelo de negócio.

... surpreso com a frequência que fazemos coisas que ninguém quer, apesar de nossas boas ideias e intenções.

... muito decepcionado pelo tanto que falamos sobre propostas de valor e modelos de negócios em nossa última reunião sem realmente conseguirmos resultados concretos.

... arrasado com a falta de clareza da última apresentação sobre aquela nova proposta de valor e modelo de negócio.

... assombrado com a quantidade de recursos que perdemos quando aquela grande ideia do último plano de negócios foi um fiasco porque não a testamos.

... preocupado pelo fato de nosso processo de desenvolvimento de produto não empregar uma metodologia mais focada no cliente.

... surpreso por investirmos tanto em P&D, mas deixarmos de investir em propostas de valor e modelos de negócio de maneira correta.

... inseguro, sem saber se todos na equipe têm a mesma compreensão sobre o que realmente é uma boa proposta de valor.

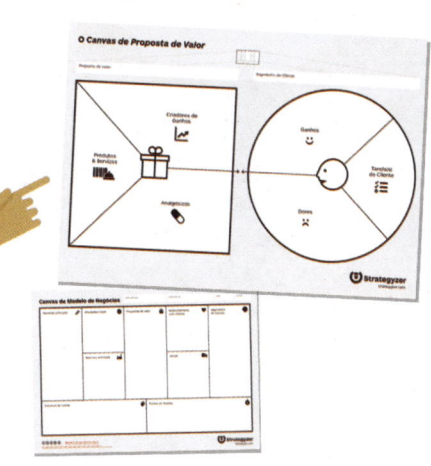

Obtenha os 10 argumentos para usar o Value Proposition Design e o Canvas de Modelo de Negócios.

can

vas

1

O Canvas de Proposta de Valor tem dois lados. Com o **Perfil do Cliente** p. 10, você esclarece a compreensão do cliente. Com o **Mapa de Valor** p. 26, você descreve como pretende criar valor para aquele cliente. Você consegue o **Encaixe** p. 40 entre os dois quando um atende ao outro.

Crie valor

O conjunto de **benefícios** da proposta de valor que você **cria** para atrair clientes.

DE·FI·NI·ÇÃO
Proposta de valor

Uma proposta de valor descreve os benefícios que os clientes podem esperar de determinados produtos e serviços.

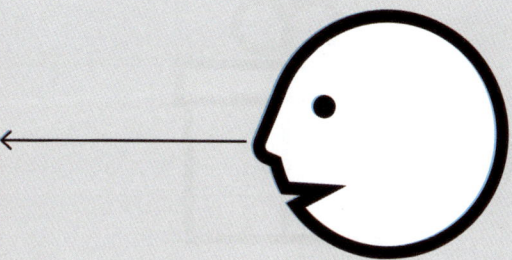

Observe os clientes

O conjunto de **características** do cliente que você **pressupõe**, **observa** e **verifica** no mercado.

O Mapa de Valor

O Mapa (de Proposta) de Valor descreve os aspectos de uma proposta de valor específica em seu modelo de negócio, de forma mais estruturada e detalhada. Ele divide sua proposta de valor em produtos e serviços, analgésicos e criadores de ganhos.

Criadores de ganhos descrevem como seus produtos e serviços criam ganhos para o cliente.

Lista de todos os **produtos e serviços** em torno dos quais uma proposta de valor é construída.

Analgésicos descrevem como seus produtos e serviços aliviam as dores do cliente.

Ganhos descrevem os resultados que os clientes querem alcançar ou os benefícios concretos que estão procurando.

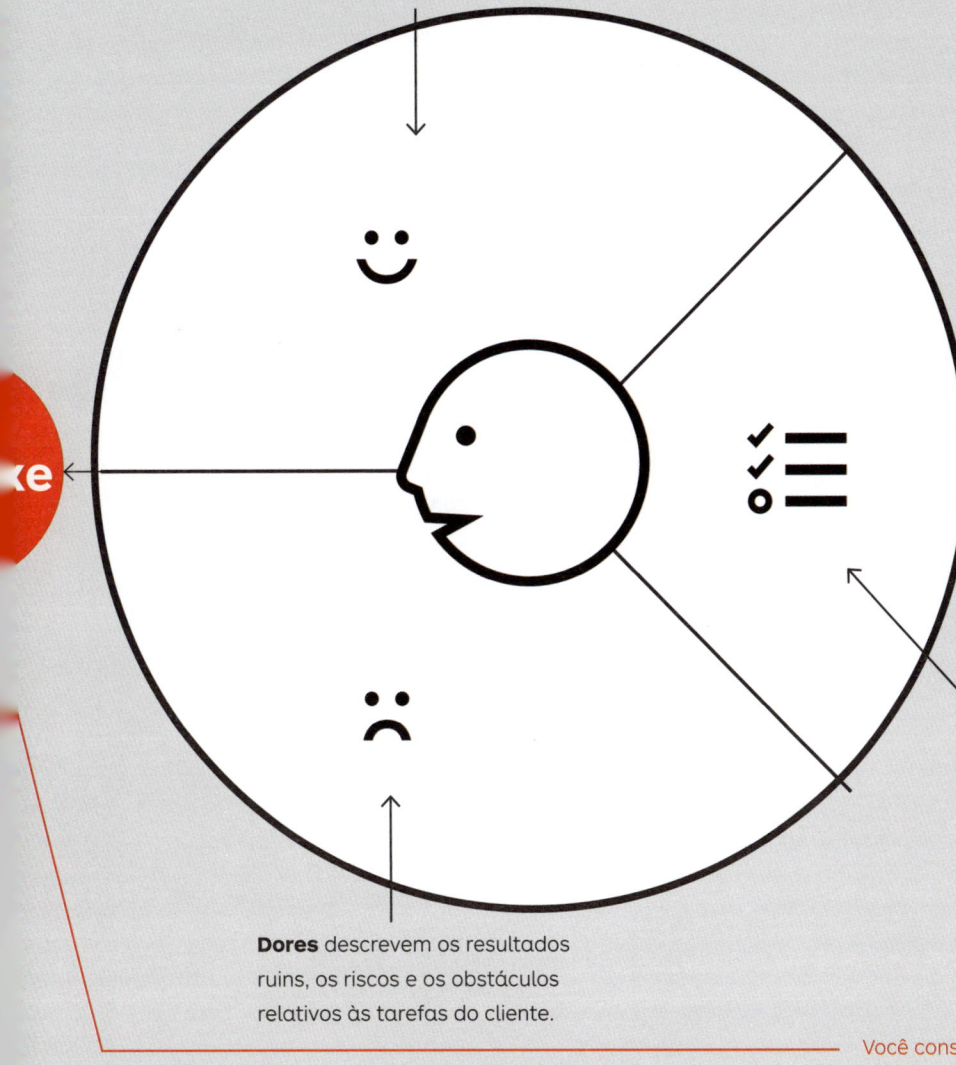

Perfil do Cliente

O Perfil (de Segmento) do Cliente descreve um segmento de cliente específico em seu modelo de negócio de maneira mais estruturada e detalhada. Detalha os interesses do cliente nas respectivas tarefas, dores e ganhos.

Tarefas do Cliente descrevem aquilo que os clientes estão tentando realizar no trabalho e na vida em geral, conforme suas próprias palavras.

Dores descrevem os resultados ruins, os riscos e os obstáculos relativos às tarefas do cliente.

Você consegue o **Encaixe** quando seu Mapa de Valor coincide com o perfil do cliente — quando seus produtos e serviços produzem analgésicos e criadores de ganhos importantes para seu cliente.

1.1
Perfil do Cliente

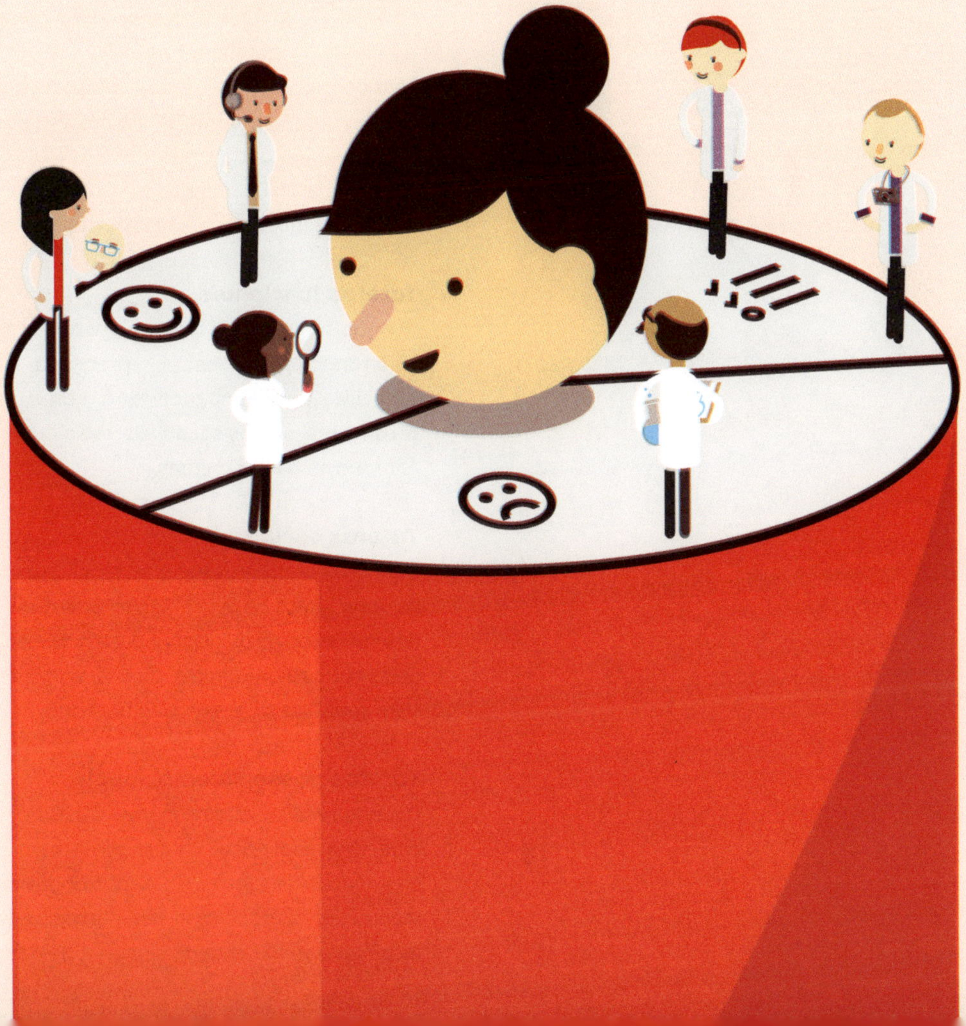

Tarefas do Cliente

As tarefas descrevem aquilo que seus clientes estão tentando realizar no trabalho ou na vida em geral. Uma tarefa do cliente poderia se referir a funções que estão tentando desempenhar e cumprir, a problemas que estão tentando solucionar ou a necessidades que estão tentando satisfazer. Certifique-se de assumir a perspectiva do cliente ao investigar tarefas. O que você considera importante de sua perspectiva pode não ser uma tarefa que os clientes estejam realmente tentando realizar.

Faça distinção entre os três principais tipos de tarefas a realizar e as tarefas de apoio.

Tarefas funcionais
Quando seus clientes tentam realizar ou cumprir uma tarefa ou solucionar um problema específico. Por exemplo, cortar a grama ou consumir alimentos saudáveis, redigir um relatório ou ajudar clientes.

Tarefas sociais
Quando seus clientes desejam ter boa aparência ou obter status ou poder. São tarefas que descrevem como os clientes querem ser percebidos pelos outros. Por exemplo, parecer elegante ou ser visto como um profissional competente.

Tarefas pessoais/emocionais
Quando seus clientes buscam um estado emocional específico como sentir-se bem ou em segurança. Por exemplo, buscar tranquilidade mental em relação aos investimentos pessoais ou alcançar o sentimento de segurança no trabalho.

Tarefas de apoio
Os clientes realizam também tarefas de apoio na compra e no consumo de valor, seja como consumidores ou como profissionais. Essas tarefas derivam de três papéis diferentes:

- COMPRADOR DE VALOR: tarefas referentes à aquisição de valor, como comparação de ofertas, decisão sobre que produtos comprar, ficar na fila do caixa, fechar uma compra ou entregar um produto ou serviço.

- COCRIADOR DE VALOR: tarefas referentes à cocriação de valor com sua organização, como postar análises e feedback sobre produtos ou mesmo participar no design de um produto ou serviço.

- TRANSFERIDOR DE VALOR: tarefas referentes ao término do ciclo de vida de uma proposição de valor, como o cancelamento de uma assinatura, desfazendo-se de um produto, transferindo-o para outra pessoa ou revendendo-o.

*O conceito de tarefas a realizar foi desenvolvido independentemente por diversos pensadores de negócios, entre eles Anthony Ulwick, da consultoria Strategyn, os consultores Rick Pedi e Bob Moesta e a professora Denise Nitterhouse, da Depaul University.
O termo foi popularizado por Clay Christensen e sua empresa de consultoria Innosight e pela Strategyn de Anthony Ulwick.

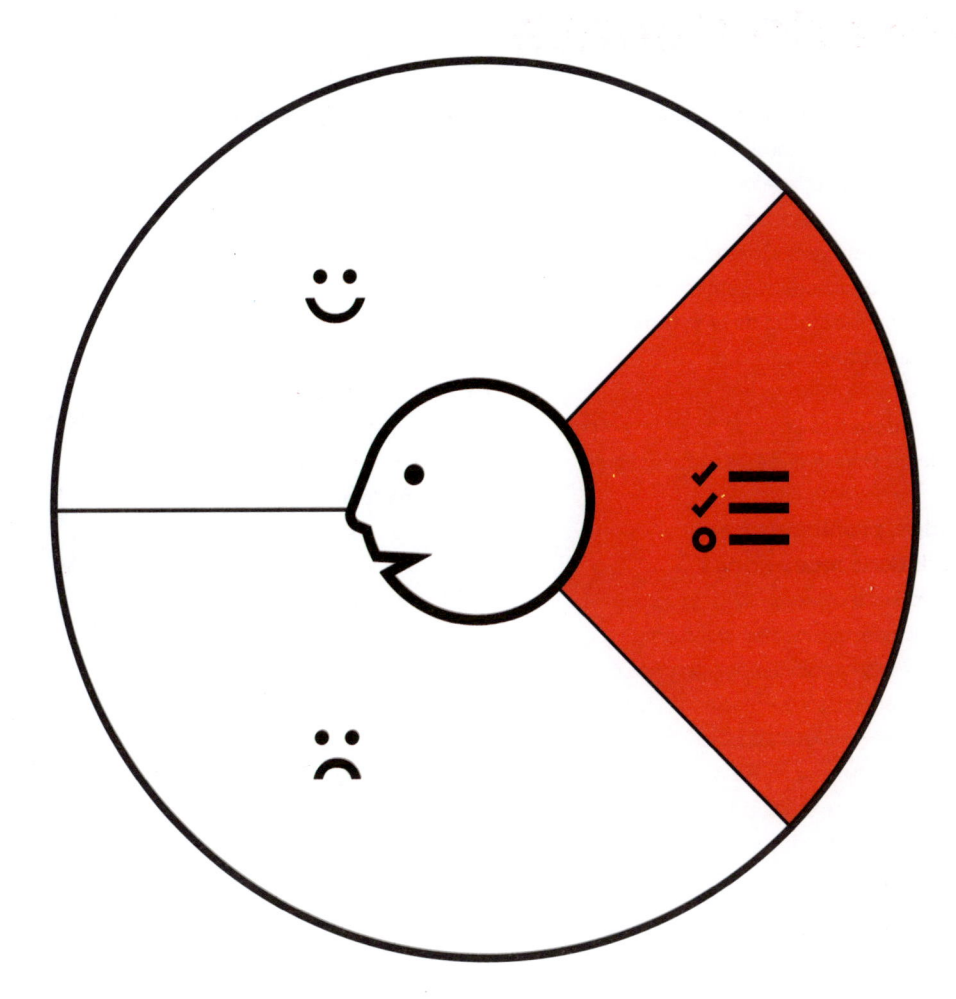

Contexto das tarefas

Muitas vezes, as tarefas do cliente dependem do contexto específico em que são realizadas. O contexto pode impor algumas barreiras ou limitações. Por exemplo, ligar para alguém, de repente, é diferente quando estamos viajando de trem ou dirigindo um carro. Assim como ir ao cinema com os filhos é diferente de ir com o(a) parceiro(a).

Importância da tarefa

É importante reconhecer que nem todas as tarefas têm a mesma importância para o cliente. Algumas importam mais no trabalho do cliente ou em sua vida, porque deixar de realizá-las poderia ter sérias consequências. Algumas são insignificantes, porque o cliente se importa mais com outras coisas. Às vezes, um cliente considerará uma tarefa essencial por ela ocorrer com frequência ou porque ele vivenciará imediatamente um resultado desejado ou não desejado.

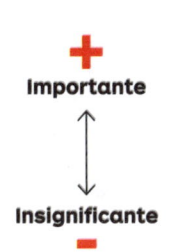

+ Importante
↕
− Insignificante

Faça o download das perguntas provocadoras para encontrar as atribuições dos clientes.

Dores do Cliente

As dores descrevem qualquer coisa que aborreça seus clientes antes, durante e depois de tentar realizar uma tarefa, ou simplesmente que os impeça de realizar uma tarefa. Dores também descrevem riscos, isto é, o potencial de resultados negativos, referentes a um mau desempenho na realização de uma tarefa ou a não realização dela.

Procure identificar três tipos de dores dos clientes e o grau de gravidade que eles atribuem a elas.

Resultados, problemas e características indesejadas
Dores funcionais (por exemplo, uma solução que não funciona, que não funciona bem ou tem efeitos colaterais negativos), sociais ("fico com má aparência fazendo isso:"), emocionais ("sinto-me mal sempre que faço isso") ou secundárias ("é chato ter de ir à loja por causa disso"). Também podem haver características que os clientes não gostam (por exemplo, "correr na academia é um tédio" ou "este design é feio").

Obstáculos
Impedem os clientes até mesmo de dar início a uma tarefa ou os limitam (por exemplo, "não tenho tempo para realizar esta tarefa com precisão", "não posso arcar com nenhuma das soluções existentes").

Riscos (resultados indesejados em potencial)
Aquilo que poderia dar errado ou ter consequências negativas importantes (por exemplo, "eu poderia perder credibilidade ao adotar este tipo de solução", "uma brecha na segurança seria desastrosa para nós").

Gravidade da dor
A dor de um cliente pode ser aguda ou moderada, assim como as tarefas podem ser importantes ou insignificantes.

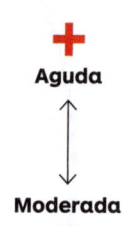

+
Aguda
↕
Moderada
−

Dica: Torne as dores concretas.
Para diferenciar de modo claro as tarefas, as dores e os ganhos, descreva-os da forma mais concreta possível. Pergunte a partir de quantos minutos exatamente considera-se perda de tempo, quando o cliente aponta "estar perdendo tempo em uma fila" como uma dor. Dessa maneira, você pode registrar "perdendo mais do que *x* minutos numa fila". Quando você compreende a exatidão que os clientes medem a gravidade da dor, você pode conceber analgésicos mais eficazes em sua proposta de valor.

A lista abaixo contém perguntas provocadoras que podem ajudá-lo a pensar sobre diferentes dores em potencial para os clientes.

- Qual a definição de *muito dispendioso* para o cliente? É porque consome tempo demais, porque custa muito caro ou por exigir esforços substanciais?
- O que faz o cliente se sentir mal? Quais suas frustrações, aborrecimentos ou aquilo que lhe dá dor de cabeça?
- Que atuais propostas de valor, segundo o cliente, estão deixando a desejar? Que recursos estão perdendo? Existem problemas de desempenho que os aborrecem ou disfunções?
- Quais as principais dificuldades e os maiores desafios enfrentados pelo cliente? Eles compreendem como as coisas funcionam, têm dificuldade em conhecer a execução de certas coisas ou resistem a determinadas tarefas por razões específicas?
- Que consequências sociais negativas os clientes encaram ou temem? Têm medo de perder o respeito, o poder, a confiança ou o status?
- Que riscos os clientes temem? Têm medo dos riscos financeiros, sociais e técnicos ou estão se perguntando o que poderia dar errado?
- O que está tirando o sono dos clientes? Quais são suas questões, preocupações e aborrecimentos mais relevantes?
- Que erros comuns os clientes costumam cometer? Estão usando uma solução de forma errada?
- Que barreiras estão impedindo os clientes de adotarem uma proposta de valor? Há custos de investimentos iniciais, uma curva íngreme de aprendizagem ou existem outros obstáculos impedindo a adoção da proposta?

Acesse essas perguntas provocadoras online.

Ganhos do Cliente

Os ganhos descrevem os resultados e os benefícios que os clientes desejam. Alguns ganhos são necessários, esperados ou desejados pelos clientes e outros os surpreenderiam. Os ganhos incluem utilidade funcional, ganhos sociais, emoções positivas e economia de custos.

Procure identificar quatro tipos de ganhos do cliente em termos de resultados e benefícios.

Ganhos necessários
São ganhos sem os quais determinada solução não funcionaria. Por exemplo, a expectativa essencial que temos de um smartphone é que possamos fazer uma ligação com ele.

Ganhos esperados
São ganhos relativamente básicos que esperamos de uma solução, mesmo que ela funcione sem esses ganhos. Por exemplo, desde que a Apple lançou o iPhone, nossa expectativa é que os celulares tenham um design de qualidade e sejam bonitos.

Ganhos desejados
São ganhos que estão além daquilo que esperamos de uma solução, mas que gostaríamos de ter se pudéssemos. Em geral, são ganhos que os clientes considerariam se lhes fosse perguntado. Por exemplo, queremos que os smartphones estejam perfeitamente integrados a outros dispositivos.

Ganhos inesperados
São ganhos que superam as expectativas e os desejos do cliente. Eles nem os considerariam caso você lhes indagasse. Antes que a Apple popularizasse o *touch screen* e a Appstore, ninguém realmente pensou neles como parte de um telefone celular.

Relevância do ganho
Um ganho pode ser sentido pelo cliente como fundamental ou bom de ter, assim como as dores podem ser sentidas como agudas ou moderadas.

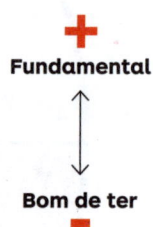

+ Fundamental
− Bom de ter

Dica: Torne os ganhos concretos.
Assim como no caso das dores, é melhor descrever os ganhos o mais concretamente possível, de modo a diferenciar claramente as tarefas, as dores e os ganhos entre si. Pergunte quanto esperariam ou sonhariam quando um cliente menciona "melhor desempenho" como um ganho desejado. Dessa forma, você pode registrar "gostaria de um desempenho maior do que *x*". Quando você compreende a exatidão que os clientes mensuram os ganhos (isto é, resultados e benefícios), você pode conceber melhores criadores de ganhos em sua proposta de valor.

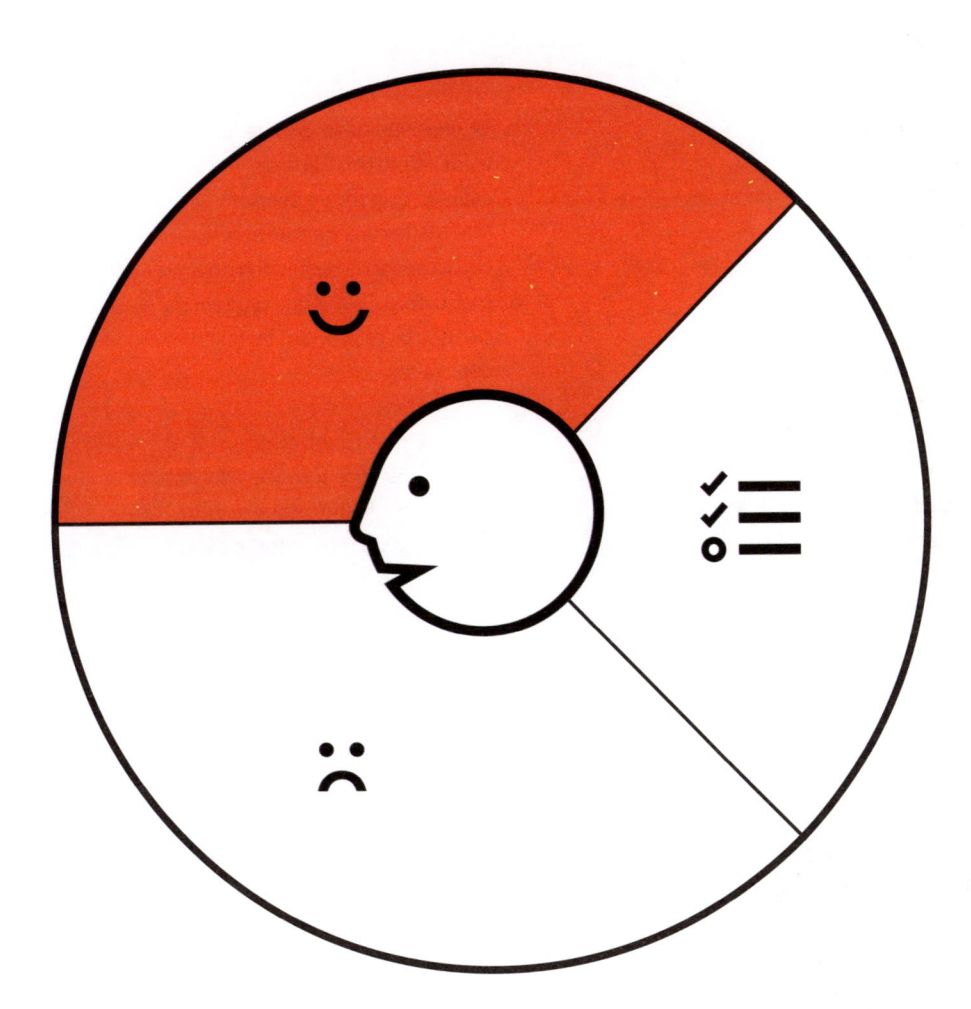

A lista abaixo contém perguntas provocadoras que podem ajudá-lo a pensar sobre diferentes ganhos em potencial para os clientes.

- Que economias trariam felicidade ao cliente? Que economias, em termos de tempo, dinheiro e esforço eles valorizariam?
- Que níveis de qualidade esperam e o que desejam a mais ou a menos?
- De que forma as propostas de valor atuais agradam os clientes? Que aspectos específicos apreciam, que desempenho e qualidade esperam?
- O que facilitaria as tarefas ou a vida de seus clientes? Poderia haver uma curva de aprendizagem mais plana, mais serviços ou custos mais baixos de propriedade?
- Que consequências sociais positivas os clientes desejam? O que lhes dá melhor aparência, aumenta seu poder ou seu status?
- O que os clientes mais procuram? Estão buscando um design de qualidade, garantias, mais recursos ou recursos específicos?
- Quais são os sonhos dos clientes? O que visam alcançar ou o que seria um grande alívio para eles?
- De que forma os clientes mensuram sucessos e fracassos? Como estimam custos ou desempenho?
- O que aumentaria a probabilidade de clientes adotarem uma proposta de valor? Desejam custos baixos, menos investimento, risco menor ou mais qualidade?

Acesse essas perguntas provocadoras online.

Perfil de um Leitor de Livro de Negócios

Optamos por usar os leitores em potencial deste livro para ilustrar o perfil do cliente. Deliberadamente fomos além das tarefas, das dores e dos ganhos meramente relacionados à leitura de livros, já que era nossa intenção conceber uma proposta de valor inovadora e mais holística para pessoas do mundo dos negócios em geral.

O perfil do cliente esboçado à direita é fruto de várias entrevistas realizadas e centenas de interações com participantes de seminários. Entretanto, não é obrigatório começar com um saber preexistente do cliente. Você pode começar explorando ideias, esboçando um perfil baseado em como acha que são seus clientes potenciais. Este é um excelente ponto de partida para preparar testes e entrevistas com clientes em relação às suas premissas quanto a tarefas, dores e ganhos dos clientes.

Ganhos são benefícios, resultados e características que os clientes exigem ou desejam. São resultados de tarefas ou características desejadas de uma proposta de valor que ajudam os clientes a realizar um trabalho bem-feito.

Quanto mais tangíveis e específicos você tornar as dores e os ganhos, melhor. Por exemplo, "exemplos do meu setor" é mais concreto do que "relevante para o meu contexto". Pergunte aos clientes como medem os ganhos e as dores. Investigue como avaliam o sucesso ou o fracasso de uma tarefa que desejam ver realizada.

Certifique-se de que compreende profundamente seu cliente. Se você só tem poucos post-its no seu perfil isso provavelmente indica falta de compreensão quanto ao cliente. Descubra o máximo de tarefas, dores e ganhos que puder. Procure além daqueles diretamente relacionados a sua proposta de valor.

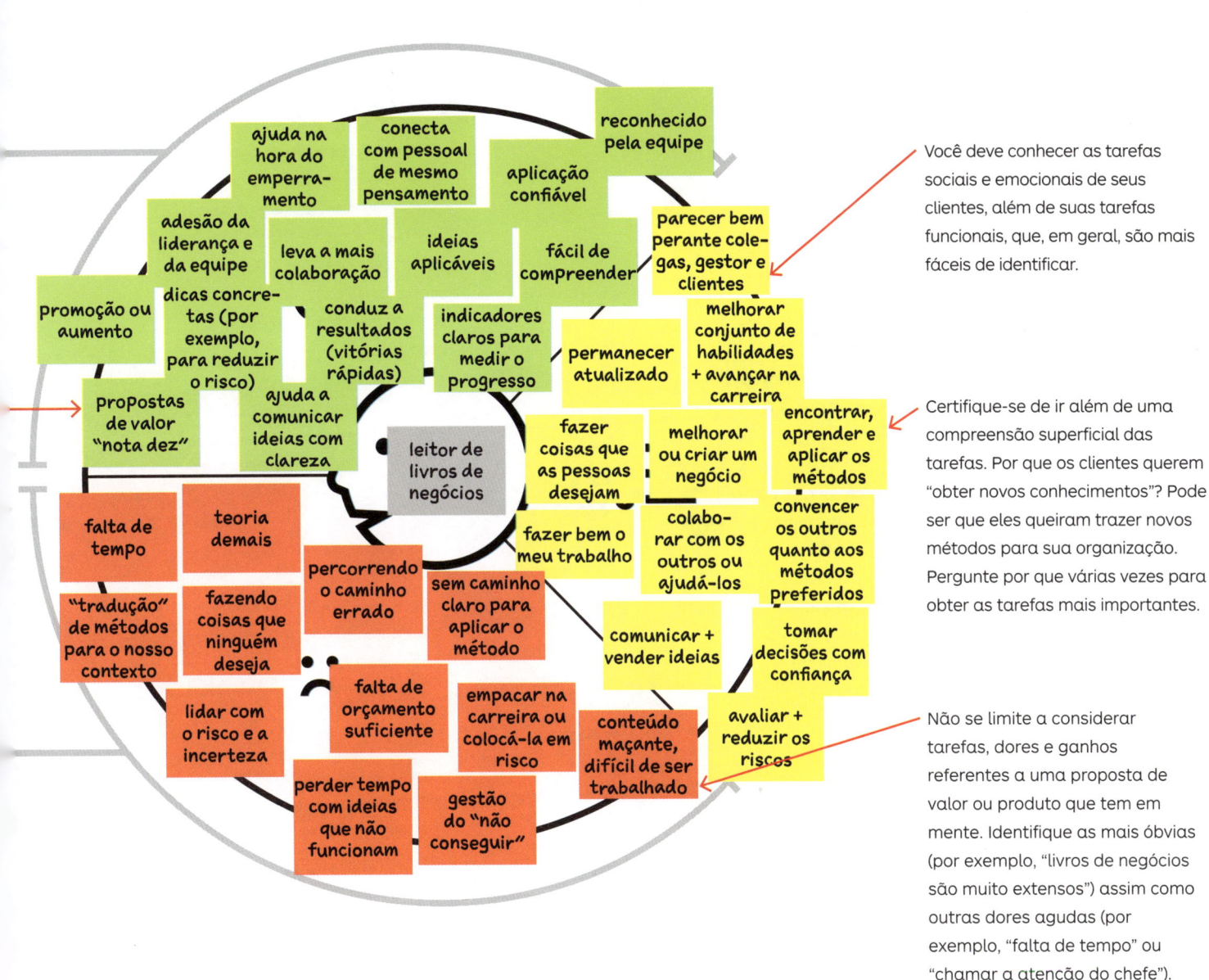

Perfil do Cliente: leitor de livros de negócios

Ganhos (verde)
- ajuda na hora do emperramento
- conecta com pessoal de mesmo pensamento
- reconhecido pela equipe
- adesão da liderança e da equipe
- leva a mais colaboração
- ideias aplicáveis
- aplicação confiável
- fácil de compreender
- parecer bem perante colegas, gestor e clientes
- promoção ou aumento
- dicas concretas (por exemplo, para reduzir o risco)
- conduz a resultados (vitórias rápidas)
- indicadores claros para medir o progresso
- propostas de valor "nota dez"
- ajuda a comunicar ideias com clareza

Tarefas (amarelo)
- permanecer atualizado
- melhorar conjunto de habilidades + avançar na carreira
- fazer coisas que as pessoas desejam
- melhorar ou criar um negócio
- encontrar, aprender e aplicar os métodos
- fazer bem o meu trabalho
- colaborar com os outros ou ajudá-los
- convencer os outros quanto aos métodos preferidos
- comunicar + vender ideias
- tomar decisões com confiança
- avaliar + reduzir os riscos

Dores (laranja)
- falta de tempo
- teoria demais
- "tradução" de métodos para o nosso contexto
- fazendo coisas que ninguém deseja
- percorrendo o caminho errado
- sem caminho claro para aplicar o método
- lidar com o risco e a incerteza
- falta de orçamento suficiente
- empacar na carreira ou colocá-la em risco
- conteúdo maçante, difícil de ser trabalhado
- perder tempo com ideias que não funcionam
- gestão do "não conseguir"

→ Você deve conhecer as tarefas sociais e emocionais de seus clientes, além de suas tarefas funcionais, que, em geral, são mais fáceis de identificar.

→ Certifique-se de ir além de uma compreensão superficial das tarefas. Por que os clientes querem "obter novos conhecimentos"? Pode ser que eles queiram trazer novos métodos para sua organização. Pergunte por que várias vezes para obter as tarefas mais importantes.

→ Não se limite a considerar tarefas, dores e ganhos referentes a uma proposta de valor ou produto que tem em mente. Identifique as mais óbvias (por exemplo, "livros de negócios são muito extensos") assim como outras dores agudas (por exemplo, "falta de tempo" ou "chamar a atenção do chefe").

Classificação de Tarefas, Dores e dos Ganhos

Embora as preferências variem de cliente para cliente, é preciso ter uma noção das prioridades do cliente. Procure saber que tarefas são consideradas importantes ou insignificantes para a maioria deles. Descubra que dores julgam agudas em contraste com as simplesmente moderadas. Saiba que ganhos eles acham essenciais e aqueles que consideram apenas bons de ter.

A classificação de tarefas, dores e ganhos é fundamental para que se possa criar propostas de valor dirigidas ao que realmente importa aos clientes. Evidentemente, é difícil descobrir o que de fato importa a eles, mas sua compreensão melhorará a cada interação e experiência com o cliente.

Não importa se você começar com uma classificação baseada naquilo que julga importante para seus clientes em potencial, contanto que você persista em testar tal classificação até ela refletir verdadeiramente as prioridades, segundo a perspectiva do cliente.

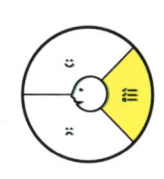

Importância da tarefa
Classifique as tarefas segundo a importância delas para os clientes.

+ importante

- melhorar conjunto de habilidades + avançar na carreira
- conduzir bem o dia de trabalho
- melhorar ou criar um negócio
- avaliar e reduzir o risco
- colaborar com os outros ou ajudá-los
- encontrar, aprender e aplicar métodos

- parecer bem perante colegas, gestor e clientes
- tomar decisões com confiança
- comunicar + vender ideias
- fazer coisas que os outros desejam
- convencer os outros quanto aos métodos preferidos
- permanecer atualizado

− insignificante

Gravidade da dor
Classifique as dores de acordo com o nível delas, na visão do cliente.

+ extrema

- empacar na carreira ou colocá-la em risco
- percorrer o caminho errado
- gestão do "não conseguir"
- lidar com o risco e a incerteza
- perder tempo com ideias que não funcionam
- "tradução" de métodos para o nosso contexto
- teoria demais

- ser associado a um grande fracasso
- falta de orçamento suficiente
- fazer coisas que ninguém deseja
- falta de tempo
- sem caminho claro para aplicar o método
- conteúdo maçante, difícil de ser trabalhado

− moderada

Relevância do ganho
Classifique os ganhos, considerando quão fundamentais são na visão do cliente.

+ fundamental

- ajuda em termos de promoção ou de aumento
- adesão da liderança e da equipe
- ser reconhecido pela equipe
- ajuda quando emperra
- ideias aplicáveis
- aplicável com confiança
- fácil de compreender

- propostas de valor nota dez
- conduz a resultados (vitórias rápidas)
- ajuda a comunicar ideias com clareza
- indicadores claros para medir o progresso
- leva a uma melhor colaboração
- dicas concretas (por exemplo, reduzir o risco)

− bom de ter

EXERCÍCIO

Na pele do seu cliente

OBJETIVO
Visualizar o que é importante para seus clientes num formato compartilhável.

RESULTADO
Prático perfil do cliente, de uma página.

Instruções
Trace o perfil de um de seus segmentos de cliente atualmente existente para praticar o uso do perfil do cliente. Se estiver trabalhando numa nova ideia, delineie o segmento de cliente para o qual pretende criar valor.

1) Faça o download do Canvas Perfil do Cliente.
2) Pegue um bloquinho de post-its.
3) Monte o perfil do seu cliente.

Como está sua compreensão quanto às tarefas, dores e ganhos de seu cliente? Trace um perfil do cliente.

1
Escolha o segmento de cliente.
Escolha um segmento de cliente cujo perfil você deseja fazer.

2
Identifique as tarefas do cliente.
Pergunte quais são as tarefas que seus clientes estão tentando realizar. Mapeie todas as tarefas, escrevendo cada uma num post-it.

3
Identifique as dores do cliente.
Quais são as dores do seu cliente? Anote o maior número que puder identificar, incluindo obstáculos e riscos.

4
Identifique os ganhos do cliente.
Que resultados e benefícios seu cliente quer alcançar? Anote o maior número que puder identificar.

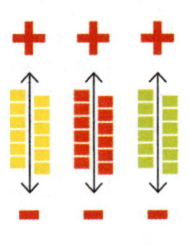

5
Estabeleça prioridades para tarefas, dores e ganhos.
Hierarquize tarefas, dores e ganhos numa coluna, cada um com as tarefas mais importantes, as dores mais agudas e os ganhos fundamentais na parte superior, e as dores moderadas e os ganhos bons de ter na parte inferior.

Faça este exercício online.

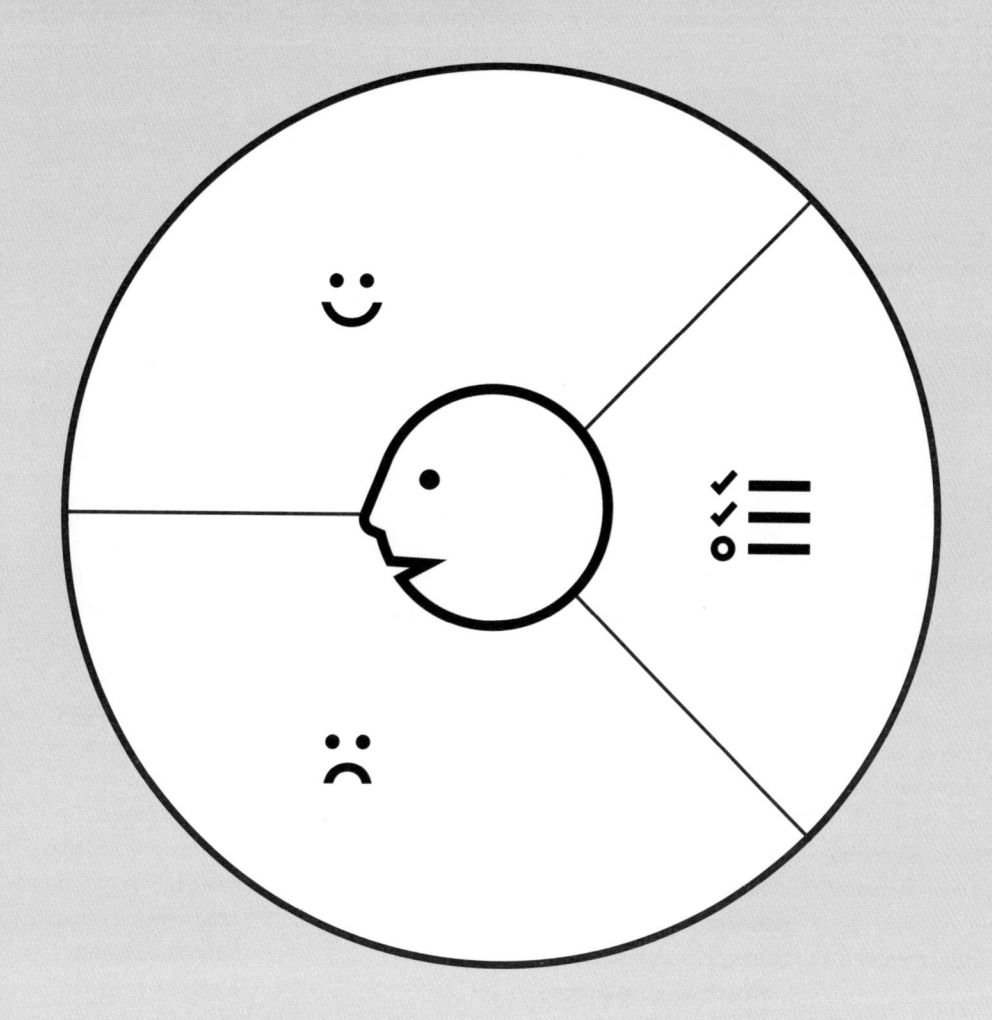

Perfil do Cliente

Strategyzer

Copyright Business Model Foundry AG
Criadores do BMG e do Strategyzer

Faça o download do PDF do Perfil do Cliente.

As melhores práticas para delinear tarefas, dores e ganhos

Evite os erros mais frequentes ao traçar o perfil do cliente, adotando as melhores práticas descritas abaixo.

✘ Erros comuns

Misturar diversos segmentos de cliente em um só perfil.

Misturar tarefas e resultados.

Concentrar-se apenas nas tarefas funcionais, esquecendo as tarefas sociais e emocionais.

Listar tarefas, dores e ganhos com sua proposta de valor em mente.

Identificar uma quantidade muito pequena de tarefas, dores e ganhos.

Dores e ganhos muito vagos.

✓ Melhores práticas

Elabore um Canvas de Proposta de Valor para cada segmento de cliente. Caso você venda para empresas, pergunte-se se você tem diferentes tipos de cliente dentro de cada empresa (por exemplo, usuários, compradores etc.).

Tarefas são o que os clientes estão tentando realizar, os problemas que estão tentando solucionar ou as necessidades que estão tentando satisfazer, e os ganhos são os resultados concretos que desejam alcançar — ou evitar e eliminar, no caso das dores.

Às vezes, tarefas sociais ou emocionais são mais importantes do que as tarefas funcionais "visíveis". "Parecer bem na frente dos outros" pode ser mais importante do que encontrar uma grande solução técnica que ajudaria a cumprir a tarefa eficazmente.

Ao delinear o cliente, você deve proceder como um antropólogo e "esquecer" o que você está oferecendo. Por exemplo, uma editora de livros de negócios não deve delinear as tarefas, as dores e os ganhos meramente relacionados a livros, porque um leitor pode escolher entre livros de negócios, consultores, vídeos do YouTube ou até mesmo fazer um MBA ou um treinamento. Vá além das tarefas, das dores e dos ganhos que você pretende ou espera abranger com sua proposta de valor.

Um bom perfil de cliente é cheio de post-its, porque a maioria dos clientes tem muitas dores e espera ou deseja muitos ganhos. Delineie todas as tarefas do cliente, as dores agudas e os ganhos essenciais (em potencial).

Torne as dores e os ganhos tangíveis e concretos. Em vez de simplesmente escrever "aumento de salário" nos ganhos, especifique quanto de aumento o cliente deseja. Em vez de escrever "leva muito tempo" nas dores, indique quanto "muito tempo" realmente é. Isso lhe permitirá compreender a exatidão que os clientes medem o sucesso e o fracasso.

Dores x Ganhos

Ao começar a usar o perfil do consumidor, você poderá simplesmente colocar as mesmas ideias em dores e em ganhos, com sentidos opostos. Por exemplo, se uma das tarefas a realizar de um cliente é "ganhar mais dinheiro", você poderá começar acrescentando "aumento de salário" aos ganhos e "redução de salário" às dores.

Eis a melhor forma de fazê-lo:
- Descubra quanto mais, em termos precisos, o cliente espera ganhar, de forma que ele perceba como um ganho, e investigue que decréscimo seria tido como uma dor.
- Acrescente às dores as barreiras que impedem ou dificultam a realização de uma tarefa. Em nosso exemplo, a dor poderia ser "meu gestor não dá aumento".
- Acrescente às dores os riscos referentes à não realização da tarefa. Em nosso exemplo, a dor poderia ser "não ser capaz de arcar com os custos da faculdade do meu filho no futuro".

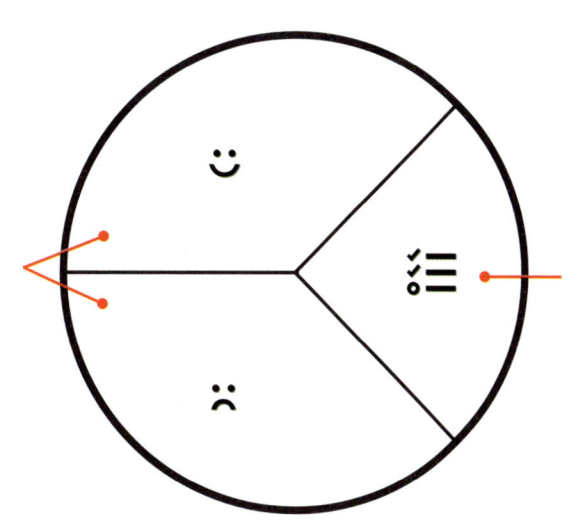

Pergunte por que diversas vezes até que você compreenda realmente as tarefas a realizar dos clientes.

Outra dificuldade ao começar o perfil do cliente é que você pode se satisfazer com um entendimento superficial das tarefas. Como forma de evitar isso, você precisa se perguntar por que um cliente quer desempenhar determinada tarefa, para ir mais a fundo em busca das verdadeiras motivações.

Por exemplo, por que um cliente gostaria de aprender um idioma estrangeiro? Talvez porque a "verdadeira" tarefa a realizar do cliente seja melhorar o CV. Por que ele deseja melhorar o CV? Talvez porque queira ganhar mais.

Não se dê por satisfeito(a) enquanto não compreender realmente as tarefas a realizar que, de fato, impulsionam os clientes.

1.2
Mapa de Valor

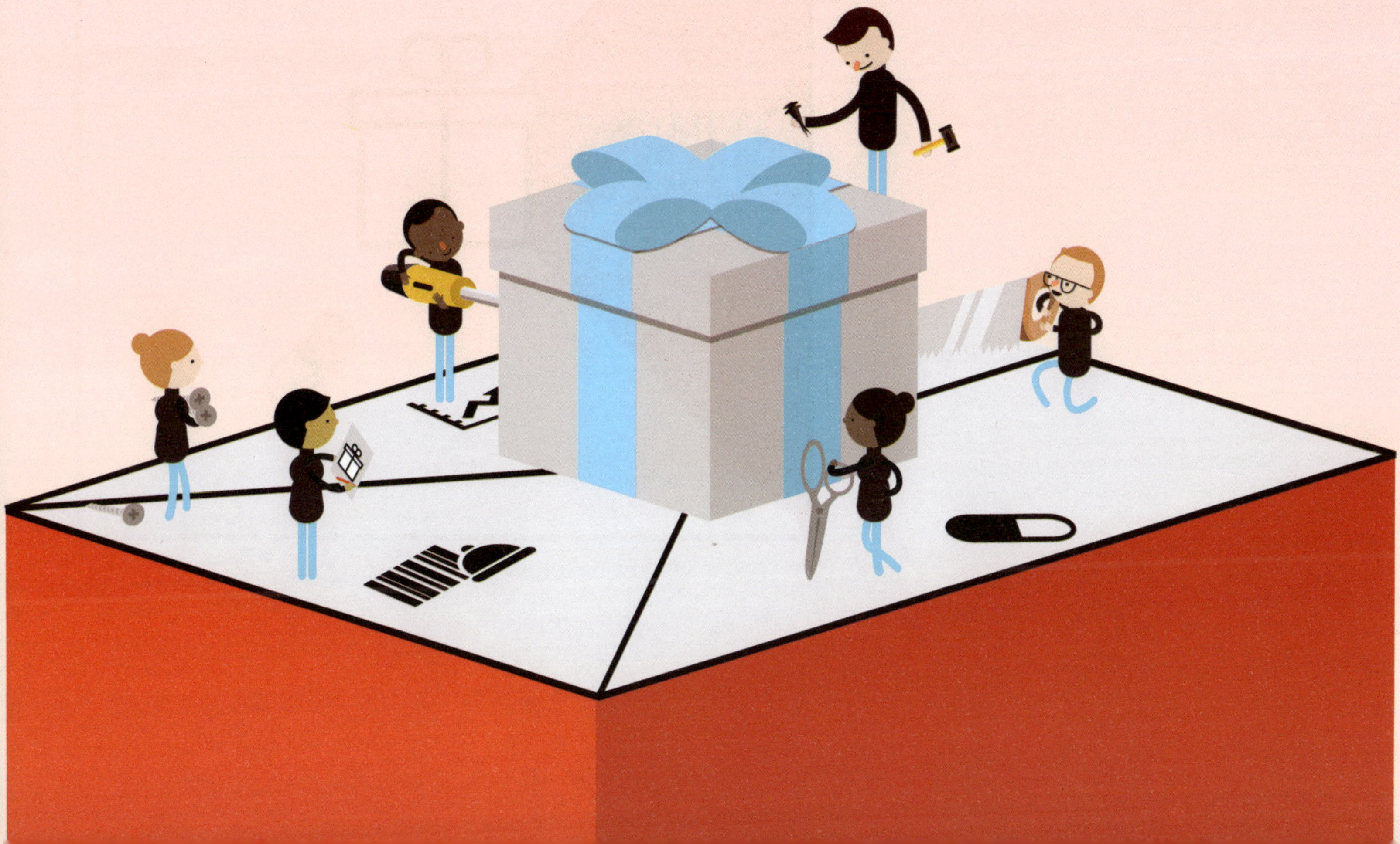

28

Produtos e Serviços

Trata-se simplesmente de uma lista daquilo que você tem a oferecer. Pense em todos aqueles itens que seus clientes podem ver na sua vitrine — em termos metafóricos. É uma enumeração de todos os produtos e serviços em que sua proposta de valor se fundamenta. Esse conjunto de produtos e serviços ajuda os clientes no cumprimento de suas tarefas funcionais, sociais ou emocionais e os ajuda a satisfazer suas necessidades básicas. É essencial reconhecer que produtos e serviços não criam valor por si — apenas em relação a um segmento de cliente específico e suas tarefas, dores e ganhos.

Sua lista de produtos e serviços também pode incluir itens de apoio, que ajudam os clientes a desempenhar os papéis de comprador (aqueles que ajudam os clientes a comparar ofertas, a decidir e comprar), de cocriador (aqueles que ajudam os clientes a colaborar no design de propostas de valor) e de transferidor (os que ajudam clientes a se desfazer de um produto).

Sua proposta de valor tende a compreender vários tipos de produtos e serviços:

Físicos/Tangíveis
Bens, como produtos manufaturados.

Intangíveis
Produtos, como copyrights, ou serviços, como a assistência pós-venda.

Digitais
Produtos, como download de músicas, ou serviços, como recomendações online.

Financeiros
Produtos, como fundos de investimentos e seguros, ou serviços, como o financiamento de uma aquisição.

Relevância

É fundamental reconhecer que nem todos os produtos e serviços têm a mesma relevância para seus clientes. Alguns produtos e serviços são fundamentais para sua proposta de valor, outros são meramente do tipo bom de ter.

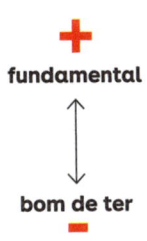

+ fundamental
− bom de ter

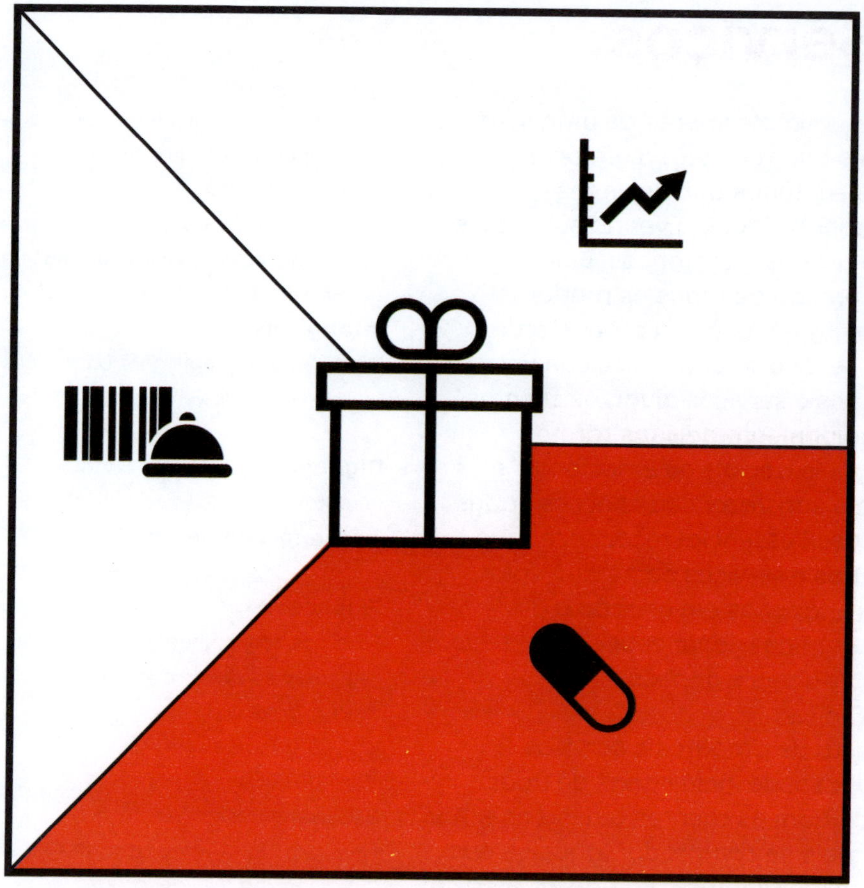

Analgésicos

Os analgésicos descrevem como seus produtos e serviços aliviam dores específicas dos clientes. Eles esclarecem como você pretende eliminar ou reduzir algumas das coisas que aborrecem seus clientes antes, durante ou depois de tentarem cumprir uma tarefa ou que os impedem de fazê-lo.

Ótimas propostas de valor concentram-se em dores incômodas para os clientes, principalmente as agudas. Você não precisa providenciar um analgésico para cada dor identificada no perfil do cliente — não há proposta de valor capaz disso. Propostas de valor de destaque muitas vezes focam apenas em algumas poucas dores que conseguem aliviar bem.

A lista de perguntas provocadoras a seguir pode ajudá-lo(a) a pensar sobre diferentes maneiras como seus produtos e serviços podem ajudar os clientes a aliviar dores.

Pergunte-se: Será que seus produtos e serviços poderiam...

- gerar economias? Em termos de tempo, dinheiro ou esforços.
- fazer seus clientes se sentirem melhor? Ao dar fim a frustrações, aborrecimentos, coisas que trazem dor de cabeça aos clientes.
- consertar soluções que deixam a desejar? Ao introduzir novos recursos, melhor desempenho ou melhor qualidade.
- pôr fim em dificuldades e desafios que os clientes encontram? Tornando as coisas mais fáceis ou eliminando obstáculos.
- eliminar consequências sociais negativas, temidas pelos clientes? Em termos de perda de respeito, poder, confiança ou status.
- eliminar riscos temidos pelos clientes? Riscos financeiros, sociais ou técnicos ou coisas que potencialmente poderia dar errado.
- ajudar seus clientes a ter noites melhores de sono? Tratando das questões significativas, diminuindo as preocupações e eliminando os aborrecimentos.
- limitar ou erradicar os erros comuns cometidos pelos clientes? Ajudando a empregar uma solução da forma correta.
- eliminar barreiras que estão impedindo seu cliente de adotar propostas de valor? Introduzindo pouco ou nenhum investimento inicial, uma curva de aprendizagem mais plana ou eliminando outros obstáculos que impedem a adoção da proposta.

Relevância

Um analgésico pode ser mais ou menos eficaz. Certifique-se de que você faz a distinção entre analgésicos fundamentais e aqueles bons de ter. Os primeiros aliviam questões graves, muitas vezes de modo radical, e criam muito valor. Os segundos apenas aliviam dores moderadas.

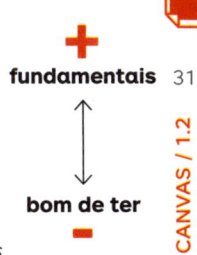

\+ fundamentais
↕
bom de ter −

Faça o download das perguntas provocadoras.

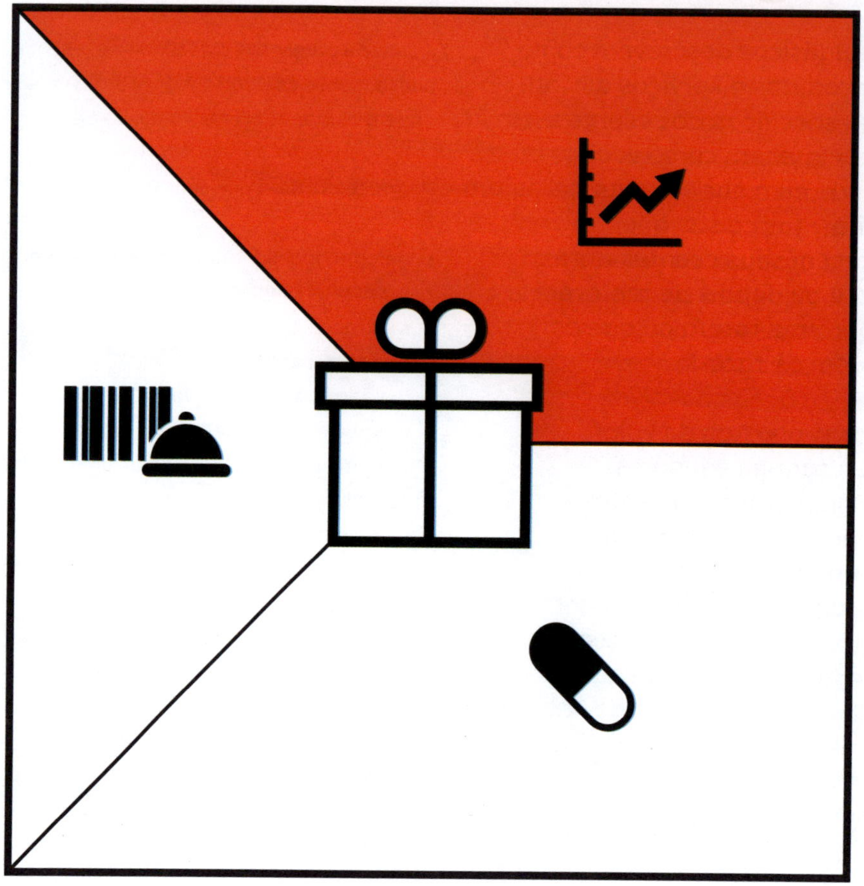

Criadores de Ganhos

Os criadores de ganhos descrevem como seus produtos e serviços criam ganhos para o cliente. Eles delineiam explicitamente de que forma você pretende produzir os resultados e benefícios que seu cliente espera, deseja ou que o surpreenderiam, incluindo utilidade funcional, ganhos sociais, emoções positivas e economia de custos.

Assim como os analgésicos, os criadores de ganhos não precisam contemplar todo e qualquer ganho identificado no perfil do cliente. Concentre-se naqueles relevantes para os clientes e nos quais seus produtos e serviços podem fazer diferença.

A lista de perguntas provocadoras a seguir pode ajudá-lo(a) a pensar sobre as diferentes formas como seus produtos e serviços podem ajudar seus clientes a obter resultados e benefícios necessários, esperados, desejados ou inesperados.

Pergunte-se: Será que seus produtos e serviços poderiam...

- acarretar economias que agradam aos clientes? Em termos de tempo, dinheiro e esforço.
- produzir os resultados esperados pelos clientes ou que excedem as expectativas deles? Oferecendo níveis de qualidade, mais de alguma coisa, menos de outra.
- superar o desempenho das propostas de valor vigentes e agradar seus clientes? Em relação a características específicas, desempenho ou qualidade.
- facilitar o trabalho ou a vida pessoal dos clientes? Por meio de mais praticidade, acessibilidade, mais serviços ou custo menor de manutenção.
- trazer consequências sociais positivas? Ao conferir-lhes uma boa aparência ou produzindo um aumento em termos de poder e status.
- proporcionar algo específico que os clientes estão buscando? Design bonito, garantias ou características específicas.
- realizar um desejo que os clientes alimentam? Ajudando-os a realizar suas vontades ou aliviando-os de um revés.
- produzir resultados positivos que correspondem aos critérios de sucesso e fracasso dos clientes? Melhor desempenho ou custo mais baixo.
- ajudam a facilitar a adoção? Custo mais baixo, menos investimentos, risco menor e qualidade, desempenho ou design mais elevados.

Relevância

Um criador de ganhos pode produzir resultados mais ou menos relevantes e benefícios para o cliente, tal como vimos em relação aos analgésicos. Assegure-se de diferenciar os criadores de ganhos fundamentais dos bons de ter.

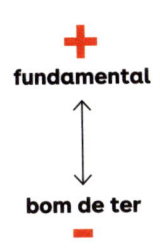

+ fundamental

− bom de ter

Faça o download das perguntas provocadoras.

Mapeando a Proposta de Valor do *Value Proposition Design*

Propostas de valor memoráveis direcionam o zoom para tarefas, dores e ganhos dos clientes e alcançam-nos muito bem. Mais uma vez — você não deve tentar abranger todas as dores e ganhos do cliente. Concentre-se naqueles que farão diferença para ele.

Vale agregar diversas propostas de valor em uma única.

Lista "pura e simples" dos produtos e serviços que sua proposta de valor constrói para atingir um segmento de clientes específico.

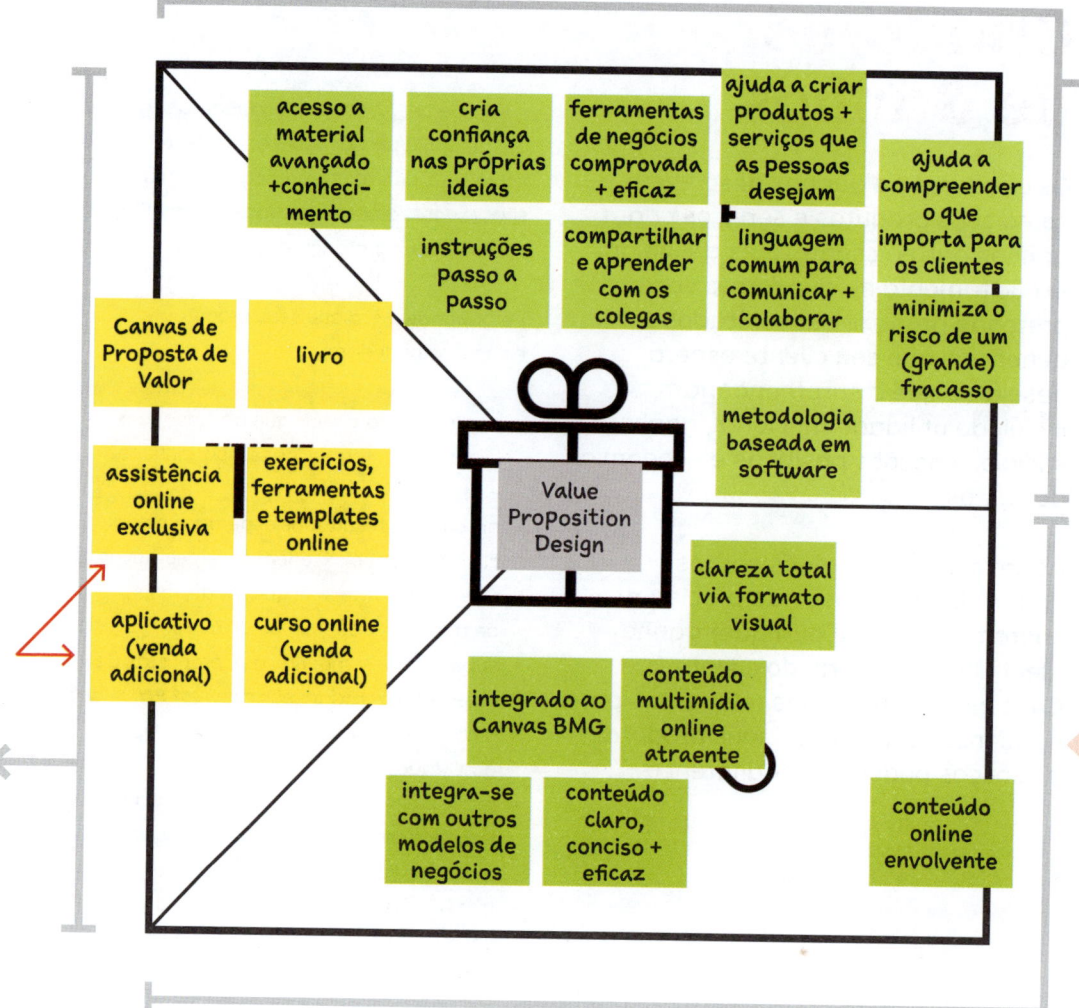

Os analgésicos indicam a exatidão que seus produtos e serviços eliminam as dores do cliente. Cada analgésico diz respeito, no mínimo, a uma ou mais dores ou ganhos. Não inclua produtos ou serviços aqui.

Produtos e serviços (amarelos):
- Canvas de Proposta de Valor
- livro
- assistência online exclusiva
- exercícios, ferramentas e templates online
- aplicativo (venda adicional)
- curso online (venda adicional)

Criadores de ganho / Analgésicos (verdes):
- acesso a material avançado + conhecimento
- cria confiança nas próprias ideias
- ferramentas de negócios comprovada + eficaz
- ajuda a criar produtos + serviços que as pessoas desejam
- ajuda a compreender o que importa para os clientes
- instruções passo a passo
- compartilhar e aprender com os colegas
- linguagem comum para comunicar + colaborar
- minimiza o risco de um (grande) fracasso
- metodologia baseada em software
- clareza total via formato visual
- integrado ao Canvas BMG
- conteúdo multimídia online atraente
- integra-se com outros modelos de negócios
- conteúdo claro, conciso + eficaz
- conteúdo online envolvente

Value Proposition Design

Os criadores de ganhos ressaltam a maneira pela qual seus produtos e serviços ajudam os clientes a obterem ganhos. Cada criador de ganho diz respeito, no mínimo, a uma ou mais dores ou ganhos. Não inclua produtos ou serviços aqui.

Mapa formal de como acreditamos que os produtos e serviços referentes a este livro criam valor para os clientes.

EXERCÍCIO

Mapeie como seus produtos e serviços criam valor

OBJETIVO
Descreva explicitamente como seus produtos e serviços criam valor.

RESULTADO
Mapa de criação de valor de uma página.

Instruções

Esboce o mapa de valor de uma de suas propostas de valor existentes. Por exemplo, use uma que atinja o segmento de cliente que você descreveu no exercício anterior. É mais fácil começar com uma proposta de valor já existente. Entretanto, caso ainda não a tenha, esboce como você pretende criar valor com uma nova ideia. Vamos abordar a criação de novas propostas de valor mais adiante, neste livro.

Por enquanto:

1. Pegue o perfil do cliente que você preencheu anteriormente.
2. Faça o download do Mapa de Valor.
3. Pegue um bloco de post-its.
4. Faça o mapa de como você cria valor para o cliente.

Faça download do PDF do Mapa de Valor.

O Mapa de Valor

Strategyzer

Copyright Business Model Foundry AG
Criadores do BMG e do Strategyzer

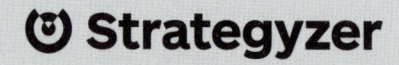

1
Liste produtos e serviços.
Liste todos os produtos e serviços de sua proposta de valor existente.

2
Descreva os analgésicos.
Descreva como seus produtos e serviços atualmente ajudam clientes a aliviar dores, ao eliminar resultados indesejados, obstáculos ou riscos. Use um post-it para cada analgésico.

3
Descreva os criadores de ganhos.
Explique como seus produtos e serviços atualmente criam resultados e benefícios esperados ou desejados para os clientes. Use um post-it para cada criador de ganho.

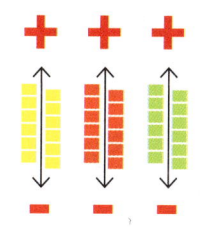

4
Classifique por ordem de importância.
Classifique os produtos e serviços, os analgésicos e os criadores de ganhos, considerando quão fundamentais são para os clientes.

Faça este exercício online

Analgésicos x Criadores de ganhos

Tanto analgésicos quanto criadores de ganhos criam valor para o cliente. A diferença é que os primeiros dizem respeito às dores no perfil do cliente, enquanto os segundos se referem especificamente aos ganhos. Não há problema se quaisquer dos dois contemplarem dores e ganhos ao mesmo tempo. A meta principal das duas áreas é tornar explícita a criação de valor para o cliente.

Qual a diferença entre dores e ganhos no perfil do cliente?

Os analgésicos e os criadores de ganhos são bem diferentes das dores e dos ganhos. Você tem controle sobre os primeiros, mas não tem sobre os últimos. Você decide (isto é, concebe) como pretende criar valor, contemplando tarefas, dores e ganhos específicos. Você não decide sobre que tarefas, dores e ganhos o cliente tem. E nenhuma proposta de valor diz respeito a todas as tarefas, dores e ganhos do cliente. As melhores se direcionam para aqueles que mais importam para os clientes e o fazem extremamente bem.

As Melhores Práticas para Delinear a Criação de Valor

✘ Erros comuns

Listar todos os seus produtos e serviços, e não apenas aqueles direcionados para um segmento específico.

Inserir produtos e serviços nos campos referentes aos analgésicos e criadores de ganhos.

Oferecer analgésicos e criadores de ganhos que nada têm a ver com as dores e os ganhos contidos no perfil do cliente.

Tentar abranger todas as dores e os ganhos do cliente.

✔ Melhores práticas

Produtos e serviços só criam valor em relação a um segmento de cliente específico. Listar apenas a quantidade de produtos e serviços que, em conjunto, formam uma proposta de valor para um segmento de cliente específico.

Os analgésicos e os criadores de ganhos são características que tornam explícitos seus produtos e serviços. Por exemplo, "ajuda a poupar tempo", "tem um belo design".

Lembre-se de que produtos e serviços não criam valor em termos absolutos. É sempre em relação às tarefas, às dores e aos ganhos do cliente que seus produtos e serviços de fato criam valor.

Perceba que excelentes propostas de valor se referem a fazer escolhas em relação a que tarefas, dores e ganhos abordar e quais deixar de lado. Nenhuma proposta de valor se dirige a todos eles. Se seu mapa de valor indicar isso, provavelmente é porque você não está sendo honesto(a) quanto a todas as tarefas, dores e ganhos que deveriam constar do seu perfil de cliente.

1.3 Encaixe

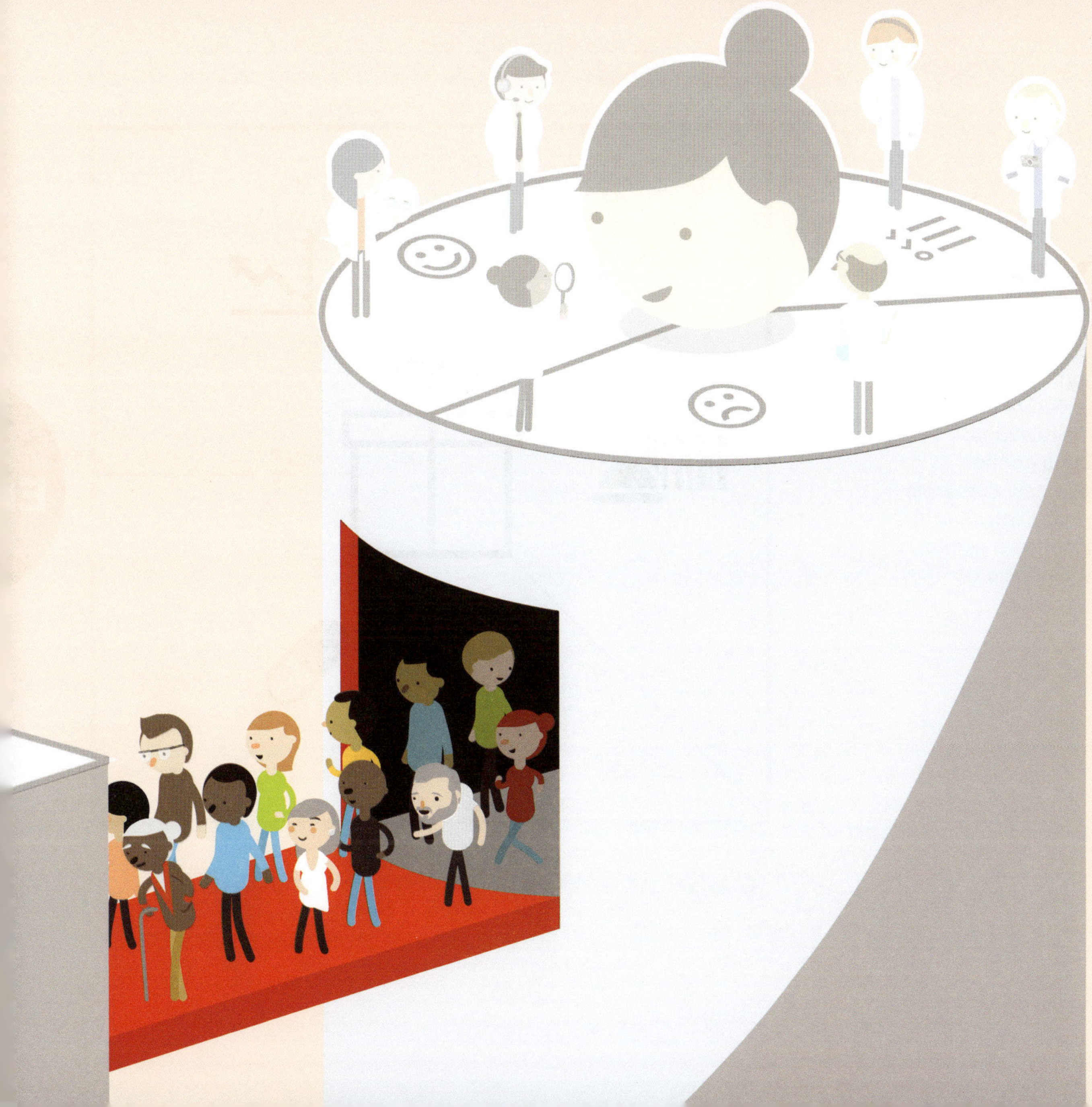

Encaixe

Você consegue o encaixe quando os clientes se entusiasmam com sua proposta de valor. Isso ocorre quando você contempla tarefas relevantes, alivia dores agudas e cria ganhos importantes para os clientes. Conforme explicaremos ao longo do livro, o Encaixe é difícil de encontrar e manter. Lutar pelo encaixe é a essência do design de propostas de valor.

Os clientes desejam e esperam muito dos produtos e dos serviços. Ainda assim, sabem que não podem ter todas as coisas. Concentre-se naqueles ganhos que mais importam para os clientes e que fazem diferença.

Os clientes têm muitas dores. Nenhuma organização consegue tratar de todas elas. Concentre-se naquelas dores de cabeça que mais afligem e que não estão sendo tratadas devidamente.

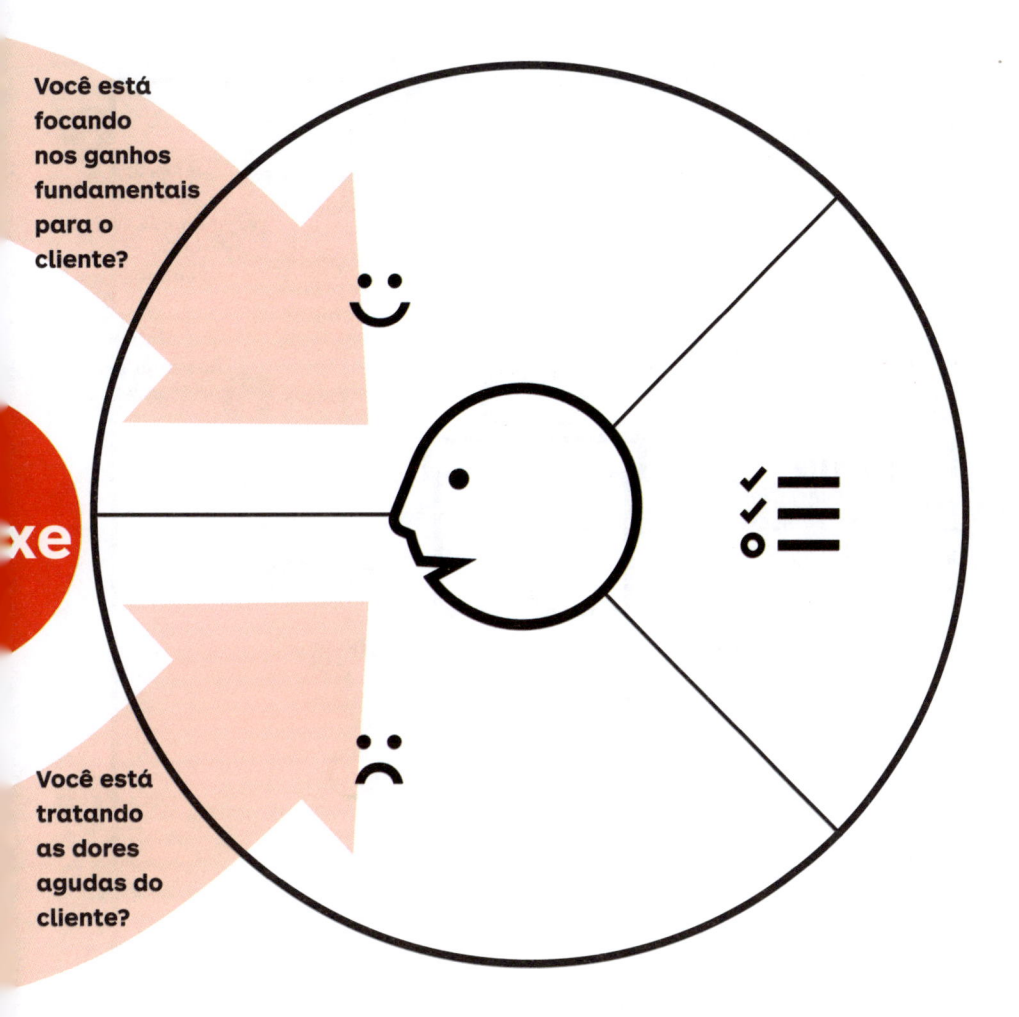

Você está focando nos ganhos fundamentais para o cliente?

Você está tratando as dores agudas do cliente?

Seus clientes são os juízes, o júri e os carrascos de sua proposta de valor. Serão implacáveis se você não encontrar o encaixe!

Encaixado?

Ao concebermos a proposta de valor para este livro, esforçamo-nos para tratar algumas das tarefas, das dores e dos ganhos mais importantes dos clientes potenciais e que não são abordados de maneira suficiente pelos atuais livros de negócios.

Tiques significam que os produtos e serviços aliviam as dores ou criam ganhos e contemplam diretamente uma das tarefas, das dores ou dos ganhos dos clientes.

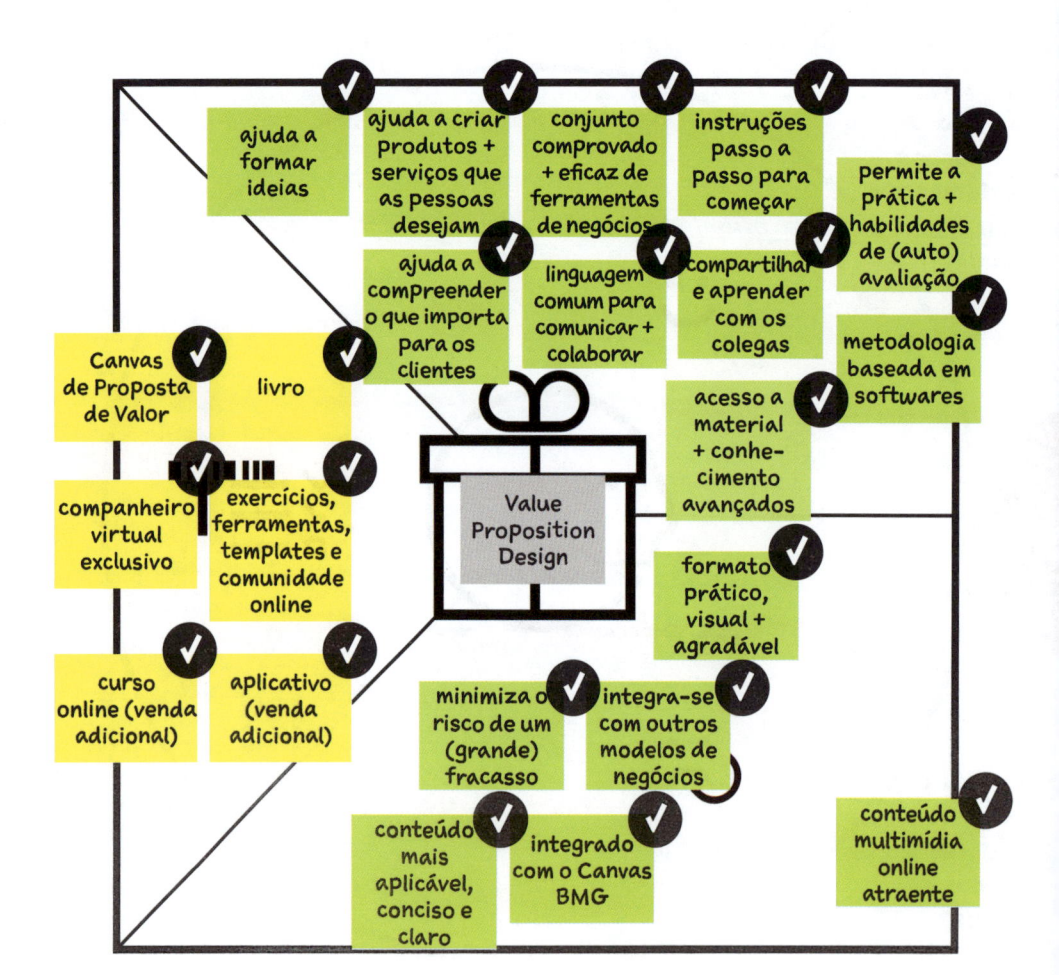

Produtos e serviços:
- Canvas de Proposta de Valor
- livro
- companheiro virtual exclusivo
- exercícios, ferramentas, templates e comunidade online
- curso online (venda adicional)
- aplicativo (venda adicional)

Alívio das dores / Criação de ganhos:
- ajuda a formar ideias
- ajuda a criar produtos + serviços que as pessoas desejam
- conjunto comprovado + eficaz de ferramentas de negócios
- instruções passo a passo para começar
- permite a prática + habilidades de (auto) avaliação
- ajuda a compreender o que importa para os clientes
- linguagem comum para comunicar + colaborar
- compartilhar e aprender com os colegas
- metodologia baseada em softwares
- acesso a material + conhecimento avançados
- formato prático, visual + agradável
- minimiza o risco de um (grande) fracasso
- integra-se com outros modelos de negócios
- conteúdo mais aplicável, conciso e claro
- integrado com o Canvas BMG
- conteúdo multimídia online atraente

Value Proposition Design

leitor de livro de negócios (genérico)

Ganhos (✓):
- conduz a resultados (vitórias rápidas)
- indicadores claros para medir o progresso
- aplicável com confiança
- adesão da liderança e da equipe ✗
- fácil de compreender
- ser reconhecido pela equipe ✗
- ajuda na hora do emperramento ✗
- conectar com gente de mesma mentalidade ✗
- melhorar conjunto de habilidades + avançar na carreira ✗
- ideias aplicáveis
- ajuda em termos de promoção ou de aumento ✗
- ajuda-me a comunicar ideias com clareza
- leva a uma melhor colaboração
- conduzir bem o dia de trabalho
- melhorar ou criar um negócio
- propostas de valor "nota dez"
- dicas concretas (por exemplo, reduzir o risco)
- avaliar e reduzir o risco
- colaborar com os outros ou ajudá-los
- encontrar, aprender e aplicar métodos ✗
- parecer bem perante colegas, chefe e clientes ✗
- comunicar + vender ideias
- tomar decisões com confiança
- fazer coisas que os outros desejam ✗
- convencer os outros quanto aos métodos preferidos ✗
- permanecer atualizado

Dores (✗):
- falta de tempo
- teoria demais
- fazer coisas que ninguém deseja
- lidar com o risco e a incerteza
- empacar na carreira ou prejudicá-la ✗
- conteúdo maçante difícil de ser trabalhado
- falta de orçamento suficiente ✗
- percorrer o caminho errado ✗
- gestão do "não conseguir"
- "tradução" de métodos para o nosso contexto ✗
- perder tempo com ideias que não funcionam
- sem caminho claro para aplicar o método

O X assinala as tarefas, dores e ganhos que a proposta de valor não contempla.

EXERCÍCIO

Verifique seu Encaixe

OBJETIVO
Verificar se você está focado no que é importante para os clientes.

RESULTADO
Conexão entre seus produtos e serviços e as tarefas, dores e ganhos do cliente.

Faça este exercícios online.

1
Instruções

Considere o Mapa de Proposta de Valor e o Perfil de Segmento do Cliente compostos anteriormente. Examine os analgésicos e os criadores de ganhos, um por um, e verifique se eles se ajustam a um ganho, uma dor ou tarefa do cliente. Assinale com um √ em cada um que se ajustar.

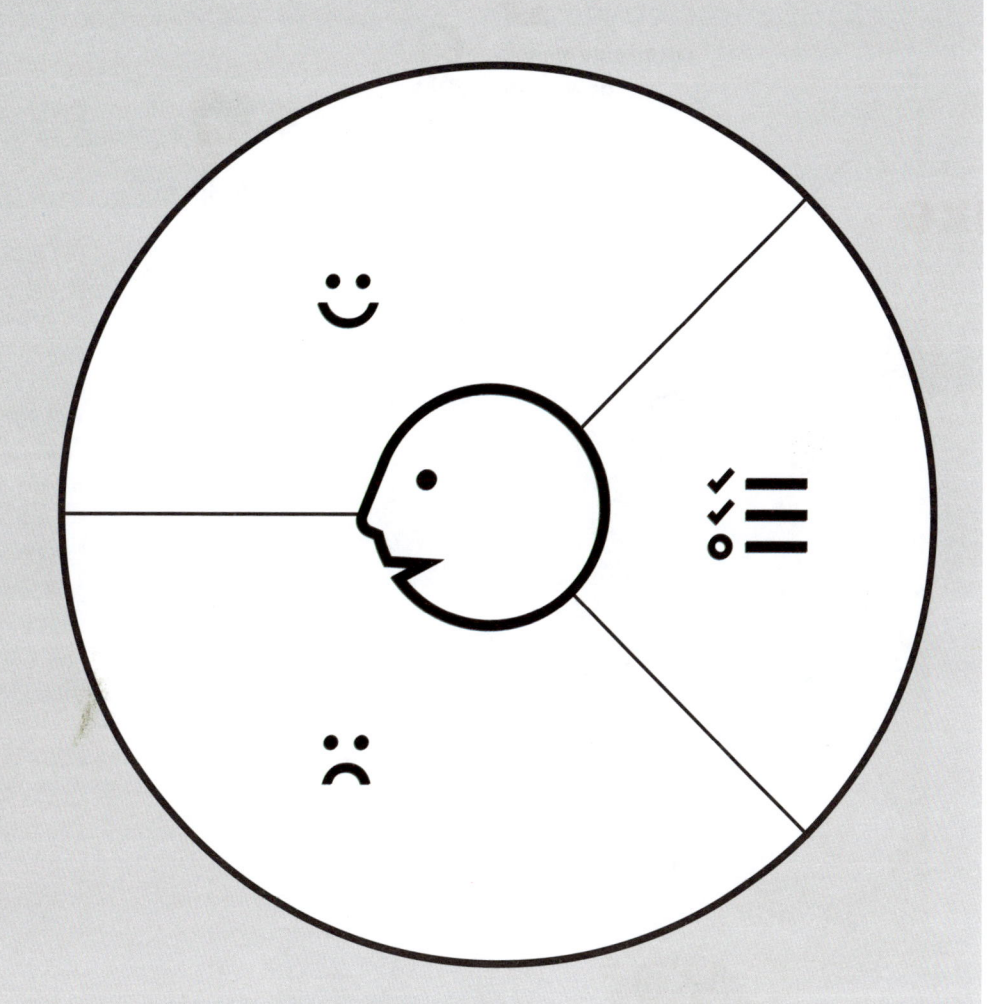

2
Resultado

Se um analgésico ou criador de ganho não se ajustar a nada, ele pode não estar criando valor para o cliente. Não se preocupe se não tiver assinalado todas as dores/ganhos – é impossível satisfazer a todos. Pergunte-se: qual a qualidade do encaixe existente entre sua proposta de valor e seu cliente?

Baixe o PDF do Canvas de Proposta de Valor.

Três Tipos de Encaixe

A busca do Encaixe é o processo de *Value Proposition Design* em torno de produtos e serviços que atendam tarefas, dores e ganhos que realmente importam para os clientes. O Encaixe entre o que uma empresa oferece e o que os clientes desejam é o requisito número um de uma proposta de valor bem-sucedida.

O Encaixe acontece em três estágios. O primeiro, quando você identifica tarefas, dores e ganhos relevantes do cliente, que podem ser contemplados por sua proposta de valor. O segundo ocorre quando os clientes reagem positivamente a sua proposta de valor e ela ganha força no mercado. O movimento das *startups* denomina-os Encaixe da Solução do Problema e Encaixe Produto-Mercado, respectivamente. O terceiro estágio acontece quando você encontra um modelo de negócio em escala e lucrativo.

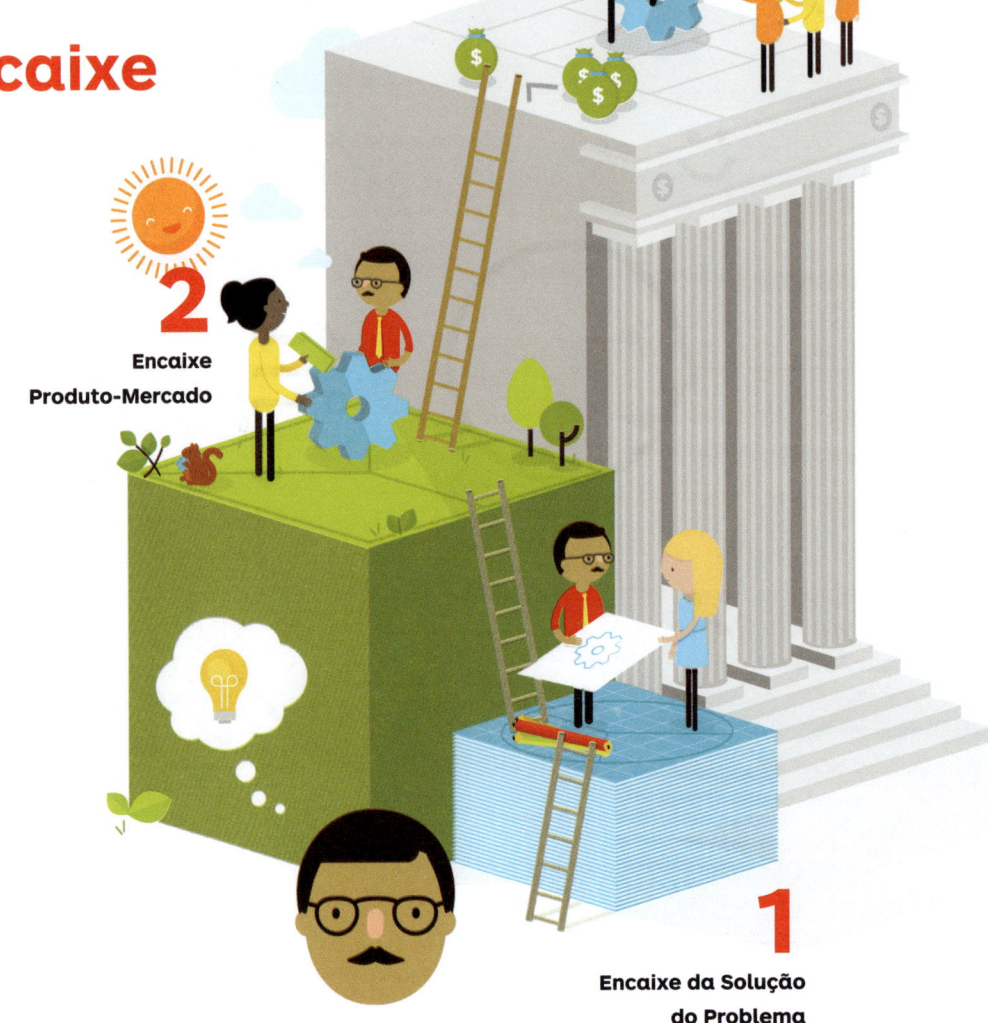

3 Encaixe do Modelo de Negócio

2 Encaixe Produto-Mercado

1 Encaixe da Solução do Problema

Faça o download do pôster de Encaixe.

No papel ⟶ No mercado ⟶ No banco

1. Encaixe da Solução de Problema
O Encaixe da Solução de Problema acontece quando você:
- tem evidências de que os clientes se importam com certas tarefas, dores e ganhos;
- concebeu uma proposta de valor que contempla essas tarefas, dores e ganhos.

Neste estágio, você ainda não tem evidências de que os clientes se importam realmente com sua proposta de valor.

    É nesse momento que você se esforça para identificar atribuições, dores e ganhos bem relevantes para os clientes e desenvolve propostas de valor compatíveis. Você constrói protótipos com as múltiplas alternativas de proposta de valor para chegar àquela que corresponde ao melhor encaixe. O encaixe que você consegue ainda não está comprovado e existe apenas no papel. Seus próximos passos são produzir evidências de que os clientes se importam com sua proposta de valor ou recomeçar, elaborando uma nova.

2. Encaixe Produto-Mercado
O Encaixe Produto-Mercado acontece quando você:
- tem evidências de que seus produtos e serviços, analgésicos e criadores de ganhos estão, de fato, criando valor para o cliente e ganhando força no mercado.

Durante esta segunda fase, você se esforça para validar ou invalidar as premissas que sustentam sua proposta de valor. Inevitavelmente, você vai perceber que muitas de suas ideias iniciais simplesmente não criam valor para o cliente (isto é, os clientes não ligam) e terá de elaborar novas ideias. A descoberta desse segundo tipo de encaixe é um processo longo e repetitivo; não acontece da noite para o dia.

3. Encaixe do Modelo de Negócio
O Encaixe do Modelo de Negócio acontece quando você:
- tem evidências de que sua proposta de valor pode ser inserida num modelo de negócio em escala e lucrativo.

Uma proposta de valor excelente sem um grande modelo de negócio poderá significar um sucesso financeiro abaixo do ideal ou até mesmo levar ao fracasso. Nenhuma proposta de valor – ainda que maravilhosa – sobrevive sem um modelo de negócio sólido.

    A busca por um encaixe do modelo de negócio impõe trabalhosas idas e vindas entre a elaboração de uma proposta de valor que cria valor para os clientes e um modelo de negócio que cria valor para sua organização. Você não obtém um encaixe do modelo de negócio até que possa gerar mais receitas com sua proposta de valor do que incorrer em custos para criá-la e entregá-la (ou criá-**las** entregá-**las**, no caso de modelos de plataforma com mais de uma proposição de valor interdependente).

Perfis de Clientes B2B

As propostas de valor em transações do tipo B2B envolvem normalmente várias partes interessadas em busca, avaliação, compra e uso de um produto ou serviço. Cada parte tem um perfil diferente com diferentes tarefas, dores e ganhos. Essas partes interessadas podem puxar a decisão de compra para uma direção ou para outra. Identifique as mais importantes e esboce um Canvas da Proposta de Valor para cada uma delas.

Os perfis variam de acordo com o setor e o tamanho da organização, mas, em geral, incluem os seguintes papéis:

+ Desdobrados
Propostas de Valor para partes interessadas *dentro* do negócio

- Os Influentes
- Os que Recomendam
- Os Compradores Econômicos
- Os Tomadores de Decisão
- Os Usuários Finais
- Os Sabotadores

As organizações são clientes compostos por diferentes partes interessadas, sendo que todas têm tarefas, dores e ganhos diferentes. Monte um Canvas de Proposta de Valor para cada uma delas.

Agregados
Proposta de Valor — Segmento de Negócio

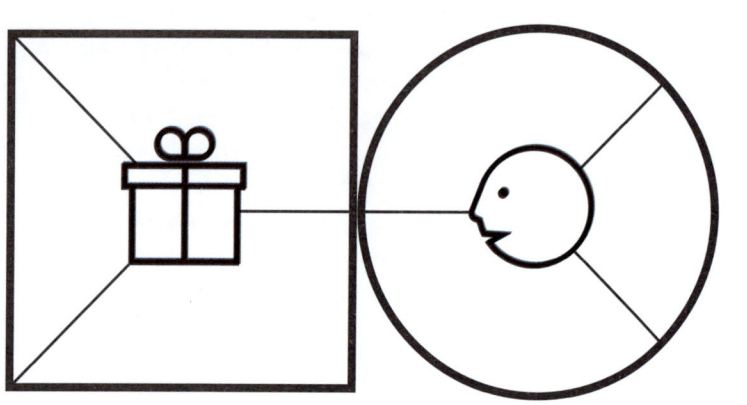

Adaptado de The Four Steps to Epiphany, *(2006), de Steve Blank.*

Desdobrando a Família

As propostas de valor para o consumidor podem envolver ainda várias partes interessadas na busca, na avaliação, na aquisição e no uso de um produto ou serviço. Por exemplo, considere uma família que pretende comprar um console de videogame. Existe também uma diferença entre o comprador econômico, o influente, o tomador de decisão, os usuários e os sabotadores nessa situação. Aqui também faz sentido montar um Canvas de Proposta de Valor para cada parte interessada.

Os Influentes
Indivíduos ou grupos cujas opiniões pesam e a quem o tomador de decisão daria ouvidos, mesmo informalmente.

Os que Recomendam
Pessoas encarregadas da busca e do processo de avaliação, que fazem uma recomendação formal a favor ou contra a aquisição.

Os Compradores Econômicos
Indivíduo ou grupo que controla o orçamento e que efetua a compra de fato. Suas preocupações são, geralmente, com o desempenho financeiro e a eficiência orçamentária.
Em alguns casos, o comprador econômico pode estar fora da organização: um governo que paga pelos suprimentos médicos básicos de lares para idosos, por exemplo.

Os Tomadores de Decisão
Pessoa ou grupo responsável, em última instância, pela escolha de um produto/serviço e por ordenar a decisão de compra. Os tomadores de decisão costumam ter autoridade final sobre o orçamento.

Os Usuários Finais
Os beneficiários finais de um produto ou serviço. Quando o cliente é uma empresa, os usuários finais podem estar dentro da própria organização (um fabricante comprando software para seus designers) ou podem ser seus clientes (um fabricante de aparelhos comprando chips para smartphones que vende aos consumidores). Os usuários finais podem ser ativos ou passivos, dependendo do peso de sua palavra sobre o processo de decisão e compra.

Os Sabotadores
Pessoas e grupos que podem obstruir ou sabotar o processo de busca, avaliação e aquisição de um produto ou serviço.

Os tomadores de decisão costumam estar dentro da organização do cliente, enquanto os que recomendam, os compradores econômicos, os usuários finais e os sabotadores poder estar dentro ou fora da organização.

Múltiplos Encaixes

Alguns modelos de negócios só funcionam com uma combinação de várias propostas de valor e segmentos de cliente. Em tais situações, você precisa do encaixe entre a proposta de valor e seu respectivo segmento de cliente para que o modelo de negócio funcione.

Dois exemplos comuns de múltiplos encaixes são os modelos de negócio *intermediário* e *plataforma*.

Intermediário

Quando um negócio vende um produto ou serviço recorrendo a um intermediário, ele precisa, na verdade, suprir dois clientes: o usuário final e o próprio intermediário. Sem uma proposta de valor clara ao intermediário, a oferta poderá não alcançar o cliente final ou, pelo menos, não com o mesmo impacto.

A empresa chinesa Haier vende eletrodomésticos e aparelhos eletrônicos para residências no mundo inteiro. Para isso, recorre, em grande parte, a varejistas como Carrefour, Walmart e outros. Para ser bem-sucedida, a Haier precisa criar uma proposta de valor atraente tanto para residências (cliente final) quanto para os distribuidores intermediários.

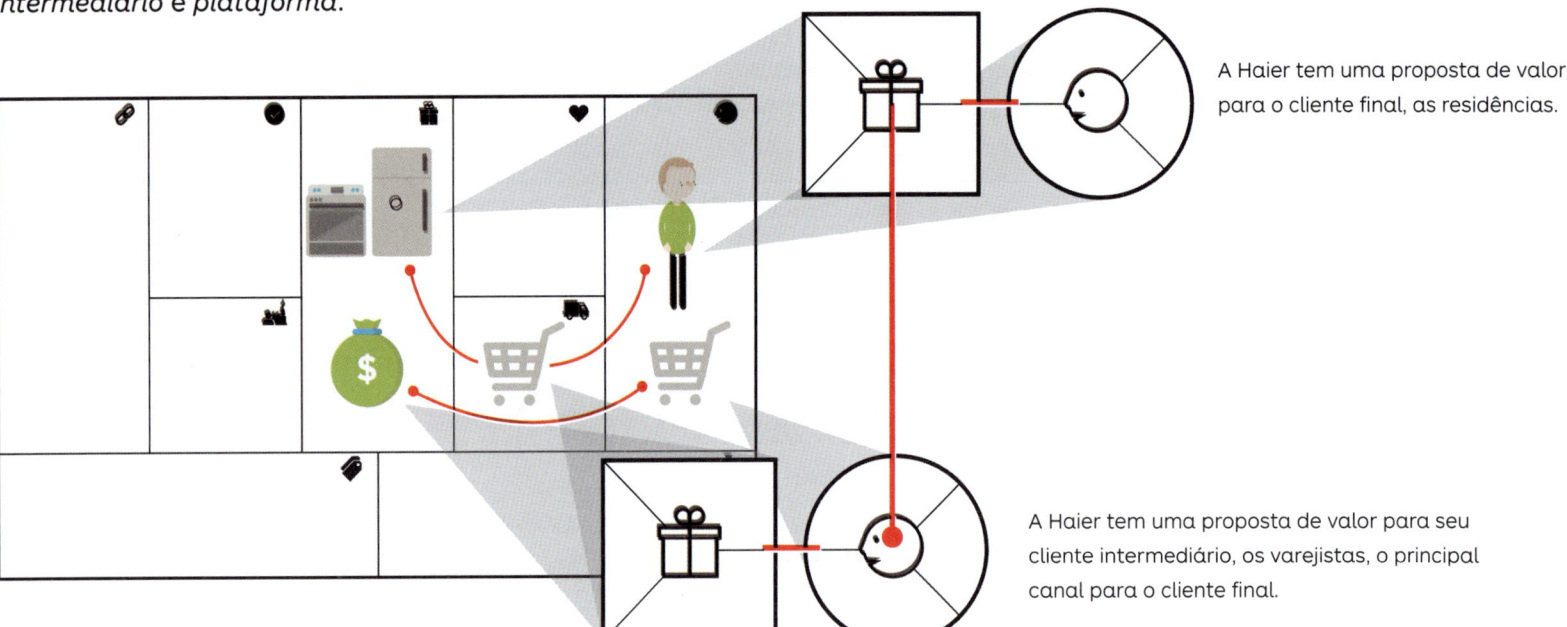

A Haier tem uma proposta de valor para o cliente final, as residências.

A Haier tem uma proposta de valor para seu cliente intermediário, os varejistas, o principal canal para o cliente final.

Plataformas

As plataformas só funcionam quando dois ou mais atores interagem e encontram valor dentro de um mesmo modelo de negócio interdependente. São chamadas plataformas dupla-face, quando esses atores são dois, ou multifacetadas, quando são mais do que dois. Uma plataforma só existe quando todos os lados constam do modelo.

A Airbnb é um exemplo de plataforma dupla-face. É um site que conecta proprietários de residências com espaço extra a ser alugado e viajantes à procura de alternativas aos hotéis. Nesse caso, o modelo de negócio precisa ter duas propostas de valor, uma para os proprietários (chamados anfitriões) e outra para os viajantes.

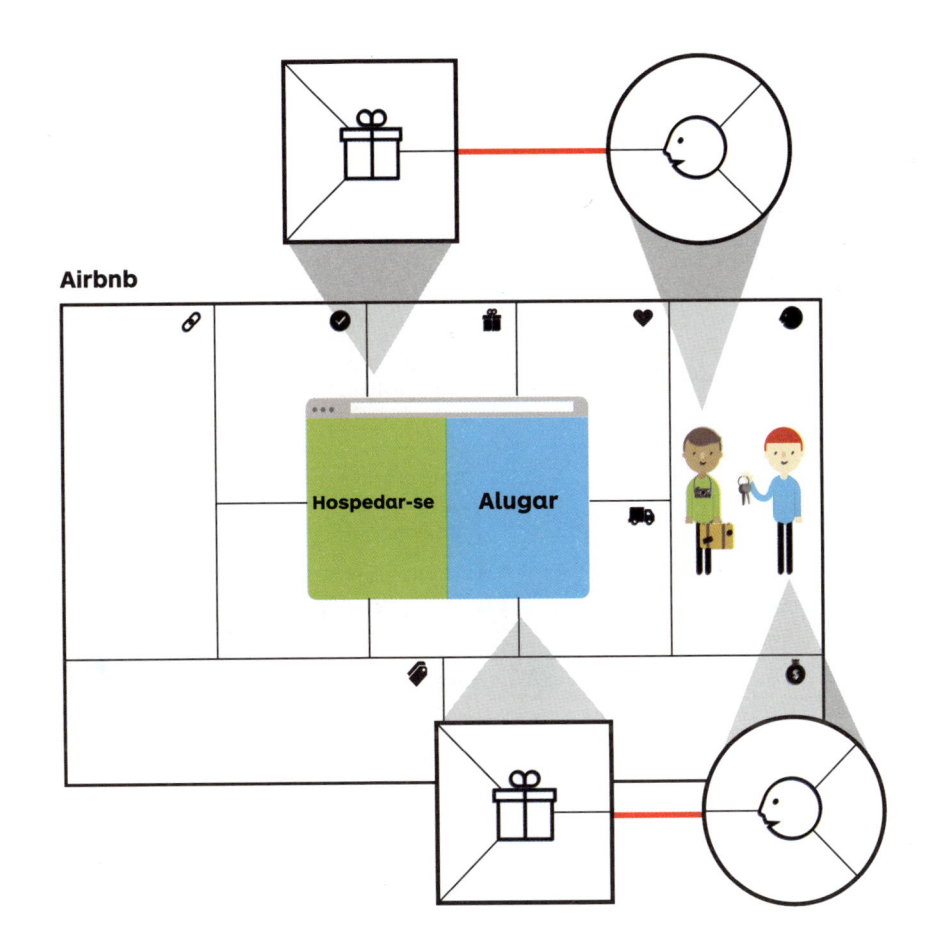

Airbnb

Ida ao Cinema

Vamos explorar os conceitos do Canvas de Proposta de Valor com outro exemplo simples. Imagine que o proprietário de uma rede de cinemas deseja oferecer novas propostas de valor a seus clientes.

O proprietário poderia começar com as características das propostas de valor e se entusiasmar com a última geração de telas gigantescas, tecnologias de ponta em termos de exibição, *snacks* saborosos, eventos sociais, experiências urbanas etc. Entretanto, essas alternativas só importam realmente se os clientes as considerarem. Então, ele sai em busca de compreender melhor o que seus clientes desejam de verdade.

Normalmente, o proprietário da rede de cinemas desenharia os perfis psicodemográficos dos segmentos de cliente. Desta vez, porém, ele decide complementar esse tipo de segmentação com perfis que destaquem as tarefas, as dores e os ganhos do cliente.

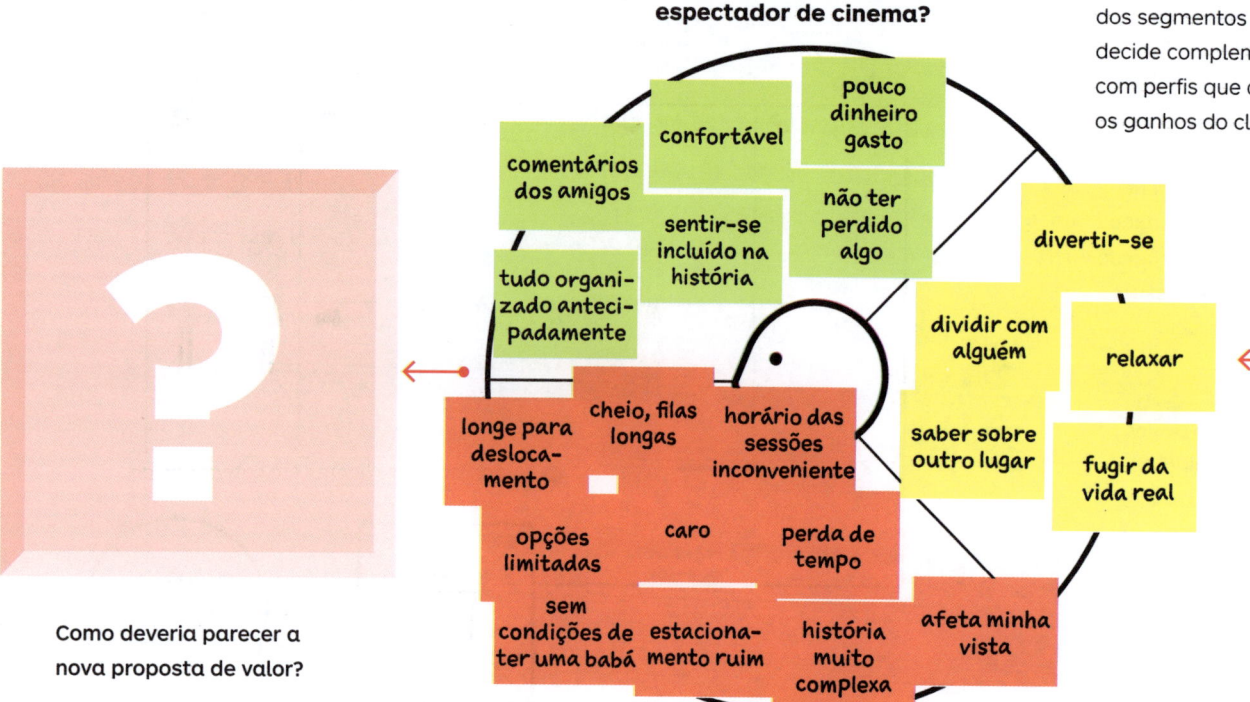

O que estimula o espectador de cinema?

Ganhos: pouco dinheiro gasto, confortável, comentários dos amigos, sentir-se incluído na história, não ter perdido algo, tudo organizado antecipadamente

Tarefas: divertir-se, dividir com alguém, relaxar, saber sobre outro lugar, fugir da vida real

Dores: longe para deslocamento, cheio, filas longas, horário das sessões inconveniente, opções limitadas, caro, perda de tempo, sem condições de ter uma babá, estacionamento ruim, história muito complexa, afeta minha vista

Como deveria parecer a nova proposta de valor?

Dica: Um cliente (em potencial) existe independentemente de sua proposta de valor. Quando você esboçar o perfil de seu cliente não foque apenas nas tarefas, dores e ganhos referentes a sua proposta de valor. Monte um perfil amplo para compreender o que realmente estimula seus clientes.

O Modelo de Negócio do Cinema

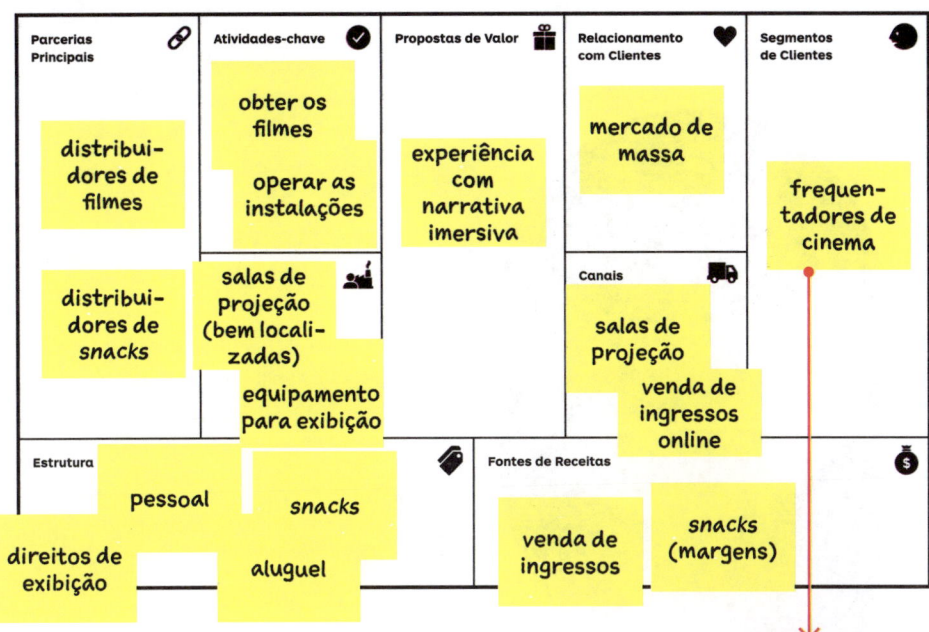

Parcerias Principais	Atividades-chave	Propostas de Valor	Relacionamento com Clientes	Segmentos de Clientes
distribuidores de filmes	obter os filmes	experiência com narrativa imersiva	mercado de massa	frequentadores de cinema
distribuidores de snacks	operar as instalações			
	salas de projeção (bem localizadas)		**Canais**	
	equipamento para exibição		salas de projeção	
			venda de ingressos online	

Estrutura	Fontes de Receitas
pessoal	venda de ingressos
snacks	snacks (margens)
direitos de exibição	
aluguel	

A nova abordagem: *focada nas tarefas, dores e ganhos que estimulam os clientes*

Ao esboçar um perfil do cliente, sua meta é descobrir o que realmente mobiliza as pessoas, em vez de simplesmente descrever suas características socioeconômicas. Você investiga aquilo que estão tentando alcançar, as motivações subjacentes, seus objetivos e o que os retém. Dessa maneira, você terá seu horizonte ampliado e provavelmente descobrirá novas e melhores oportunidades de satisfazer os clientes.

A abordagem tradicional: *perfis psicodemográficos*

Os perfis psicodemográficos tradicionais agrupam os clientes em categorias de características socioeconômicas iguais.

JANE MOVIEGOER
20-30 anos
Classe média alta
Ganha $100 mil/ano
Casada, 2 filhos

Comportamento em relação a cinema:
- prefere filmes de ação;
- gosta de pipoca e refrigerante;
- não gosta de ficar na fila;
- compra o ingresso online;
- vai uma vez por mês.

Mesmo Cliente, Diferentes Contextos

As prioridades mudam em função do contexto do cliente. É fundamental levar esse contexto em consideração antes de pensar em uma proposta de valor para esse cliente.

Com a abordagem das tarefas a realizar, você descobre as motivações de segmentos de clientes diferentes. No entanto, dependendo do contexto, algumas tarefas se tornarão mais ou menos importantes do que outras.

Na verdade, o contexto em que a pessoa se encontra muitas vezes muda a natureza das tarefas que ela quer realizar.

Por exemplo, a clientela de um restaurante tende a usar critérios muito diferentes para avaliar a experiência de almoço ou de jantar. Um usuário de celular terá diferentes exigências quanto a tarefas ao usar o celular no carro, numa reunião ou em casa. Tendo isso em vista, as características de sua proposta de valor serão diferentes dependendo do(s) contexto(s) que você estiver considerando.

No exemplo que usamos, o contexto no qual nossa espectadora se encontra influenciará as tarefas mais ou menos relevantes para ela.

Acrescente elementos contextuais a seus perfis de clientes, caso necessário. Pode ser que sirvam de limitações para o design de propostas de valor mais tarde.

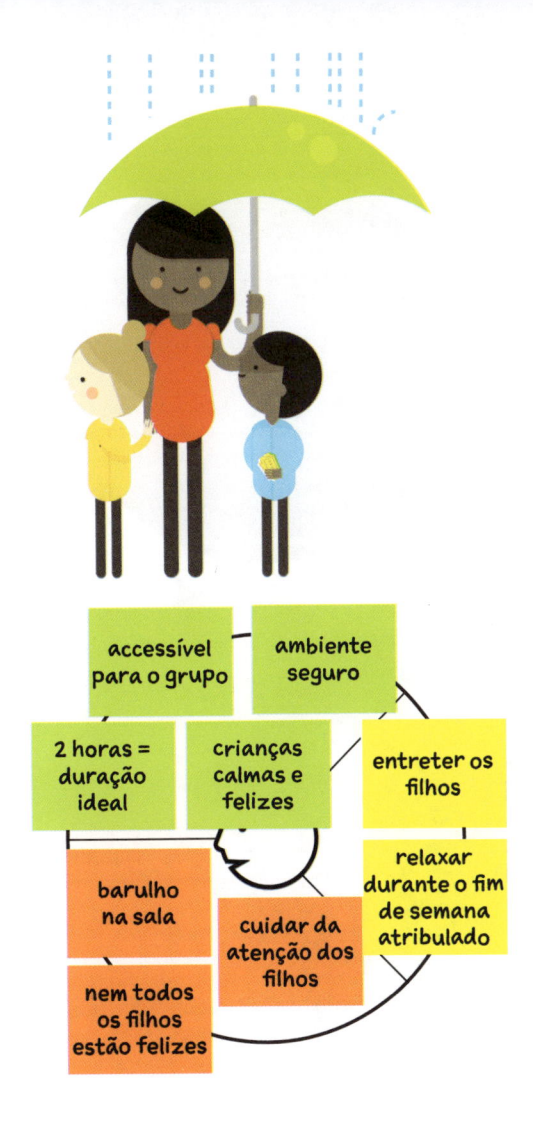

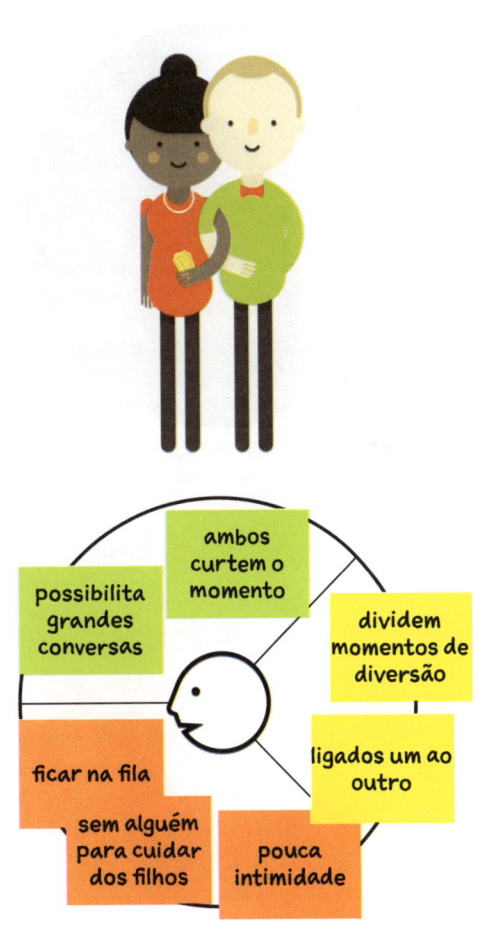

Tarde de folga com os filhos

Quando? Tarde de quarta-feira.
Onde? Fora de casa.
Com quem? Filhos e talvez seus amigos.
Limitações? Depois da escola, antes do jantar.

Ganhos:
- accessível para o grupo
- ambiente seguro
- 2 horas = duração ideal
- crianças calmas e felizes
- entreter os filhos
- relaxar durante o fim de semana atribulado

Dores:
- barulho na sala
- cuidar da atenção dos filhos
- nem todos os filhos estão felizes

Saída à noite do casal

Quando? Noite de sábado.
Onde? Fora de casa.
Com quem? Companheiro.
Limitações? Alguém para tomar conta dos filhos (se forem pais).

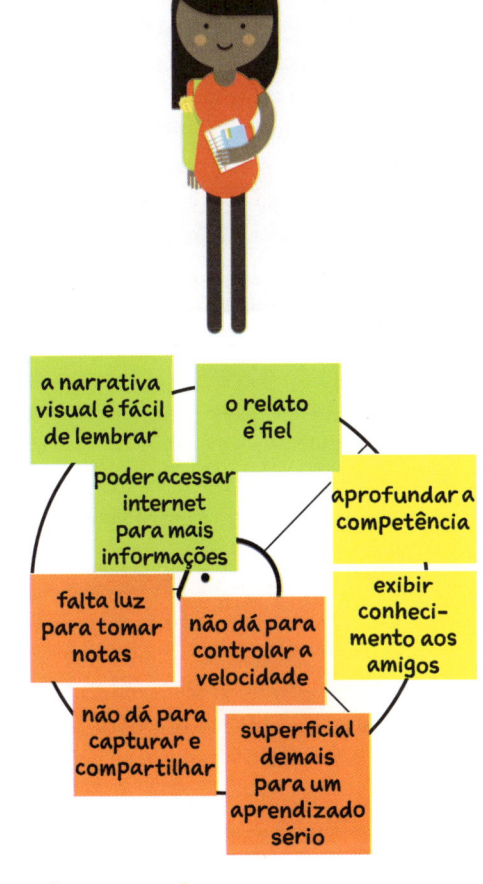

Ganhos:
- ambos curtem o momento
- possibilita grandes conversas
- dividem momentos de diversão
- ligados um ao outro

Dores:
- ficar na fila
- sem alguém para cuidar dos filhos
- pouca intimidade

Pesquisa pessoal

Quando? A qualquer momento.
Onde? Fora de casa.
Com quem? Sozinha.
Limitações? Precisa poder fazer anotações.

Ganhos:
- a narrativa visual é fácil de lembrar
- o relato é fiel
- poder acessar internet para mais informações
- aprofundar a competência
- exibir conhecimento aos amigos

Dores:
- falta luz para tomar notas
- não dá para controlar a velocidade
- não dá para capturar e compartilhar
- superficial demais para um aprendizado sério

Mesmo Cliente, Diferentes Soluções

No mundo hipercompetitivo de hoje, os clientes estão cercados por um mar de propostas de valor tentadoras, todas competindo pelos mesmos nichos limitados de atenção.

Propostas de valor muito diferentes podem contemplar tarefas, dores e ganhos semelhantes. Por exemplo, nossa rede de cinemas não compete apenas pela atenção do cliente em relação a outros cinemas, mas com uma gama de alternativas: alugar um filme em casa, sair para jantar fora, ir a um SPA ou até mesmo assistir a uma exposição de arte virtual online com óculos 3D.

Esforce-se para compreender o que os clientes realmente consideram relevante. Investigue suas tarefas, dores e ganhos para além daquilo que suas próprias propostas de valor contemplam, a fim de imaginar outras, completamente novas ou substancialmente aprimoradas.

Compreenda seus clientes além da solução que você oferece. Traga à tona tarefas, dores e ganhos importantes para eles de modo a compreender a forma de melhorar sua proposta de valor ou inventar novas.

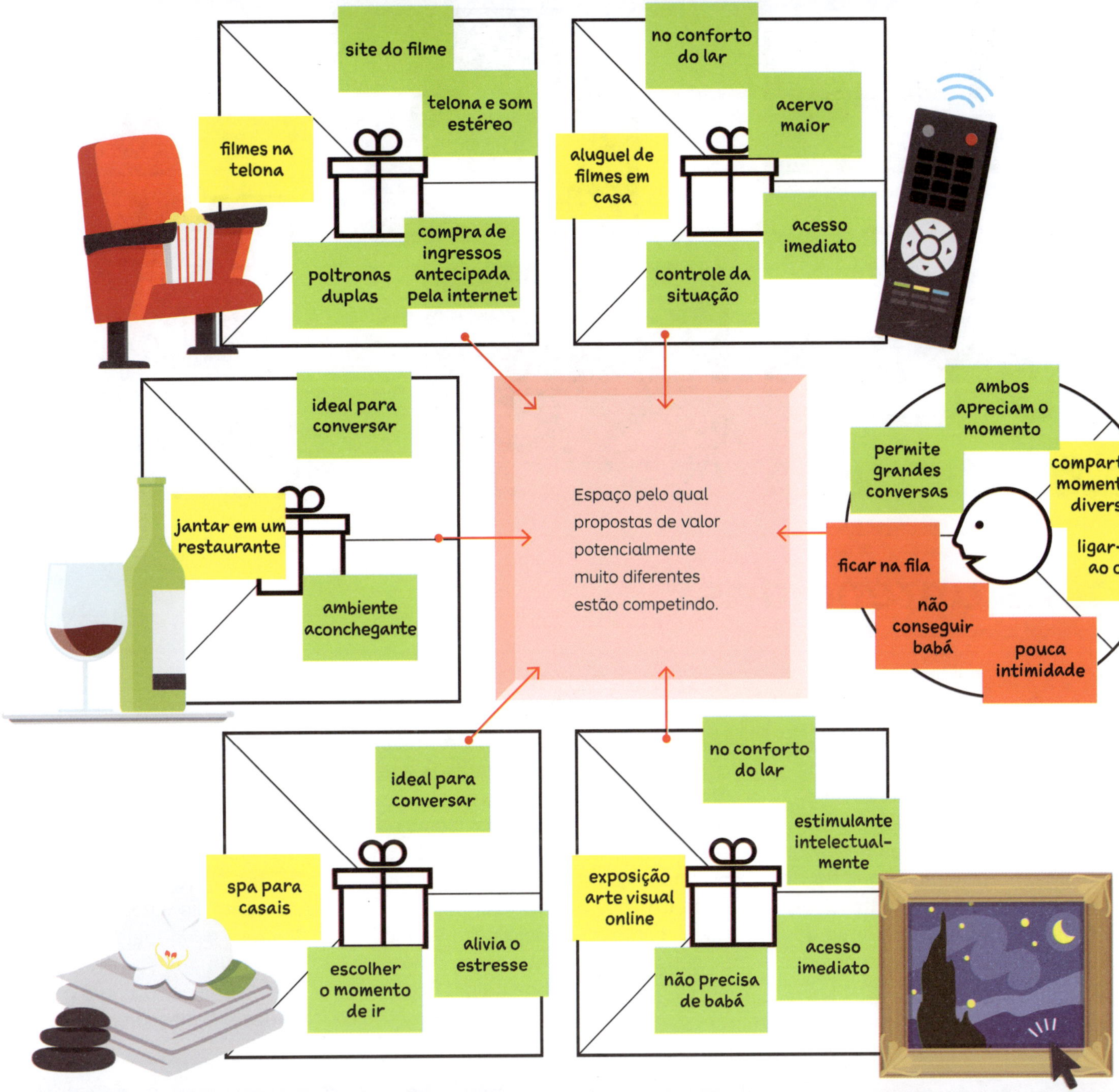
site do filme
telona e som estéreo
filmes na telona
compra de ingressos antecipada pela internet
poltronas duplas
no conforto do lar
acervo maior
aluguel de filmes em casa
acesso imediato
controle da situação
ideal para conversar
jantar em um restaurante
ambiente aconchegante
Espaço pelo qual propostas de valor potencialmente muito diferentes estão competindo.
ambos apreciam o momento
permite grandes conversas
compartilhar momento de diversão
ficar na fila
ligar-se um ao outro
não conseguir babá
pouca intimidade
ideal para conversar
spa para casais
alivia o estresse
escolher o momento de ir
no conforto do lar
estimulante intelectual-mente
exposição arte visual online
acesso imediato
não precisa de babá

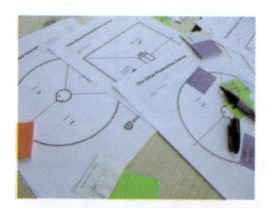

Lições aprendidas

Perfil do Cliente

Utilize o perfil do cliente para visualizar o que é importante para ele. Especifique tarefas, dores e ganhos. Divulgue o perfil na organização como um documento conciso, de uma página, capaz de dar uma visão geral do cliente. Use-o como referência para verificar se as supostas tarefas, dores e ganhos do cliente existem na prática.

Mapa de Valor

Utilize o Mapa de Valor para mostrar como seus produtos e serviços vão aliviar as dores e criar ganhos. Divulgue o Mapa na organização como um documento conciso, de uma página, capaz de esclarecer de que maneira você pretende criar valor. Use-o como referência para verificar se seus produtos realmente aliviam dores e criam ganhos na prática.

Encaixe

Encaixe da Solução do Problema: evidencia que os clientes se importam com as tarefas, dores e ganhos que você pretende tratar com sua proposta de valor. Encaixe Produto-Mercado evidencia que seus clientes querem sua proposta de valor.
Encaixe do Modelo de Negócio: evidencia que sua proposta de valor pode ser inserida num modelo de negócio em escala e lucrativo.

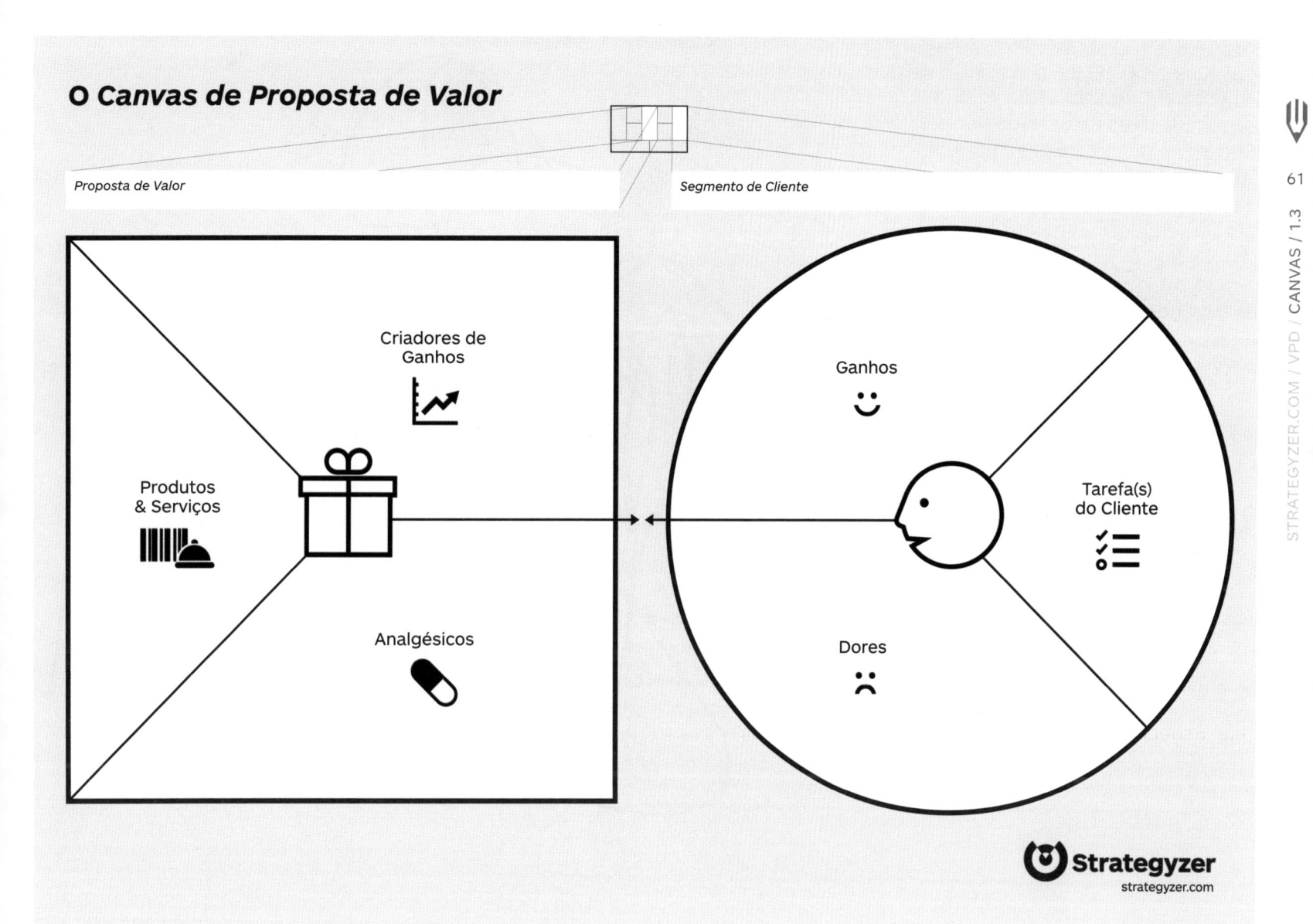

O Canvas de Proposta de Valor

Proposta de Valor

Segmento de Cliente

Criadores de Ganhos

Produtos & Serviços

Analgésicos

Ganhos

Tarefa(s) do Cliente

Dores

Strategyzer
strategyzer.com

Faça o download do Canvas de Proposta de Valor.

Design, Teste e Repetição

A busca por propostas de valor que contemplem as tarefas, as dores e os ganhos do cliente é um vaivém contínuo entre o design de protótipos e seu teste. O processo é repetitivo em vez de sequencial. A meta do *Value Proposition Design* é testar ideias o mais rapidamente possível, a fim de aprender, criar designs melhores e testar novamente.

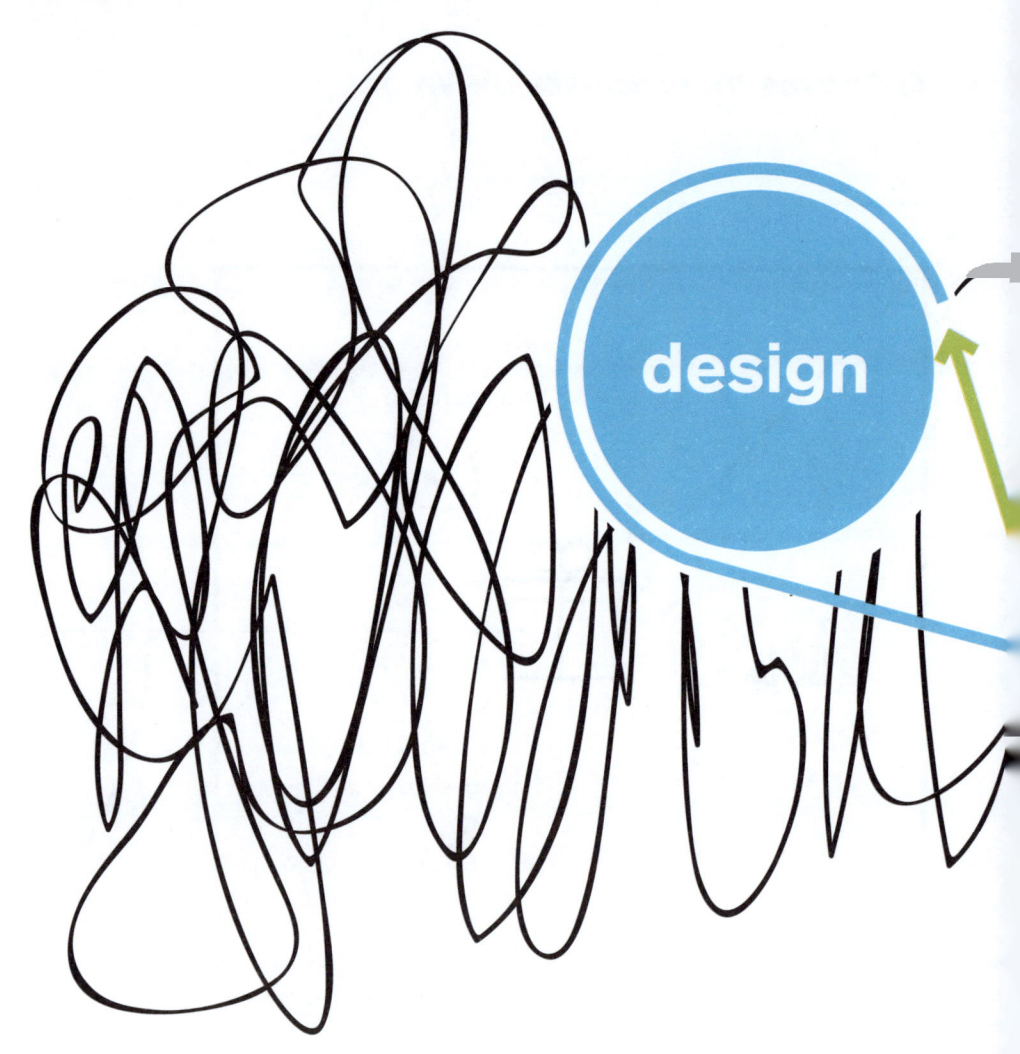

teste

des

ign

2

Inicie o *Value Proposition Design* com **Protótipos de Possibilidades**p. 74 para um de seus **Pontos de Partida**p. 86. Molde suas propostas de valor **Compreendendo os Clientes**p. 104, em seguida selecione aquelas que quer explorar mais **Fazendo Escolhas**p. 120. Se a sua empresa já existe, descubra as particularidades do **Design para Empresas Estabelecidas**p. 158.

PROVENIENTE DE TESTES
OBSERVAÇÃO
PONTO DE PARTIDA
Strategyzer
Cartão de Aprendizado
We believe that
We observed
From that we learned that
Therefore we will

AVALIAÇÃO
PARA TESTES
7 PERGUNTAS
FINANCEIRO
MODELO DE NEGÓCIO
DESCARTADOS
BORAÇÃO DE
ROTÓTIPOS

Formulando Suas Ideias

Design é a atividade de transformar suas ideias em protótipos de propostas de valor. É um ciclo contínuo de construção de protótipo, pesquisa junto aos clientes e reformulação de suas ideias. O design pode começar com um protótipo ou com uma descoberta do cliente. A atividade de design alimenta a atividade de teste, que exploraremos no próximo capítulo (cf. 3.Teste, ➔ p. 172).

Ideias, Pontos de Partida e Insights
➔ p. 86

Pontos de partida para propostas de valor novas ou aprimoradas podem ter qualquer origem. Pode ser de insights de seu cliente ➔ p. 116, da exploração de protótipos ➔ p. 176, ou de muitas outras fontes ➔ p. 88. Certifique-se de não se apaixonar pelas suas ideias iniciais, uma vez que elas certamente vão se transformar de forma radical durante a fase do protótipo ➔ p. 76, da pesquisa do cliente ➔ p. 104, e do teste ➔ p. 172.

Possibilidades de Protótipos
➔ p. 74

Dê forma às ideias com protótipos rápidos, baratos e rudimentares. Concretize-as usando esboços em guardanapos ➔ p. 80, Ad-libs ➔ p. 82, e Canvas de Proposta de Valor ➔ p. 84. Não se apegue a um protótipo precocemente. Mantenha-os leves, de modo que você possa explorar possibilidades, livrar-se deles com facilidade e, então, prosseguir apenas com os que sobreviverem a um processo rigoroso de teste com os clientes ➔ p. 240.

Compreendendo os Clientes
➔ p. 104

Embase suas ideias e protótipos com uma pesquisa inicial junto ao cliente. Explore os dados disponíveis ➔ p. 108, fale com os clientes ➔ p. 110, e mergulhe no mundo deles ➔ p. 114. Não mostre aos clientes seus protótipos de proposta de valor precocemente. Use a pesquisa inicial para compreender a fundo tarefas, dores e ganhos dos clientes. Descubra o que realmente importa para eles de modo a construir protótipos de propostas de valor com possibilidades de sobreviver a um teste rigoroso com os clientes ➔ p. 172.

Possibilidades de Protótipos

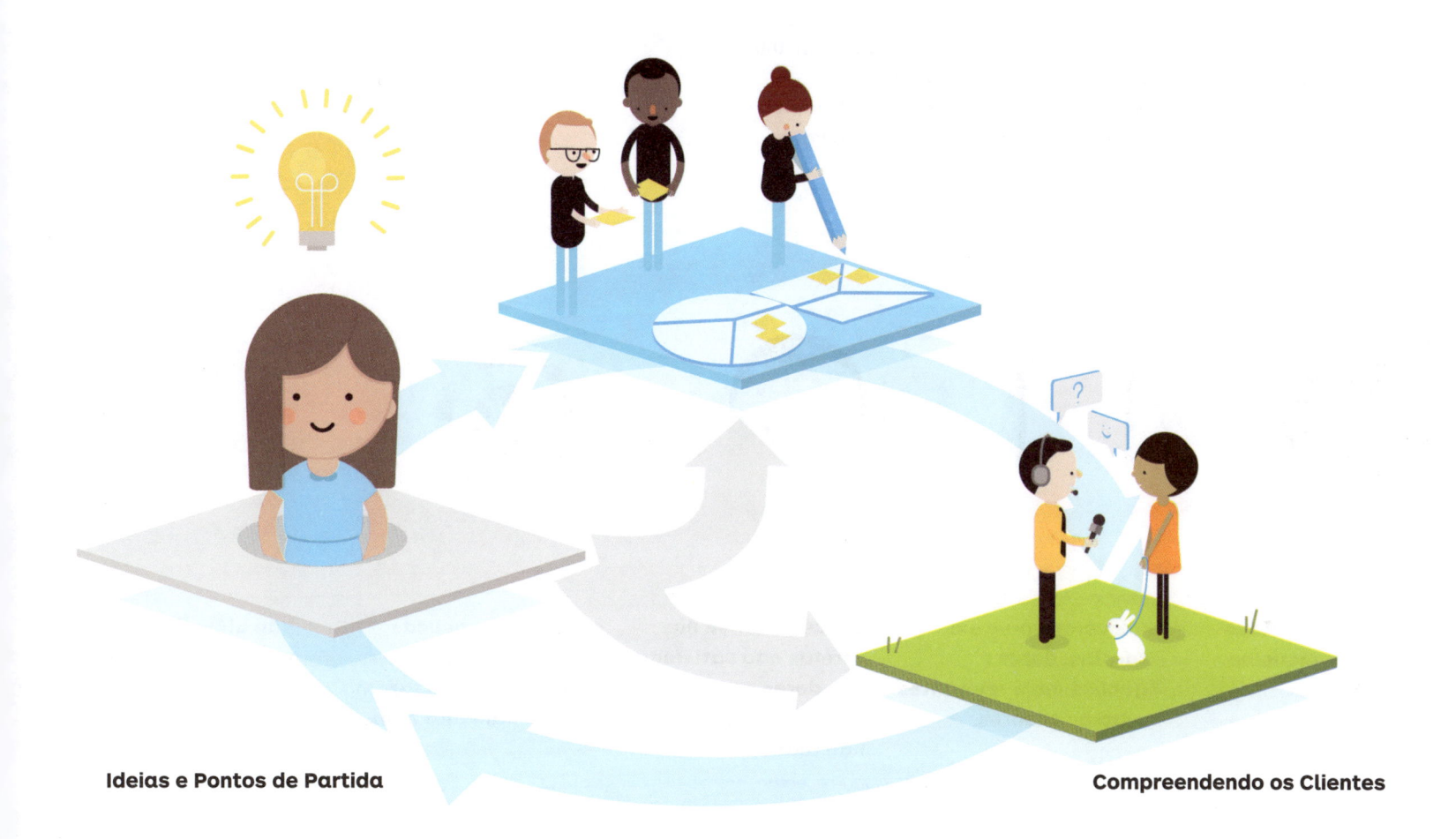

Ideias e Pontos de Partida

Compreendendo os Clientes

10 Características de Propostas de Valor Excelentes

Pare por um instante e reflita sobre as características de grandes propostas de valor antes de ler sobre como elaborá-las. Apresentamos dez características para você começar. Não hesite em acrescentar as suas próprias. Grandes propostas de valor...

Obtenha o pôster das 10 Características de Propostas de Valor Excelentes.

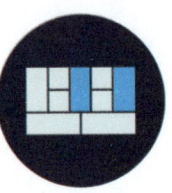

1
Estão incorporadas a grandes modelos de negócios.

2
Concentram-se em tarefas, dores e ganhos mais relevantes para os clientes.

3
Concentram-se nas tarefas não satisfeitas, nas dores não resolvidas e nos ganhos não realizados.

4
Atuam em poucas tarefas, dores e ganhos, mas o fazem extremamente bem.

5
Vão além das tarefas funcionais e contemplam tarefas emocionais e sociais.

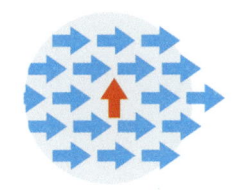

6
Estão alinhadas com a forma pela qual os clientes medem o sucesso.

7
Concentram-se em tarefas, dores e ganhos que muitos têm ou que alguns darão muito dinheiro para ter ou resolver.

8
Distinguem-se da concorrência em relação a tarefas, dores e ganhos que importam para os clientes.

9
Superam a concorrência substancialmente em pelo menos uma dimensão.

10
São difíceis de serem copiadas.

2.1 Possibilidades com os Protótipos

PROTÓTIPOS

O que é Prototipagem?

Use a atividade de construir modelos de estudo, rápidos e rudimentares, de sua ideia a fim de explorar alternativas, dar forma à sua proposta de valor e de encontrar as melhores oportunidades. A prototipagem é comum em profissões de design de objetos físicos. Nós a aplicamos ao conceito de propostas de valor para explorar rapidamente as possibilidades antes de testar e construir produtos e serviços reais.

DE•FI•NI•ÇÃO:
Prototipagem

Processo de construir modelos de estudo rápidos, baratos e aproximados para aprender sobre a conveniência, a possibilidade e a viabilidade de soluções alternativas.

Explore rapidamente direções radicalmente diferentes para a mesma ideia com as seguintes técnicas de prototipagem, antes de esmiuçar uma em particular.

Esboços em Guardanapos
➔ p. 80

Concretize as alternativas com esboços em guardanapos. Recorra a um único esboço para cada direção em potencial que sua ideia poderia tomar.

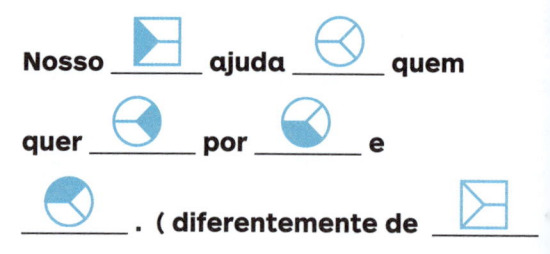

Ad-libs
➔ p. 82

Detalhe como diferentes alternativas criam valor, preenchendo as lacunas em *ad-libs* curtos.

Dicas

- Use de 5 a 15 minutos apenas esboçando ligeiramente seus protótipos iniciais.
- Use sempre um cronômetro visível e mantenha-se dentro do limite de tempo predefinido.
- Não discuta longamente sobre as diferentes possíveis direções para construir o protótipo. Faça vários protótipos rapidamente e, em seguida, compare-os.
- Lembre-se sempre de que a prototipagem é uma ferramenta exploratória. Não perca tempo com detalhes de um protótipo que provavelmente vai mudar de forma radical.

Canvas de Proposta de Valor
➔ p. 84

Concretize as possíveis direções com o Canvas de Proposta de Valor. Compreenda que tarefas, dores e ganhos cada alternativa está contemplando.

Representação de uma Proposta de Valor
➔ p. 234

Ajude clientes e parceiros a compreenderem propostas de valor em potencial, dando-lhes vida, sem, no entanto, construí-las.

Produto Mínimo Viável
➔ p. 223

Construa uma estrutura mínima que dê vida a sua proposta de valor e permita testá-la com clientes e parceiros.

Mais na seção Teste ➔ *p. 172.*

10 Princípios de Prototipagem

Descubra o poder da prototipagem. Resista à tentação de usar tempo e energia no refinamento em uma só direção. Em vez disso, recorra aos princípios aqui descritos para explorar múltiplas direções com a mesma quantidade de tempo e energia. Você vai aprender mais e descobrir propostas de valor melhores.

Obtenha o pôster dos 10 Princípios de Prototipagem.

1
Apelo visual e concreto
São tipos de protótipos que provocam conversas e aprendizagem. Não recaia na onda do blá-blá-blá.

2
Tenha mente de iniciante
Faça o protótipo do que "não pode ser feito". Explore com a cabeça aberta. Não permita que o saber estabelecido atrapalhe o caminho da exploração.

3
Não se apaixone pelas primeiras ideias, crie alternativas
Refinar sua(s) ideia(s) precocemente o(a) impedirá de criar e explorar alternativas. Não se apaixone muito rápido.

4
Sinta-se confortável num "estado fluido"
No início do processo, a direção certa não está clara. É um estado fluido. Não entre em pânico, solidificando as coisas prematuramente.

5
Comece com pouca fidelidade, repita e refine
É difícil descartar protótipos refinados. Mantenha uma forma barata, rápida e aproximada. Aprimore com conhecimento cada vez maior sobre o que funciona e o que não funciona.

6
Exponha logo seu trabalho – receba críticas
Procure frequentemente por feedback rápido antes de aprimorar. Não tome o feedback negativo como algo pessoal. Aperfeiçoar seu protótipo vale ouro.

7
Aprenda mais rápido errando cedo, muitas vezes e sem gastar muito
O medo de errar impede as pessoas de explorarem. Supere esse medo com uma cultura de prototipagem rápida e aproximada que barateia o erro e leva a uma aprendizagem mais rápida.

8
Use técnicas de criatividade
Recorra a técnicas de criatividade para explorar protótipos pioneiros. Ouse quebrar o padrão de como as coisas são feitas em sua companhia ou indústria.

9
Crie "Modelos Shrek"
"Modelos Shrek" são protótipos extravagantes ou repugnantes que você provavelmente não construiria. Use-os para provocar debates e aprendizagem.

10
Registre os aprendizados, os insights e o progresso
Mantenha registros de todas as alternativas de protótipos, aprendizados e insights. Você poderá usar as ideias e insights iniciais mais tarde.

Torne as Ideias Visíveis com Esboços em Guardanapos

OBJETIVO
Visualizar rapidamente ideias para propostas de valor.

RESULTADO
Protótipos alternativos em forma de esboços de guardanapo.

Os esboços em guardanapos são uma representação aproximada de uma proposta de valor ou de um modelo de negócio e destacam apenas a ideia central, não seu funcionamento. São aproximados o suficiente para caber no verso de um guardanapo e ainda assim transmitir a ideia. Use-os logo no início do processo de prototipagem para explorar e discutir alternativas.

O que é um esboço no guardanapo?
Esboços em guardanapos são um modo barato de tornar suas ideias tangíveis e compartilháveis. Evitam o detalhamento de como exatamente a ideia funciona e mostram o que é preciso para implementá-la.

Para que é usado?
Para compartilhar e avaliar ideias, de forma rápida e barata, durante o início do processo de *Value Proposition Design*. É rústico justamente para que se possa descartar ideias sem dó e explorar alternativas. Os esboços de guardanapo também podem ser usados para reunir um feedback precoce dos clientes.

Advertência
Certifique-se de que as pessoas compreendam que os esboços em guardanapos são uma ferramenta exploratória. Muitas das ideias esboçadas serão destruídas ou transformadas durante o processo de prototipagem e terão de sobreviver à observação do teste com os clientes mais adiante.

Os melhores esboços em guardanapos...

Contêm apenas uma ideia ou direção central (as ideias podem se fundir mais tarde).

Explicam a ideia, não seu funcionamento (sem processos ou modelos de negócio ainda!).

Mantêm as coisas simples o suficiente para serem percebidas rapidamente (os detalhes ficam para protótipos refinados mais tarde).

Podem ser esboçados entre 10 e 30 segundos.

A loja self-service de _____
Nossos clientes adquirem componentes individuais em nossa loja e montam o produto sozinhos.

O Banco Privado de _____
Cada um dos nossos clientes tem um consultor pessoal que oferece conselhos e serviços personalizados.

3

Lançamento – 30 seg. por grupo
Um dos integrantes de cada subgrupo assume o palco e lança seus esboços (grandes) de guardanapo. Cada apresentação não deve exceder 30 segundos – apenas o suficiente para descrever do que trata a ideia, não para explicar como funciona. Certifique-se de haver diversidade entre os grupos, senão mande todos de volta para o canvas de desenho.

4

Exposição
Todos os esboços de guardanapo são expostos numa espécie de mural. Aqui você deve ter uma boa diversidade de direções alternativas.

5

Votação – 10-15 min. (é ideal depois de um intervalo)
Os participantes recebem dez adesivos para votar em suas ideias favoritas. Podem atribuir todos os votos a uma ideia ou distribuí-los pelos diversos esboços de guardanapo.
Não se trata de um mecanismo de tomada de decisão. É um processo que destaca as ideias que mais entusiasmam os participantes. → p. 138

1

Brainstorm – 15-20 min.
Use diferentes técnicas de brainstorming, tais como perguntas provocadoras p. 15 → ou perguntas "e se" → p. 15, 17, 31, 33 → de modo a produzir uma grande quantidade de direções possíveis para propostas de valor interessantes. Não se preocupe em fazer escolhas nesta etapa. Quantidade vale mais do que qualidade. São protótipos rápidos e improvisados que mudarão inevitavelmente.

2

Desenhe – 12-15 min.
Os participantes se dividem, formando subgrupos, e cada um deles escolhe três ideias para três propostas de valor alternativas. Eles desenham um esboço no guardanapo para cada uma num álbum seriado. A produção de dois a três esboços aumenta a diversidade e reduz o risco de discussões intermináveis.

6

Protótipos
Os subgrupos continuam, delineando um canvas de proposta de valor para aquele, entre seus três esboços, que recebeu mais votos. Redistribua os Esboços de Guardanapos mais votados entre os diferentes grupos.

Crie possibilidades rapidamente com *ad-libs*

Ad-libs são uma ótima maneira de formular rapidamente direções alternativas para sua proposta de valor. Eles o forçam a indicar como exatamente você vai criar valor. Faça um protótipo de três a quatro direções diferentes preenchendo as lacunas no *ad-lib* abaixo.

OBJETIVO
Definir rapidamente possíveis diretrizes para propostas de valor.

RESULTADO
Protótipos alternativos em forma de frases persuasivas.

Faça o download do template.

Nosso(s) _____ **ajuda(m)** _____
  produtos & serviços *segmento do cliente*

que deseja(m) _____ **ao** _____ **e**
  tarefas a realizar *seu próprio verbo (p.ex. reduzir, evitar)*

_____ **.** (**Dica** Acrescente no início ou no final da frase: **diferentemente de** _____)
seu próprio verbo (p.ex. aumentar, possibilitar) *proposta de valor da concorrência*

Nosso [livro] ajuda [homens de negócios] que desejam [melhorar ou criar um negócio] ao [evitar] [fazer coisas que ninguém deseja] e [criar] [indicadores claros para medir o progresso].

Lance Ideias com Canvas de Proposta de Valor

OBJETIVO
Ter um esboço claro de como diferentes ideias criam valor para o cliente.

RESULTADO
Protótipos alternativos em forma de canvas de proposta de valor.

Use o Canvas de Proposta de Valor para traçar rápidos protótipos de alternativas, justamente como você faria com os esboços de guardanapo e os *ad-libs*. Não use o Canvas apenas para aprimorar ideias finais, mas como uma ferramenta exploratória até encontrar a direção certa.

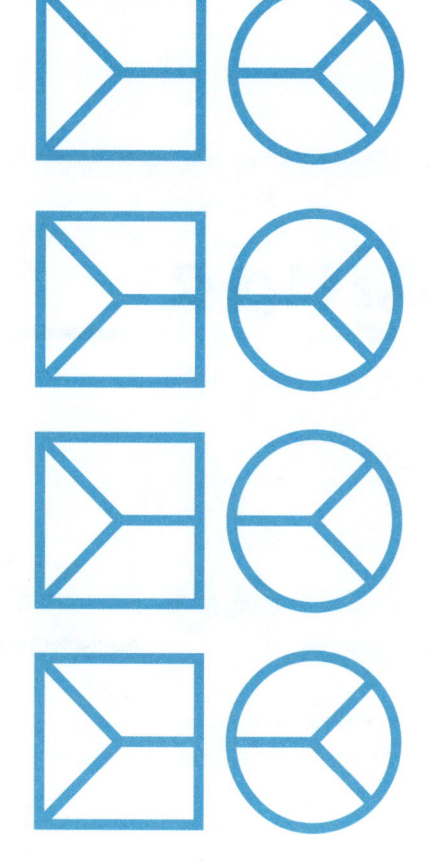

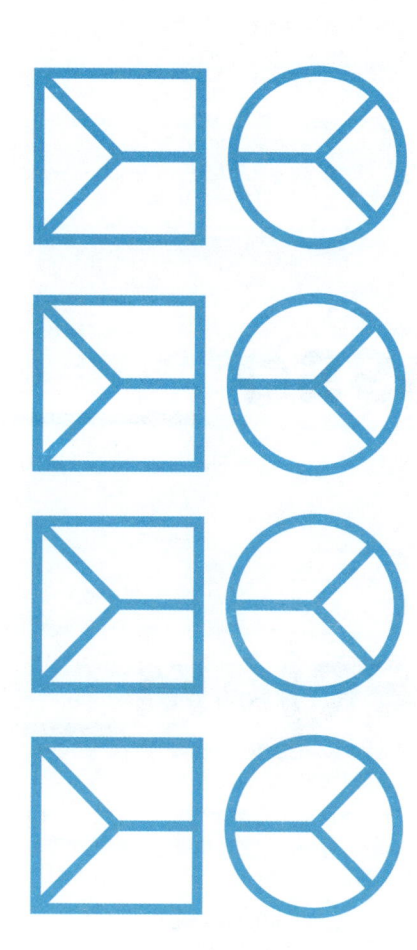

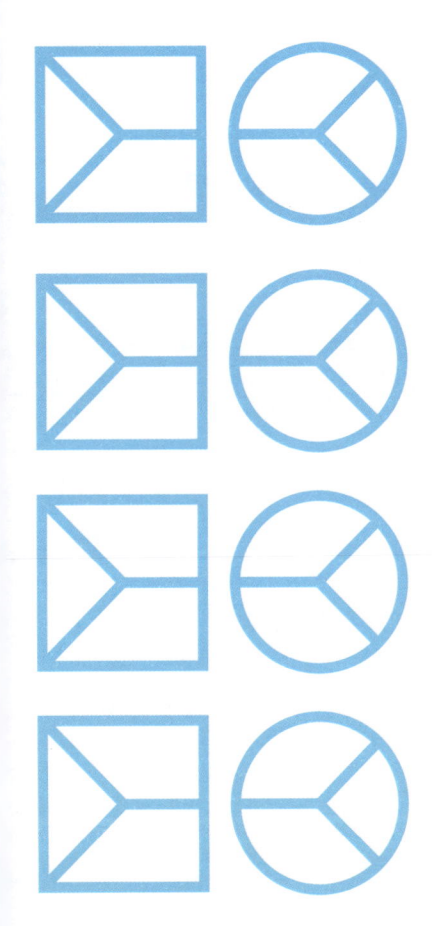

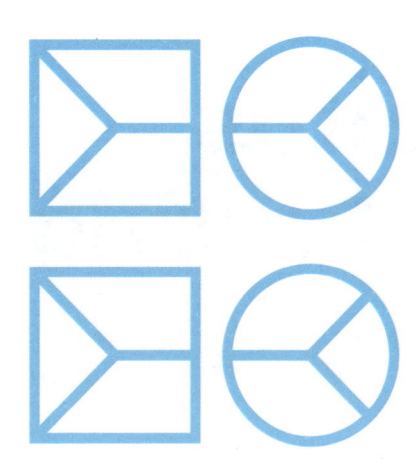

Use um cronômetro para limitar o tempo usado no desenvolvimento de determinado protótipo. Encurte os protótipos iniciais.

Não tenha medo de fazer protótipos em direções radicais, mesmo sabendo da probabilidade de não seguir por elas. Explore e aprenda.

2.2
Pontos de Partida

PONTOS DE PARTIDA
Cartão de Aprendizado
Strategyzer
We believe that
We observed
From that we learned that
Therefore we will

Pontos de Partida

Contrariando o pensamento comum, novas propostas de valor nem sempre têm de começar pelo cliente. Entretanto, sempre devem, de fato, acabar contemplando as tarefas, as dores e os ganhos relevantes para os clientes.

Nestas páginas, apresentamos 16 áreas provocadoras para iniciar novas propostas de valor. Elas podem partir tanto do cliente quanto de suas proposta de valor existentes, seus modelos de negócio, seu ambiente ou dos modelos de negócio e propostas de valor de outras indústrias e setores.

Obtenha o pôster dos Pontos de Partida para Inovação.

Você poderia...

zoom distanciado

- ... imitar e "importar" um modelo pioneiro de outro setor ou indústria?
- ... criar valor com base numa nova tendência tecnológica ou modificar um novo regulamento a seu favor?
- ... criar uma nova proposta de valor que seus concorrentes não podem copiar?
- ... criar uma nova proposta de valor baseada numa nova parceria?
- ... alavancar seus recursos, como patentes, infraestrutura, habilidades, base de usuários etc.?
- ... alterar drasticamente sua estrutura de custos para baixar os preços de forma substancial?
- ... desenvolver um novo e inédito criador de ganhos para um determinado Perfil de Cliente?
- ... imaginar um novo produto ou serviço?
- ... desenvolver um novo e inédito analgésico para um determinado Perfil de Cliente?

zoom aproximado

O Contexto do seu Modelo de Negócio

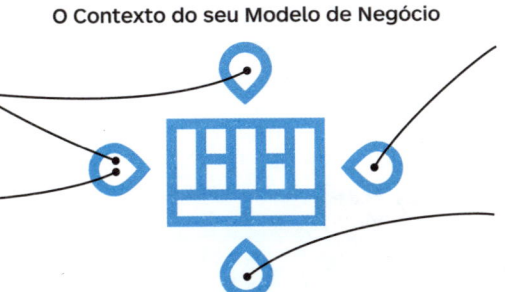

... adaptar sua proposta de valor a um segmento novo ou ainda não atendido, como a classe média em ascensão nos mercados emergentes?

... conceber uma proposta de valor para uma nova tendência macroeconômica, como os custos ascendentes com saúde no hemisfério ocidental?

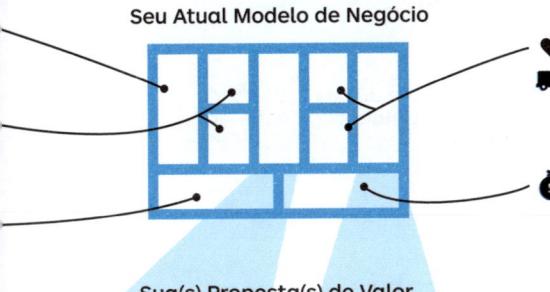

Seu Atual Modelo de Negócio

♥ ... alavancar seus canais e relações existentes para oferecer uma nova proposta de valor aos clientes?

💰 ... oferecer gratuitamente seu produto principal ou multiplicar seus preços?

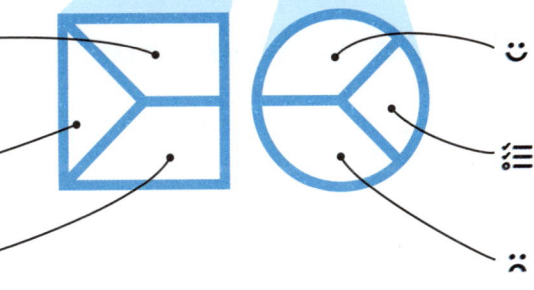

Sua(s) Proposta(s) de Valor

☺ ... concentrar-se no ganho não realizado mais significativo para o seu cliente?

☱ ... descobrir uma nova tarefa não satisfeita?

☹ ... solucionar a dor mais aguda e ainda não aplacada do seu cliente?

Provoque Ideias com Restrições de Design

Use restrições de design para forçar as pessoas a pensar em propostas de valor inovadoras, inseridas em grandes modelos de negócio. Delineamos cinco limitações de negócios cuja proposta de valor e modelo de negócio você pode copiar em sua própria área de trabalho. Não hesite em sugerir outras.

OBJETIVO
Obrigar-se a pensar fora da caixa.

RESULTADO
Ideias que diferem das propostas de valor e modelos de negócios habituais.

HILTI
De Produtos para Serviços

Limitação: Transformar uma proposta de valor baseada em produto para outra baseada em serviço, geradora de receitas, segundo um modelo de assinatura.

A Hilti deixou de vender de peças de máquinas para construtores e passou a oferecer serviços de gerenciamento de frotas para gerentes de construtoras.

NESPRESSO
Recarregável

Limitação: Criar uma proposta de valor composta por um produto básico e um produto consumível que gera receitas contínuas.

A Nespresso transformou as vendas de café expresso de uma simples transação para outro negócio com receitas continuadas baseadas em cápsulas descartáveis para suas máquinas de expresso.

swatch+
Criador de Tendência

Limitação: Transformar uma tecnologia (inovação) numa tendência de moda.

A Swatch conquistou o mundo transformando um relógio de plástico que poderia ser fabricado de forma barata, devido ao número reduzido de peças e tecnologia de produção inovadora, em uma tendência de moda mundial.

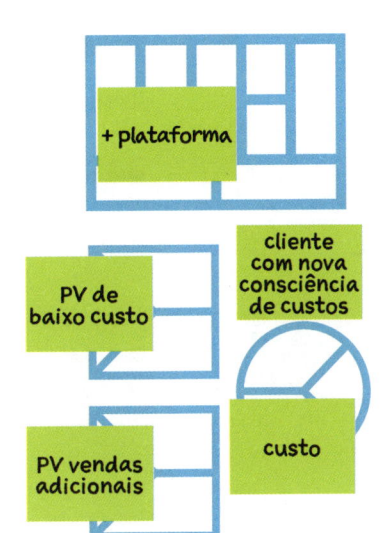

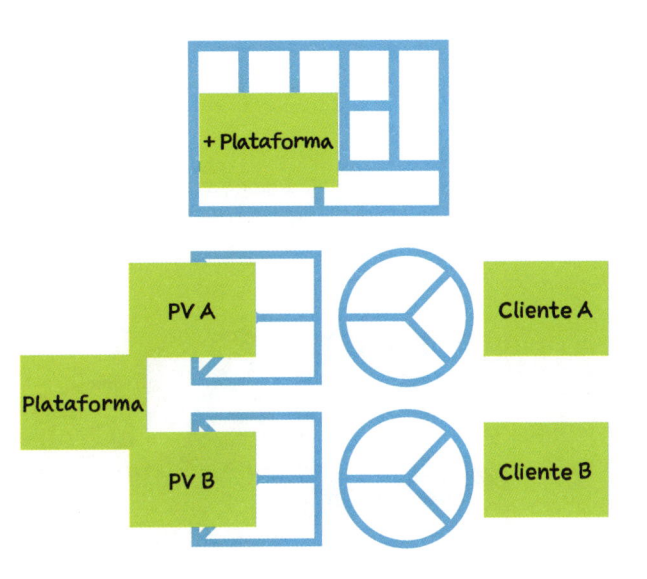

Custo Baixo

Limitação: Reduzir a proposta de valor central a suas características básicas, mirar um segmento de cliente não servido ou mal-servido com preço baixo e vender todo o restante como uma proposta de valor adicional.

A Southwest tornou-se a maior companhia aérea de baixo custo, enxugando a proposta de valor ao mínimo possível– viajar do ponto A ao ponto B– e oferecendo preços baixos. Inaugurou a possibilidade de voar para um novo segmento.

Plataforma

Limitação: Construir um modelo de plataforma que conecta diversos indivíduos com uma proposta de valor específica para cada um.

A Airbnb disponibilizou residências no mundo todo para viajantes, conectando-os com pessoas que querem alugar quartos em suas moradias para temporada.

Dicas

- Atribua diferentes limitações a diferentes grupos de trabalho, se tiver a chance de fazê-lo. Isso lhe permite explorar alternativas paralelamente.
- Use limitações representativas dos desafios de seu setor, tais como propostas de valor gratuitas, margens decrescentes etc.

Faça o download dos Cartões de Limitações.

Tenha Grandes Ideias com Livros e Revistas

OBJETIVO
Ampliar o horizonte e gerar novas ideias.

RESULTADO
Ideias com base em tópicos relevantes e nas últimas tendências.

Use best-sellers e revistas para ter novas ideias de propostas de valor e modelos de negócio. É uma maneira rápida e eficaz de mergulhar em vários tópicos relevantes e populares e construir com base nas tendências do momento.

Levar livros para um grupo de discussão é como convidar os melhores pensadores para fazer um brainstorm. Assim, você tem como contar com muitos deles ao mesmo tempo.

1

Escolha os livros
Disponha sobre a mesa uma série de livros e revistas que representem uma tendência, um tema importante ou uma ideia luminosa. Peça aos integrantes do grupo de discussão para escolher um exemplar cada um.

2

Pesquise & extraia
Os participantes folheiam os livros e escrevem as melhores ideias em post-its (45 min.).

- Varejistas virtuais abalam indústrias
- Mudanças climáticas provocam novas limitações
- Compartilhar é o novo comportamento preferido
- Colaboração em massa modifica a criação de valor
- As questões globais trazem novas oportunidades
- A Geração D prospera com a liberdade
- Fabricantes derrubam as cadeias de abastecimento

Dicas

- Escolha livros sobre sociedade, tecnologia e meio ambiente que tirem os participantes de sua zona de conforto.
- Evite métodos e teorias de negócios complicados.
- Mostre vídeos com palestras dos autores.
- Use esboços de guardanapos para compartilhar suas ideias de proposta de valor.

3
Compartilhe e discuta
Os participantes compartilham seus destaques em grupos de quatro ou cinco pessoas e colocam seus insights num quadro (20 min.).

4
Faça um brainstorming de possibilidades
Cada grupo produz três novas ideias de proposta de valor, baseadas nas discussões (30 min.).

5
Exponha
Cada grupo compartilha sua alternativa de proposta de valor com os demais.

Faça o download da Lista dos Livros das Grandes Ideias.

Impulsionar x Puxar

O debate do impulsionar *versus* puxar é comum. O impulso indica que você está começando o design de sua proposta de valor com base na tecnologia ou inovação que possui, enquanto puxar significa que está começando com uma tarefa, dor ou ganho explícito do cliente. São dois tipos comuns de ponto de partida, vários dos quais delineamos anteriormente ➔ p. 88. Considere ambos como uma opção válida, dependendo de suas preferências e contexto.

Impulso da Tecnologia

Comece por uma invenção, inovação ou recurso (tecnológico) para o qual você desenvolve uma proposta de valor que contempla uma tarefa, dor ou ganho do cliente. Em suma, trata-se de uma solução em busca de um problema.

Explore protótipos de proposta de valor baseados em sua invenção, inovação ou recurso (tecnológico) com segmentos de cliente potencialmente interessados. Conceba um Mapa de Valor para cada segmento até encontrar o encaixe entre solução e problema. Leia mais sobre o ciclo de construir, medir, aprender na ➔ p. 186.

Tecnologia

1. Solução
(invenção, inovação, tecnologia)

aprender — construir

ENCONTRAR UM PROBLEMA

3. Insights do cliente — *Tarefas, dores e ganhos* — 2. Protótipo de proposta de valor

medir

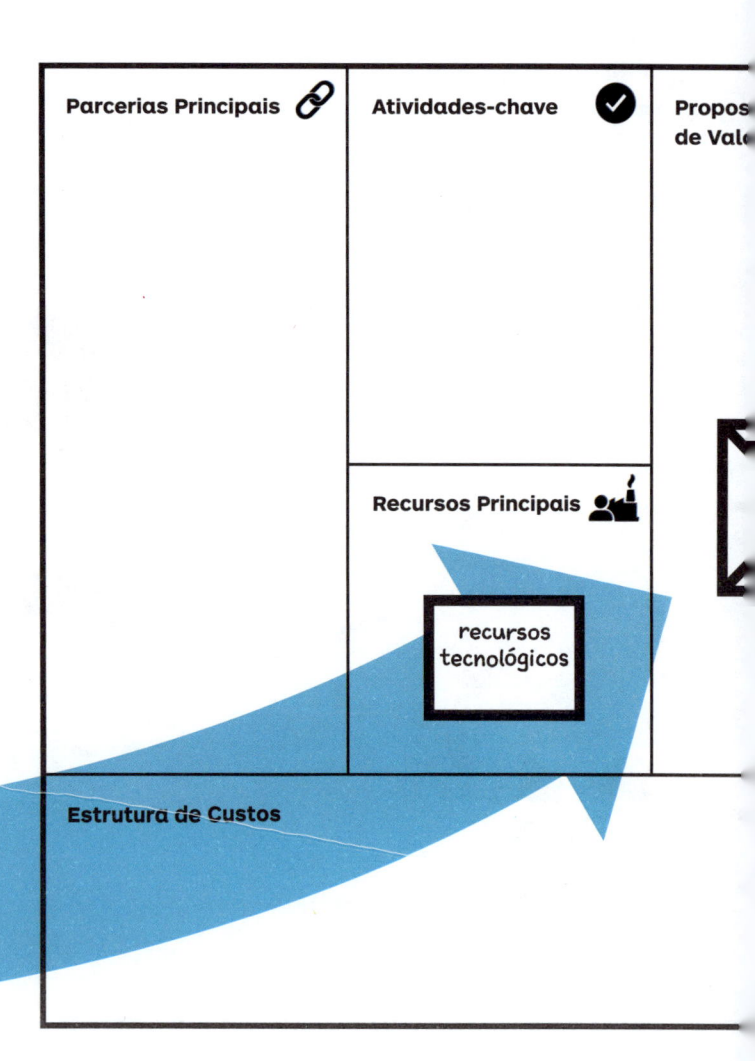

Parcerias Principais | Atividades-chave | Proposta de Valor

Recursos Principais

recursos tecnológicos

Estrutura de Custos

Mercado
1. problema
(tarefas, dores, ganhos)

aprender — *construir*

ENCONTRAR UMA SOLUÇÃO

3. Ajustar necessidades de tecnologia (e recursos)

2. Protótipo de proposta de valor

medir

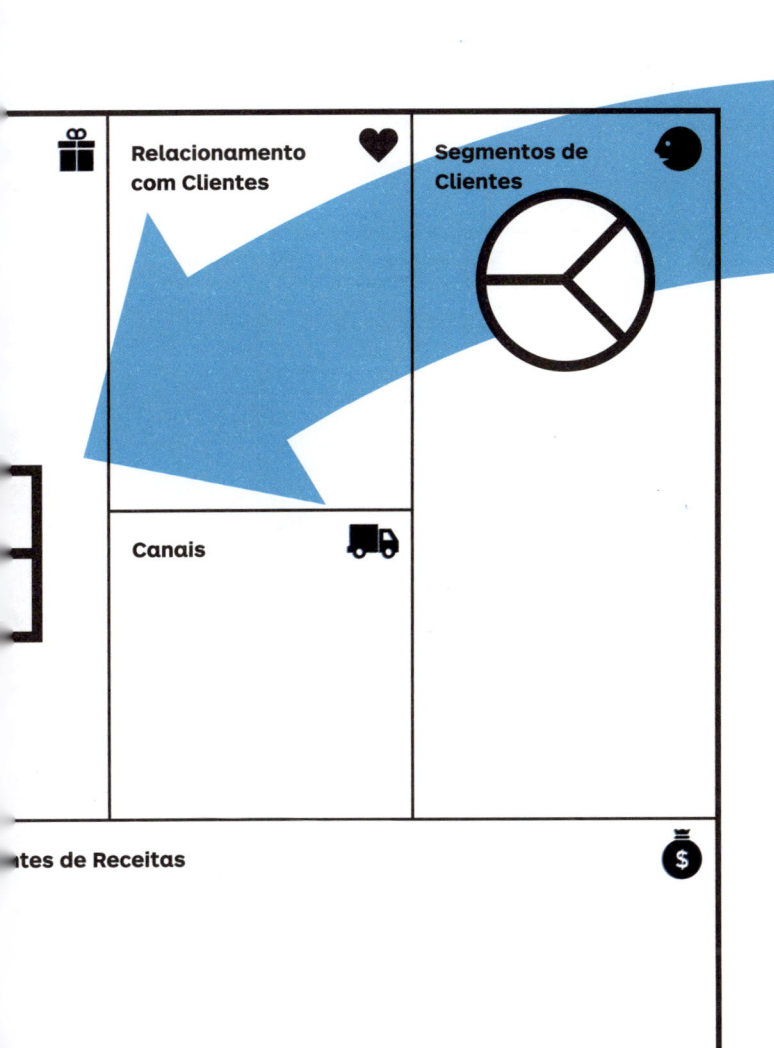

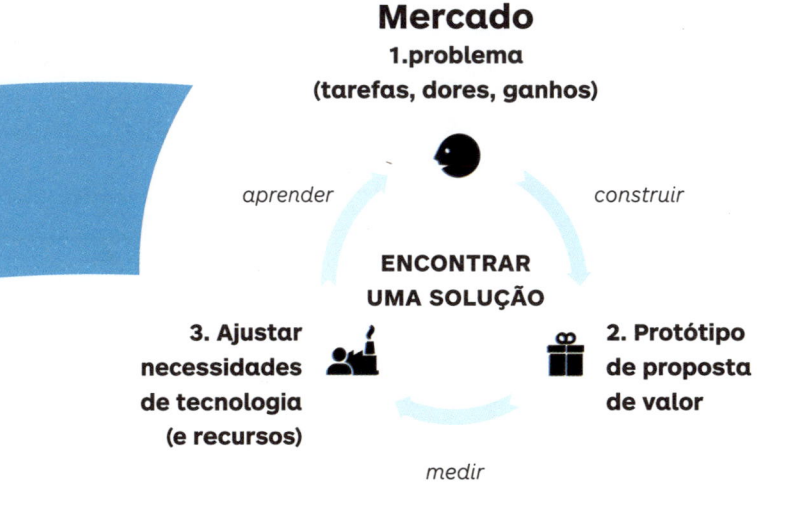

Puxada do Mercado

Comece por uma tarefa, dor ou ganho que o cliente tenha manifestado, para o qual você concebe uma proposta de valor. Em poucas palavras, trata-se de um problema em busca de uma solução.

Saiba que tecnologias e outros recursos são necessários para cada protótipo de proposta de valor elaborada para contemplar tarefas, dores e ganhos do cliente. Reelabore seu Mapa de Valor e ajuste os recursos até encontrar uma solução viável para contemplar tarefas, dores e ganhos do cliente. Leia mais sobre o círculo construir, medir e aprender na página ⊕ p. 186.

Impulso: tecnologia em busca de tarefas, dores e ganhos

OBJETIVO
Praticar a abordagem tecnológica sem risco.

RESULTADO
Desenvolvimento das habilidades.

Este exercício de empurrar começa com a solução.

1
Design
Elabore uma proposta de valor baseada na tecnologia descrita na nota à imprensa veiculada pelo Swiss Federal Institute of Technology (EPFL), em Lausanne, visando um segmento de cliente que pudesse estar interessado em adotar essa tecnologia.

2
Idealizar
Apresente uma ideia para uma proposta de valor, usando o armazenamento de energia de ar comprimido.

3
Segmentar
Escolha um segmento de cliente que poderia estar interessado nessa proposta de valor e estaria disposto a pagar por ela.

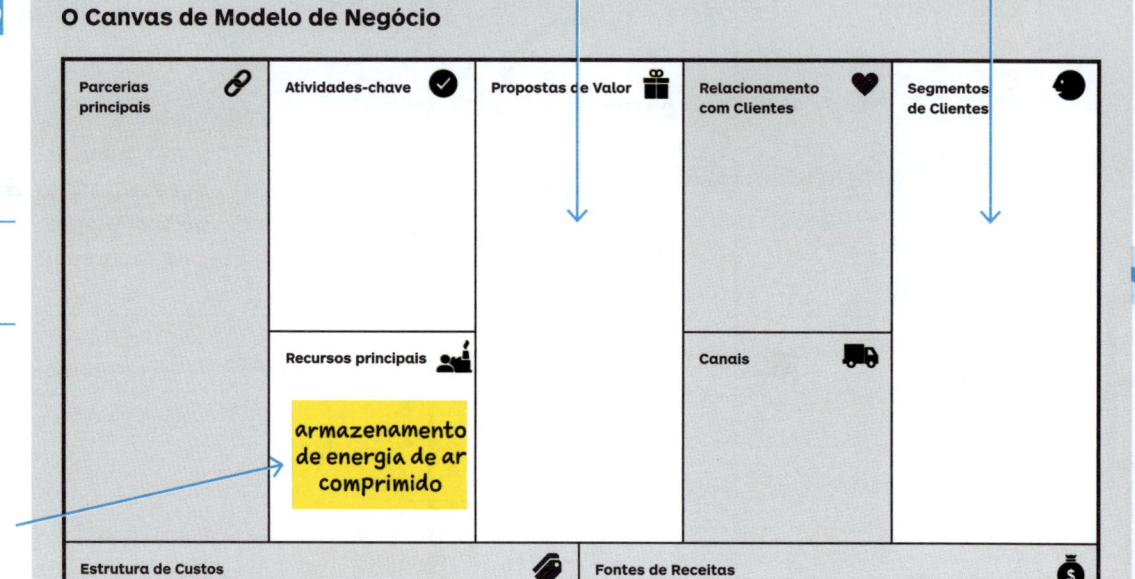

O Canvas de Modelo de Negócio

Parcerias principais	Atividades-chave	Propostas de Valor	Relacionamento com Clientes	Segmentos de Clientes
	Recursos principais — **armazenamento de energia de ar comprimido**		Canais	

Estrutura de Custos	Fontes de Receitas

Strategyzer

"As fontes de energia eólica e solar são grandes potenciais para a geração de energia no futuro [...]. Entretanto, o pico de disponibilidade de fontes eólicas e solares ocorre em momentos que nem sempre correspondem aos horários de pico da demanda. Portanto, é preciso conceber uma forma de armazenar a energia gerada para reutilização posterior. A EPFL tem trabalhado há mais de dez anos em um sistema inédito de armazenamento: ar comprimido. O uso de um pistão hidráulico promove o melhor desempenho do sistema [...]. O ar de alta pressão obtido pode ser estocado com segurança em cilindros, sem perdas, até que seja necessária a geração de nova eletricidade, expandindo o gás contido no cilindro. Uma das vantagens do nosso sistema é que ele não requer matérias-primas raras.

Uma subdivisão foi criada para desenvolver esse princípio e criar unidades de armazenamento e recuperação de energia elétrica tipo "turnkey" [pronta para uso]. Já em 2014, uma usina piloto de 25kW será instalada num parque fotovoltaico em Jura. [...] Futuramente, haverá instalações de 250kW, a princípio, e outras de 2.500kW mais tarde."

Dicas

- Acrescente limitações de design aos exercícios de impulso tecnológico. Sua organização pode não querer contemplar certos segmentos de cliente (B2B ou B2C, regiões específicas etc.), ou você pode preferir certas direções estratégicas como, por exemplo, soluções de licenciamento em vez de construção.
- Faça um acompanhamento de suas premissas quanto ao cliente, pesquisando os clientes ➔ p. 104 e produzindo evidências ➔ p. 172 uma vez que tiver escolhido um segmento potencialmente interessado.

Continua na página ➔ *p. 152*

zoom aproximado

4
Perfil
Faça um esboço do perfil do cliente. Registre premissas sobre suas tarefas, dores e ganhos.

5
Esboçar
Aprimore a proposta de valor, esboçando a forma pela qual ela aplacará as dores do cliente e criará ganhos para ele.

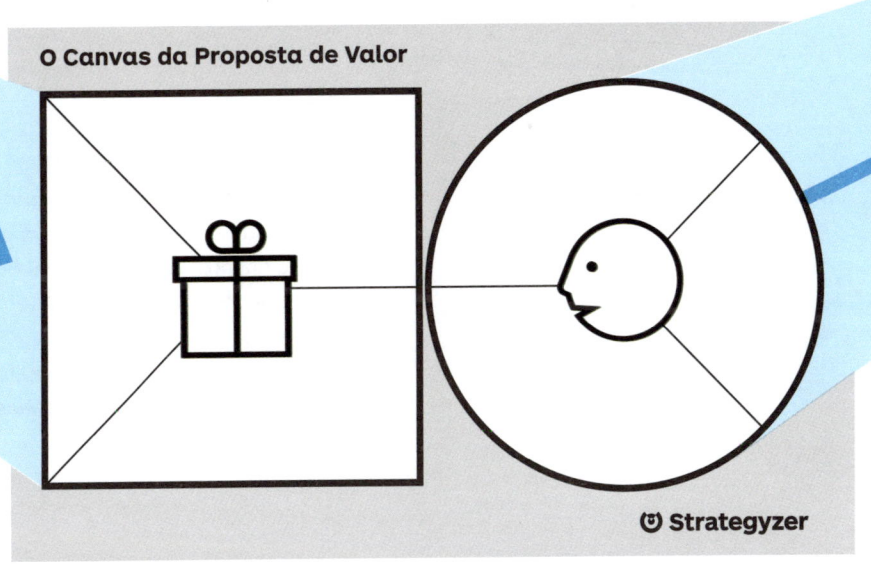

6
Avalie
Avalie o encaixe entre o perfil do cliente e a proposta de valor concebida.

O Canvas da Proposta de Valor

Strategyzer

Puxe: Identifique Tarefas de Alto Valor

Os criadores de ótimas propostas de valor dominam a arte de focar nas tarefas, dores e ganhos que importam. De que forma você saberá em quais dessas tarefas, dores e ganhos focar? Identifique as tarefas mais valiosas, indagando se são importantes, tangíveis, não satisfeitas e lucrativas.

Tarefas valiosas se caracterizam por dores e ganhos que são...

Importantes

+

Quando o êxito ou o fracasso do cliente para executar a tarefa leva respectivamente a ganhos fundamentais ou dores agudas.
- A não realização da tarefa acarreta dores agudas?
- A não realização da tarefa acarreta deixar de alcançar ganhos fundamentais?

Tangíveis

+

Quando as dores ou ganhos referentes a uma tarefa podem ser sentidos ou vivenciados imediata ou frequentemente, e não apenas dias ou semanas mais tarde.
- Você consegue sentir a dor?
- Você consegue enxergar o ganho?

Não resolvidos + Lucrativos = Tarefas de Alto Valor

Não resolvidos

Quando as atuais propostas de valor não ajudam a aliviar as dores ou a criar os ganhos desejados de modo satisfatório ou simplesmente não existem.
- Existem dores não solucionadas?
- Existem ganhos não alcançados?

Lucrativos

Quando muitos têm a tarefa com as relativas dores e ganhos ou um número reduzido de clientes está disposto a pagar um preço elevado.
- São muitos os que detêm essa tarefa, dor ou ganho?
- São poucos os dispostos a pagar muito?

Tarefas de Alto Valor

Concentre-se nas tarefas mais valiosas e nas dores e ganhos a elas referentes.

Baseado num trabalho inicial por consultoria, Innosight.

EXERCÍCIO

Puxar: seleção de tarefas

OBJETIVO
Identificar tarefas de valor elevado nas quais você pode focar.

RESULTADO
Classificação das tarefas dos clientes sob seu ponto de vista.

Este exercício de puxar começa com o cliente.

Imagine seus clientes como CIOs (*Chief Information Officers*), e você tendo de compreender quais as tarefas mais importantes para eles. Faça este exercício para priorizar as tarefas deles ou aplique-o a um de seus perfis de cliente.

Dicas

- Este exercício ajuda a priorizar as tarefas segundo a perspectiva do cliente. Não significa que você tenha obrigatoriamente de contemplar as mais importantes em sua proposta de valor, uma vez que elas podem estar fora do seu alcance. Entretanto, certifique-se de que sua proposta de valor contemple, de fato, tarefas que sejam altamente relevantes para os clientes.
- Os criadores de grandes propostas de valor muitas vezes focam apenas em algumas tarefas, dores e ganhos, mas o fazem extremamente bem.
- Complemente este exercício com a obtenção de insights de clientes da área ➜ p. 106 e experimentos que produzam evidências ➜ p. 216.

Perfil do Cliente
Perfil sintetizado de Cliente de um CIO

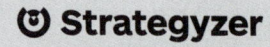

Ganhos (verde):
- capacidade de oferecer informações essenciais de negócios
- sistemas inteiramente integrados
- fazer parte da alta gerência
- capacidade de investir em novos sistemas
- colaboradores seguindo a política de TI
- projetos dentro da programação e do orçamento
- apoiar a inovação
- usuários felizes
- plataformas integradas (celular, nuvem etc.)
- contribuição para o crescimento da receita
- aquisição unificada

Tarefas (amarelo):
- garantir compliance
- satisfazer usuários
- gerenciar equipe
- gerenciar sistemas antigos
- criar valor para a corporação
- conceber estratégia de TI
- gerenciar segurança
- gerenciar orçamento

Dores (laranja):
- violação da segurança
- ser despedido
- sistemas preexistentes antiquados
- cortes no orçamento
- atualização de software
- dispositivos móveis dos colaboradores
- paralisação da infraestrutura
- orçamento excedente em + 5%
- quebra de compliance
- infraestrutura de TI complexa
- excesso de pedidos de projetos de TI
- permanecer atualizado com as tendências

Strategyzer

Copyright Business Model Foundry AG
Criadores do BMG e da Strategyzer

EXERCÍCIO

- A não realização da tarefa acarreta dores agudas?
- A não realização da tarefa acarreta deixar de alcançar ganhos fundamentais?

- Você consegue sentir a dor?
- Você consegue enxergar o ganho?

- Existem dores não solucionadas?
- Existem ganhos não alcançados?

- São muitos os que detêm essa tarefa, dor ou ganho?
- São poucos os dispostos a pagar muito?

Concentre-se nas tarefas mais valiosas e nas dores e ganhos a elas referentes.

Tarefas	Importante	Tangível	Não resolvido	Lucrativo	Tarefas de Valor mais Alto
criar valor para a empresa	•••	•	•••	••	= 9
conceber estratégia de TI	••	•	••	••	= 7

Escala de pontuação: • (baixo) até •••• (alto).

Baseado num trabalho inicial por consultoria, Innosight.

Seis Formas de Inovar pelo Perfil do Cliente

Você delineou seu Perfil do Cliente. O que fazer daqui para a frente? Eis seis formas de dar o próximo passo em sua proposta de valor.

Você pode...

... contemplar mais tarefas?

Contemple um conjunto mais completo de tarefas, incluindo as relacionadas e as secundárias.

Com o iPhone, a Apple não só reinventou o celular, como também nos deu condições de armazenar e tocar música e navegar na internet num só aparelho.

... mudar para uma tarefa mais importante?

Ajude os clientes a realizar uma tarefa diferente daquilo em que a maioria das propostas de valor se concentra.

A Hilti, fabricante de peças para máquinas, compreendeu que os encarregados das obras precisavam manter seus cronogramas para evitar penalidades, e não apenas cavar buracos. A solução de gerenciamento de frota contemplou as duas tarefas.

... ir além das tarefas funcionais?

Enxergue além das tarefas funcionais e crie novos valores, cumprindo tarefas sociais e emocionais.

A Mini Cooper criou um carro que se tornou um conceito, além de meio de transporte.

Faça o download de perguntas provocadoras.

... ajudar muito mais clientes a realizar uma atribuição?

Ajude mais pessoas a realizar uma tarefa que anteriormente seria muito mais complexa ou cara.

O armazenamento de dados virtuais e o poder tecnológico costumavam estar reservados a grandes empresas com orçamentos de TI consideráveis. A Amazon.com viabilizou isso tudo a empresas de qualquer tamanho e orçamento, com o Amazon Web Services.

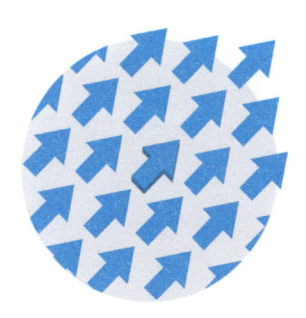

... realizar melhor uma tarefa, progressivamente?

Ajude os clientes a realizar melhor uma tarefa, fazendo uma série de micromelhorias em uma proposta de valor existente.

A multinacional alemã Bosch, fabricante de artigos eletrônicos e de engenharia, fez melhorias em sua serra circular numa gama de características que foram realmente importantes para seus clientes e superou a concorrência.

...ajudar um cliente a realizar uma tarefa de modo radicalmente melhor?

Este é o caso da criação de novos mercados, quando uma nova proposta de valor supera drasticamente velhas formas de ajudar um cliente a realizar uma tarefa.

A primeira planilha de cálculo chamada VisiCalc não só lançou um novo mercado para esse tipo de ferramenta, como também descortinou todo um novo campo de possibilidades a empresas impulsionadas por cálculos fáceis e visuais.

2.3
Compreendendo os Clientes

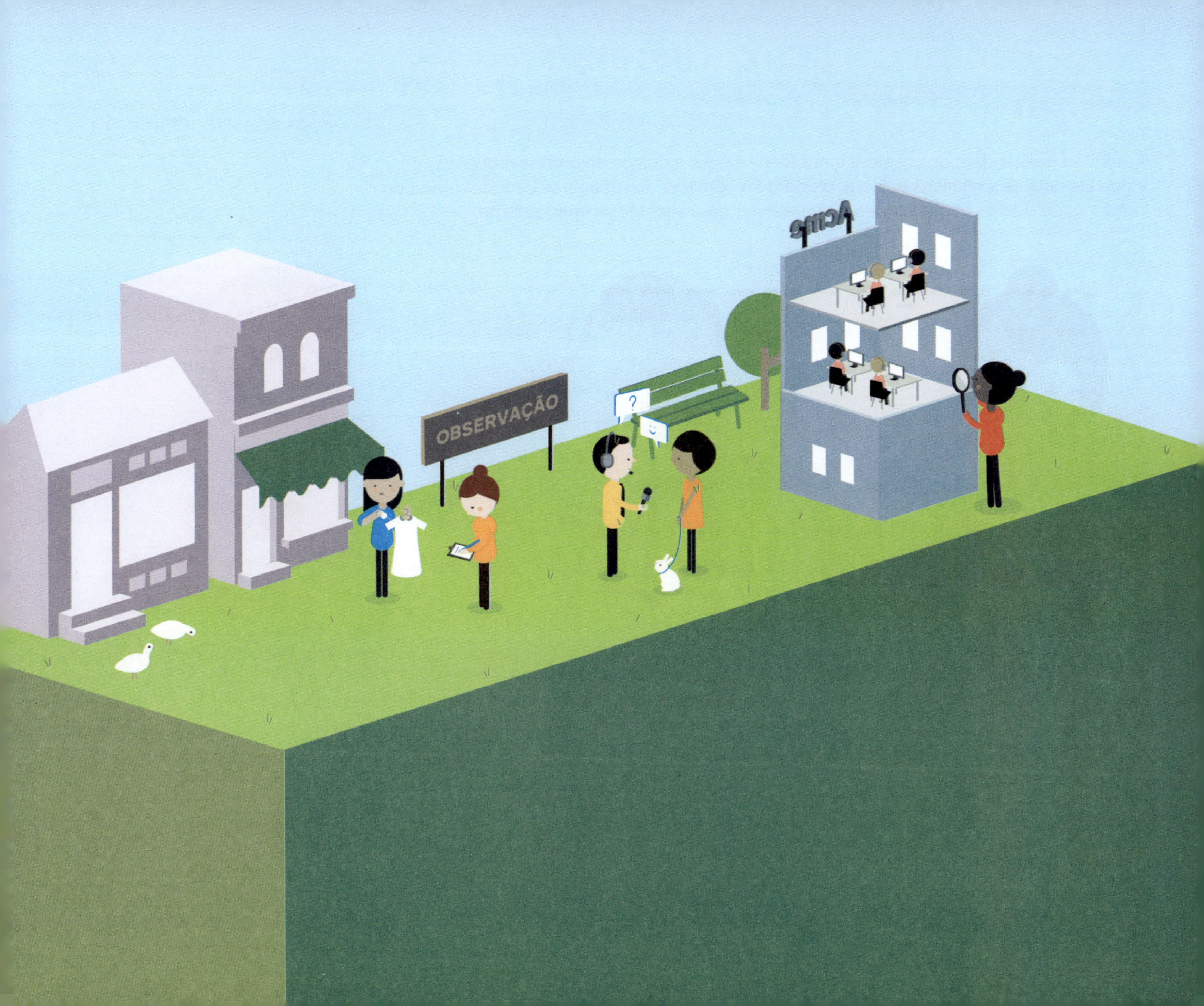
OBSERVAÇÃO

Seis Técnicas para Obter Insights dos Clientes

Assumir a perspectiva do cliente é fundamental para o design de ótimas propostas de valor. Eis aqui seis técnicas que o(a) ajudarão a começar. Certifique-se de fazer uma boa combinação destas técnicas para compreender seus clientes profundamente.

O Detetive de Dados

Aproveite a informação existente mediante pesquisa (interna). Relatórios resultantes de pesquisa secundária e dados do cliente que você já possua oferecem boa base para iniciar. Consulte ainda os dados fora de seu setor e estude as analogias, diferenças e proximidades.

Nível de dificuldade: ★
Ponto forte: base sólida para pesquisa posterior.
Ponto fraco: dados estáticos a partir de um contexto diferente.

➔ p. 108 para mais informação.

O Jornalista

Converse com clientes (potenciais) para obter insights mais facilmente. É uma prática bem conhecida. Entretanto, os clientes podem dizer uma coisa durante uma entrevista, mas comportar-se de forma diferente na prática.

Nível de dificuldade: ★★
Ponto forte: rápido e barato para começar com primeiras informações e insights.
Ponto fraco: os clientes nem sempre sabem o que desejam e o comportamento real difere das respostas dadas na entrevista.

➔ p. 110 para mais informação.

O Antropólogo

Observe os clientes (potenciais) na prática para obter bons insights acerca de seus verdadeiros comportamentos. Considere as atribuições em que estão focados e como as realizam. Registre as dores que os preocupam e os ganhos que pretendem alcançar.

Nível de dificuldade: ★★★
Ponto forte: os dados fornecem uma visão não tendenciosa e permite descobrir o verdadeiro comportamento na prática.
Ponto fraco: difícil de obter insights do cliente em relação a novas ideias

➔ p. 114 para mais informação.

O Personificador

"Seja seu cliente" e use realmente produtos e serviços. Coloque-se na pele do cliente por um dia ou mais. Faça uso de sua experiência como um cliente (insatisfeito).

Nível de dificuldade: ★★

Ponto forte: experiência pessoal das tarefas, dores e ganhos.

Ponto fraco: nem sempre possível de ser aplicado ou de ser representativo do verdadeiro cliente.

O Cocriador

Integre os clientes no processo da criação de valor para aprender com eles. Trabalhe com os clientes a fim de explorar e desenvolver ideias novas.

Nível de dificuldade: ★★★★★

Ponto forte: a proximidade dos clientes pode ajudá-lo(a) a ter insights importantes.

Ponto fraco: não pode ser generalizado em relação a todos os clientes e segmentos.

O Cientista

Faça que os clientes participem (aberta ou anonimamente) de um experimento. Aprenda com os resultados.

Nível de dificuldade: ★★★★

Ponto forte: fornece insights baseados em fatos sobre o comportamento no dia a dia, funciona especialmente bem para novas ideias.

Ponto fraco: pode ser de difícil aplicação nas organizações existentes devido a políticas e orientações (estritas) em relação ao cliente.

➔ p. 216 para mais informação.

O Detetive de Dados: Comece pelas Informações Existentes

Nunca os criadores tiveram mais acesso a informações prontas e de dados internos e externos a sua empresa antes mesmo de começar com o design de valor. Use fontes de dados disponíveis como uma plataforma de lançamento para começar com os insights do cliente.

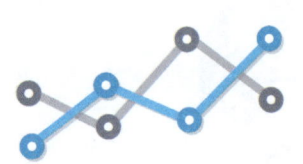

Tendências do Google
Compare três termos de busca representativos de três diferentes tendências relacionadas a sua ideia.

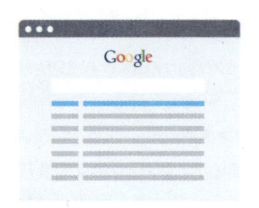

Planejador de Palavras-chave do Google
Saiba o que é popular junto a clientes em potencial, descobrindo os cinco principais termos mais buscados em relação a sua ideia. Com que frequência são procurados?

Dados de Recenseamento do Governo, Banco Mundial, FMI e outros
Identifique os dados (governamentais) relevantes para sua ideia e ao seu alcance pela internet.

Relatórios de Pesquisa de Terceiros
Identifique três relatórios de pesquisa prontamente disponíveis, que possam servir-lhe de ponto de partida para preparar sua própria pesquisa de cliente e de proposta de valor.

Análise das Redes Sociais

As empresas e marcas existentes devem:
- identificar prós e contras referentes a sua marca nas redes sociais;
- identificar as coisas negativas e positivas sobre ela mencionadas com mais frequência nas redes sociais.

Relacionamento com Clientes (CRM)

- Liste as três principais perguntas, queixas e solicitações recebidas por você no contato diário com os clientes (por exemplo, suporte).

Rastreando os Clientes no seu Site

- Liste as três formas principais de acesso dos clientes ao seu site (p.ex.. busca, indicações etc.).
- Encontre os destinos mais populares e os menos populares em seu site.

Sondagem de Dados

A empresa existente deve sondar seus dados para:
- identificar três padrões que poderiam ser úteis para sua nova ideia.

Fonte: Predictive Analytics: The power to predict who will click, buy, lie, or die *(2013), de Siegel & Davenport.*

EXERCÍCIO

O jornalista: entreviste seus clientes

OBJETIVO
Compreender melhor o cliente.

RESULTADO
Primeiro(s) perfil(is) do cliente relativamente comprovado(s).

Converse com os clientes para obter insights relevantes com relação a seu contexto. Utilize o Canvas da Proposta de Valor para preparar entrevistas e organizar a quantidade caótica de informações que lhe ocorrerem durante o processo das entrevistas.

1
Crie um Perfil do Cliente
Esboce as tarefas, dores e ganhos que, na sua opinião, caracterizam o cliente desejado. Hierarquize tarefas, dores e ganhos pela ordem de importância.

2
Esquematize a Entrevista
Pergunte-se o que deseja saber. Extraia as perguntas da entrevista do perfil do cliente. Pergunte sobre as tarefas, as dores e os ganhos mais relevantes.

5
Reveja a Entrevista
Avalie se precisa rever as perguntas da entrevista com base naquilo que ficou sabendo.

3
Conduza a Entrevista
Conduza a entrevista, seguindo as regras básicas de entrevista apresentadas na página seguinte.

4
Capture
Mapeie as tarefas, as dores e os ganhos que você viu numa entrevista de um perfil de cliente em branco. Certifique-se também de recolher informações quanto ao modelo de negócio. Registre seus insights mais importantes.

6
Busque Padrões
Você consegue descobrir tarefas, dores e ganhos semelhantes? O que se destaca? O que se assemelha ou difere entre os entrevistados? Por que são semelhantes ou diferentes? Você consegue detectar contextos (recorrentes) específicos, que influenciam tarefas, dores e ganhos?

Dica
Registre seus maiores insights de todas as entrevistas.

7
Sintetize
Elabore, separadamente, um perfil de cliente sintetizado para cada segmento de cliente que surgir de todas as entrevistas. Registre seus insights mais importantes num post-it.

Regras Práticas para Entrevistas

É uma arte conduzir boas entrevistas que resultam em insights relevantes para o *Value Propostion Design*. Assegure-se de focar na descoberta daquilo que importa para (potenciais) clientes em vez de tentar propor soluções. Siga as regras contidas nestas duas páginas para conduzir ótimas entrevistas.

Obtenha o pôster das Regras Práticas para Entrevistas.

Regra nº 1
Tenha mente de iniciante
Ouça com "novos ouvidos" e evite interpretações. Explore especialmente tarefas, dores e ganhos inesperados.

Regra nº 2
Ouça mais do que fala
Sua meta é ouvir e saber, e não informar, impressionar ou convencer seu cliente. Evite perder tempo falando sobre suas próprias crenças, uma vez que o que está em jogo é saber sobre seu cliente.

Regra nº 3
Obtenha fatos, não opiniões
Não pergunte "você seria capaz de...?".
Pergunte "quando foi a última vez que...?".

Regra nº 4
Pergunte por que para saber as verdadeiras motivações
Pergunte "por que você precisa...?".
Pergunte "por que ... é importante para você?".
Pergunte "por que ... é uma dor tão grande?".

Regra nº 5
A meta de entrevistas para insights sobre o cliente não é vender (ainda que haja uma venda em pauta), e sim aprender

Não pergunte "você compraria nossa solução?". Pergunte "quais são seus critérios para decidir quando faz uma aquisição de ...?".

Regra nº 6
Não mencione soluções (isto é, seu protótipo de proposta de valor) antes do tempo

Não explique "nossa solução faz...".
Pergunte "quais as situações mais importantes que está enfrentando?".

Regra nº 7
Follow-up

Obtenha permissão para ficar com as informações de contato de seu entrevistado para voltar em busca de mais perguntas e respostas ou testar protótipos.

Regra nº 8
Sempre abra outras portas no final

Pergunte "com quem mais eu poderia falar?".

Dicas

• Entrevistas são um excelente ponto de partida para aprender com os clientes, mas normalmente eles não oferecem insights suficientes ou tão confiáveis para tomar decisões essenciais. Complemente suas entrevistas com outras pesquisas, tal como um bom jornalista faz pesquisas mais aprofundadas para descobrir a verdadeira história por trás daquilo que as pessoas falam. Acrescente a observação de clientes na prática e experimentos que produzem dados de peso para seu combinado de pesquisa.

• Conduza entrevistas em duplas. Decida de antemão quem conduzirá a entrevista e quem vai tomar notas. Use fotos, vídeos ou outro dispositivo de gravação, se possível, mas esteja consciente de que os entrevistados podem não responder da mesma maneira em situações assim.

Referência: The Mom Test (2013), *de Fitzpatrick.*

O Antropólogo: Mergulhe no Mundo do Cliente

Mergulhe profundamente no mundo de seus clientes (potenciais) de modo a obter insights sobre suas tarefas, dores e ganhos. O que os clientes fazem diariamente, no verdadeiro contexto em que vivem, muitas vezes difere daquilo que acreditam que fazem ou o que declaram numa entrevista, num levantamento ou grupo de discussão.

B2C: Temporada com a Família
Fique na casa de um de seus clientes (em potencial) por alguns dias e conviva com a família. Participe das rotinas diárias. Descubra o que os estimula.

B2B: Trabalhe junto/Dê Consultoria
Passe algum tempo trabalhando junto ou ao lado de clientes (em potencial). Observe. O que lhes tira o sono à noite?

B2B/B2C
De que forma você poderia mergulhar na vida do seu cliente (em potencial)? Seja criativo! Ultrapasse as barreiras comuns.

B2C: Observe o Comportamento nas Compras
Vá à loja que seu cliente (em potencial) compra e observe as pessoas por dez horas. Preste atenção. Você consegue identificar algum padrão?

B2C: Seja a sombra de seus clientes por um dia
Seja a sombra de seu cliente (em potencial) e siga-o por um dia. Registre todas as tarefas, dores e ganhos que observar. Cronometre-as. Sintetize. Aprenda.

Planilha de um Dia Típico

OBJETIVO
Compreender o mundo de seu cliente com mais detalhes.
RESULTADO
Mapa do dia de seus clientes.

Registre as tarefas, as dores e os ganhos mais importantes do cliente que você acompanhou.

Dica

- Observe e faça anotações. Abstenha-se de interpretações baseadas em sua própria experiência. Conserve uma postura de não julgar! Trabalhe como um antropólogo e observe com "novos olhos" e mente aberta.
- Atenção para o que você vê e o que não vê.
- Registre o que você observa, mas também coisas que não são mencionadas, como sentimentos e emoções.
- Desenvolva empatia pelo cliente como uma característica essencial para que esse tipo de indagação contextual funcione de maneira eficaz.

Tempo	Atividade (o que eu vejo)		Notas (o que eu penso)
19:00h	escovar os dentes dos filhos antes de dormir		pais irritados com a água espalhada por toda parte

Faça o download da Planilha de um Dia Típico.

Identifique Padrões na Pesquisa do Cliente

OBJETIVO
Consolidar seu cliente.

RESULTADO
Perfil(is) de cliente sintetizado(os).

Analise seus dados e tente detectar padrões assim que tiver reunido uma boa quantidade de informação na pesquisa com o cliente. Procure por clientes com tarefas, dores e ganhos semelhantes ou clientes que se importam com as mesmas tarefas, dores ou ganhos e monte perfis de cliente separados.

1 Exponha
Exponha todos os perfis resultantes de sua pesquisa numa parede.

2 Agrupe & Segmente
Agrupe perfis de cliente semelhantes em um ou mais segmentos separados, se você puder identificar padrões nas tarefas, dores e ganhos.

3 Sintetize
Sintetize os perfis de cada segmento em um único perfil principal. Identifique as tarefas, dores e ganhos mais comuns e use etiquetas separadas para descrevê-los no perfil principal.

4 Design
Comece pela prototipagem de propostas de valor após concluir sua primeira tentativa de fazer a segmentação do cliente. Projete uma ou mais propostas de valor com confiança, fundamentado(a) nos padrões recém-identificados no perfil principal.

Exemplo de síntese: perfil de um executivo leitor de livros de negócios

Para estabelecer um perfil de leitores, visualizamos as tarefas, dores e ganhos dos diferentes perfis de clientes resultantes de nossas entrevistas. Sintetizamos os mais frequentes no perfil principal usando nomes representativos.

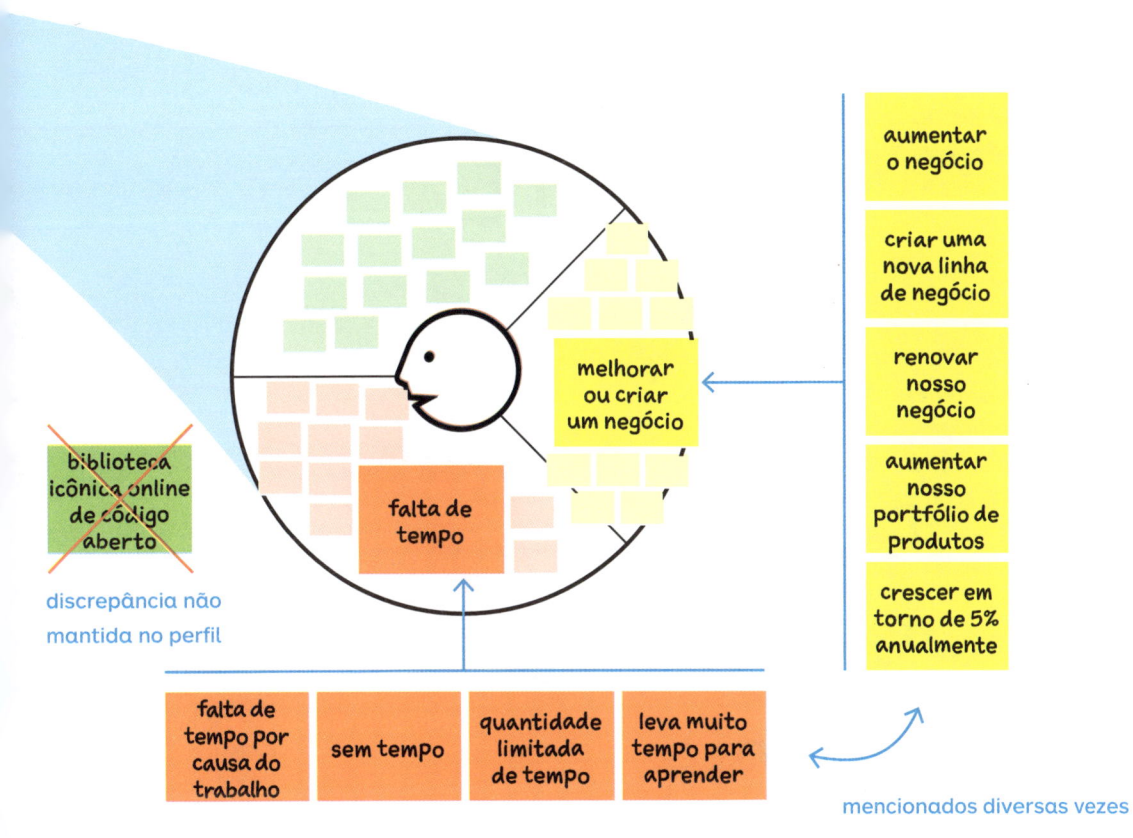

biblioteca icônica online de código aberto ~~(X)~~
discrepância não mantida no perfil

Perfil central:
- melhorar ou criar um negócio
- falta de tempo
- falta de tempo por causa do trabalho
- sem tempo
- quantidade limitada de tempo
- leva muito tempo para aprender

Ganhos (mencionados diversas vezes):
- aumentar o negócio
- criar uma nova linha de negócio
- renovar nosso negócio
- aumentar nosso portfólio de produtos
- crescer em torno de 5% anualmente

Dicas

- Dedique atenção especial aos perfis discrepantes. Podem ser irrelevantes, mas poderiam representar uma oportunidade de aprendizagem especial. Às vezes as melhores descobertas estão disfarçadas.
- Pergunte-se se uma discrepância não poderia ser um sinal de coisas que estão por vir e que mereceriam sua atenção. Ou talvez uma discrepância seja diferente por ser um desvio positivo. Pode ser simplesmente uma solução melhor para tarefas, dores e ganhos do que os colegas oferecem.

Encontre Seu *Earlyvangelist*
(Adotante Inicial)

Atenção para os *Earlyvangelists* ao pesquisar clientes em potencial e procurar por padrões. O termo foi cunhado por Steve Blank para descrever clientes dispostos e em condições de assumir risco em relação a um novo produto ou serviço. Use os *Earlyvangelists* para criar um mercado pioneiro e moldar sua proposta de valor por meio da experimentação e aprendizagem.

5
Têm ou podem obter verba
Possuem ou podem rapidamente conseguir verba para adquirir a solução.

4
Montam a solução a partir de peças separadas
A alternativa é tão importante que montam uma solução provisória.

3
Estão procurando ativamente por uma solução
Estão procurando por uma solução e têm um cronograma para encontrá-la.

2
Estão conscientes de que têm um problema
Eles compreendem que têm um problema/tarefa.

1
Têm um problema ou necessidade
Em outras palavras, os *Earlyvangelists* têm uma tarefa a realizar.

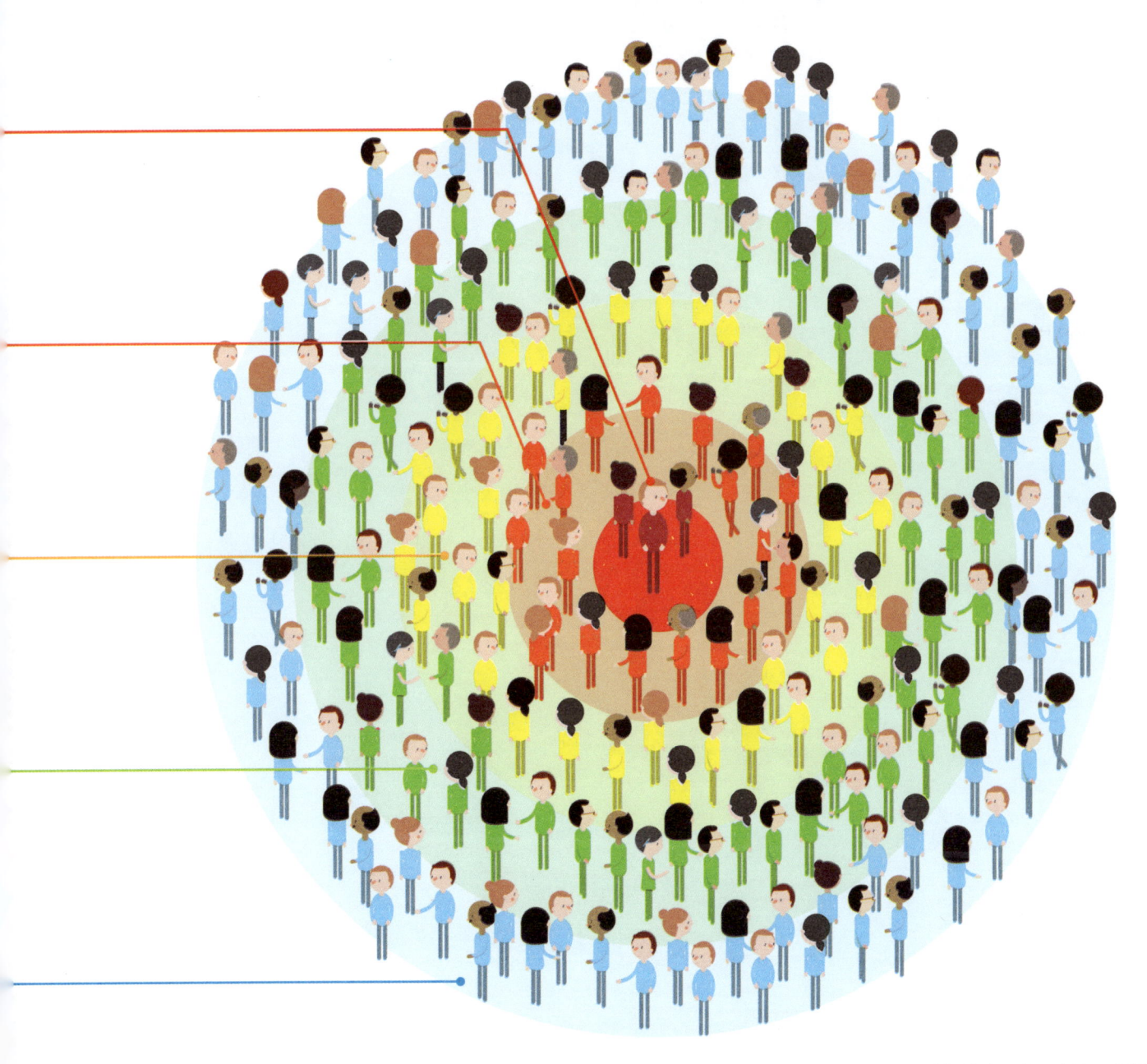

The Start-up Owner's Manual, (2012), de Steve Blank, Bob Dorf.

2.4 Fazendo Escolhas

AVALIAÇÃO
PARA TESTES
7 PERGUNTAS
FINANCEIRO
MODELO DE NEGÓCIOS
DESCARTADOS

EXERCÍCIO

10 perguntas para avaliar sua proposta de valor

OBJETIVO
Revelar potencial para aperfeiçoar sua proposta de valor.

RESULTADO
Avaliação de proposta de valor.

Use as dez perguntas apresentadas anteriormente para avaliar constantemente suas propostas de valor. Integre os insights de seus clientes com base nessas perguntas. Utilize-as no momento de decidir que protótipos explorar mais a fundo com os clientes.

Faça este exercício online.

1
Está inserida num ótimo modelo de negócio?

2
Está focada nas tarefas mais importantes, nas dores mais agudas e nos ganhos realmente fundamentais?

3
Está focada em tarefas mal-resolvidas, em dores não solucionadas e em ganhos não realizados?

4
Concentra-se apenas em alguns analgésicos e criadores de ganhos, mas o faz extremamente bem?

5
Contempla, de uma só vez, tarefas funcionais, emocionais e sociais?

6
Está alinhada com a forma pela qual os clientes medem o sucesso?

☹ 😐 🙂

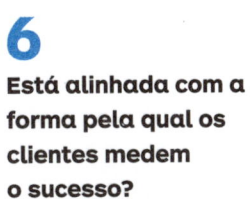

7
Está focada em tarefas, dores e ganhos de um grande número de clientes ou um número pequeno que está disposto a pagar caro por ela?

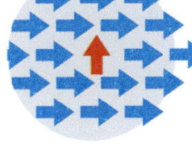

☹ 😐 🙂

8
Diferencia-se da concorrência de maneira significativa?

☹ 😐 🙂

9
Supera a concorrência substancialmente ou pelo menos em uma dimensão?

☹ 😐 🙂

10
É difícil de ser copiada?

☹ 😐 🙂

PROCESSO

Simule a Voz do Cliente

OBJETIVO
Testar sua proposta de valor "na sala de reunião".

RESULTADO
Proposta de valor mais sólida antes de validá-la no mercado.

Faça encenações para trazer "para dentro da sala" a voz do cliente e de outras partes interessadas, bem antes de você testar suas propostas de valor na prática.

O sucesso da sua proposta de valor depende normalmente de algumas partes interessadas. Os clientes são a mais óbvia, mas há muitas outras (partes interessadas dentro de sua empresa). Escolha as mais importantes e organize encenações para fazer um teste de sua proposta de valor, segundo a perspectiva dessas partes interessadas.

Dois participantes do grupo de discussão fazem a encenação, na qual um desempenha o papel de representante de vendas e o outro, uma parte interessada ou o cliente. Uma terceira pessoa faz as anotações.

Dicas

- Certifique-se de escolher a pessoa adequada para fazer o papel de parte interessada. Quem melhor representa a voz do cliente? Seria alguém de vendas, do apoio ao cliente, engenharia de campo ou alguém que esteja próximo do comprador?
- As encenações não substituem o teste de suas propostas de valor na prática com clientes e partes interessadas, mas ajudam a desenvolver suas ideias, assumindo a outra perspectiva.
- As encenações podem ser uma forma eficaz de conhecer a voz do cliente depois que você analisou intensamente o comportamento dele.

O representante de vendas

O tomador de notas

O cliente (crítico)

Avalie rapidamente suas ideias com a encenação, fazendo as vozes de...

... clientes
Assuma o ponto de vista do cliente e concentre-se nas tarefas, nas dores e nos ganhos, e em propostas de valor concorrentes. Num contexto B2B, pense nos usuários finais, nos influentes, nos compradores econômicos, no tomador de decisão e nos sabotadores.

... CEOs, líderes e membros do conselho diretivo
Assuma o ponto de vista da liderança da empresa (CEO, CFO, COO etc.). Ofereça feedback da perspectiva da visão, da direção e da estratégia da empresa.

... outras partes internas interessadas
De quem mais, de dentro da empresa, você precisa de adesão para o sucesso de sua ideia? A produção exerce algum papel? Você precisa convencer vendas ou marketing?

... parceiros estratégicos
Sua proposta de valor pode depender da colaboração de parceiros estratégicos. Você está lhes oferecendo valor?

... governo
Qual o papel do governo? Ajuda ou atrapalha?

... investidores/acionistas
Apoiarão suas ideias ou serão resistentes?

... comunidade local
Será impactada pelas suas ideias?

... o planeta!
Qual o impacto de sua proposta de valor sobre o meio ambiente?

Compreenda o Contexto

Propostas de valor e modelos de negócios são sempre concebidos dentro de um contexto. Aplique um zoom distanciado de seus modelos para mapear o ambiente em que você está elaborando e fazendo escolhas quanto aos protótipos. O ambiente traz competição, mudança tecnológica, limitações legais, desejos de clientes em constante transformação e outros elementos. Guie-se pelas ilustrações ou leia mais em *Business Model Generation: Inovação em Modelos de Negócios**.

zoom distanciado

Forças da Indústria
São os atores principais no seu espaço, como concorrentes, agentes da cadeia de valor, provedores de tecnologia, entre outros.

Forças Macroeconômicas
São tendências macro, como as condições do mercado mundial, o acesso a recursos, preços dos bens etc.

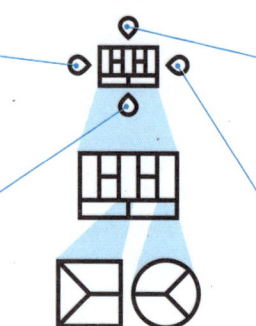

Principais Tendências
Dão forma ao seu espaço. Podemos citar inovações tecnológicas, limitações de regulação, tendências sociais e outras.

Forças de Mercado
Principais questões do cliente no seu espaço. São os segmentos em expansão, custos de troca do cliente, tarefas, dores e ganhos que mudam etc.

zoom aproximado

**Business Model Generation: Inovação em Modelos de Negócios*, de Yves Pigneur e Alexander Osterwalder, 2011.

TV Participativa

Imagine que você é um produtor na indústria cinematográfica. Até agora, você tem feito filmes e seriados para a TV com atores de destaque no cinema e tem telespectadores do mundo inteiro. Entretanto, você gostaria de explorar novos caminhos.

Suas equipes de inovação têm uma ideia que gostariam de explorar mais de perto: a TV interativa – dar condições aos espectadores de realizar o *crowdsourcing* da trama de um seriado de TV.

Ilustração: TV Interativa

Esboce seu ambiente e pergunte pelos elementos que parecem ser...

- uma oportunidade que fortalece sua proposta de valor (em **verde**);
- uma ameaça ou uma limitação que a prejudica ou restringe (em **vermelho**).

Redes sociais como um canal de marketing poderoso para espectadores aficionados.

+ democratização da distribuição

A integração da TV com a internet possibilitará experiências de grande envolvimento.

+ TV + internet conectadas

Conteúdo criado pelo usuário é menos vulnerável à pirataria.

− pirataria

Ferramentas da internet facilitam a participação de todos

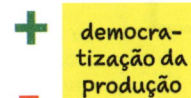

+ democratização da produção

− O tamanho não importa mais – qualquer um pode ter acesso a milhões de usuários.

Pirataria em ascensão.

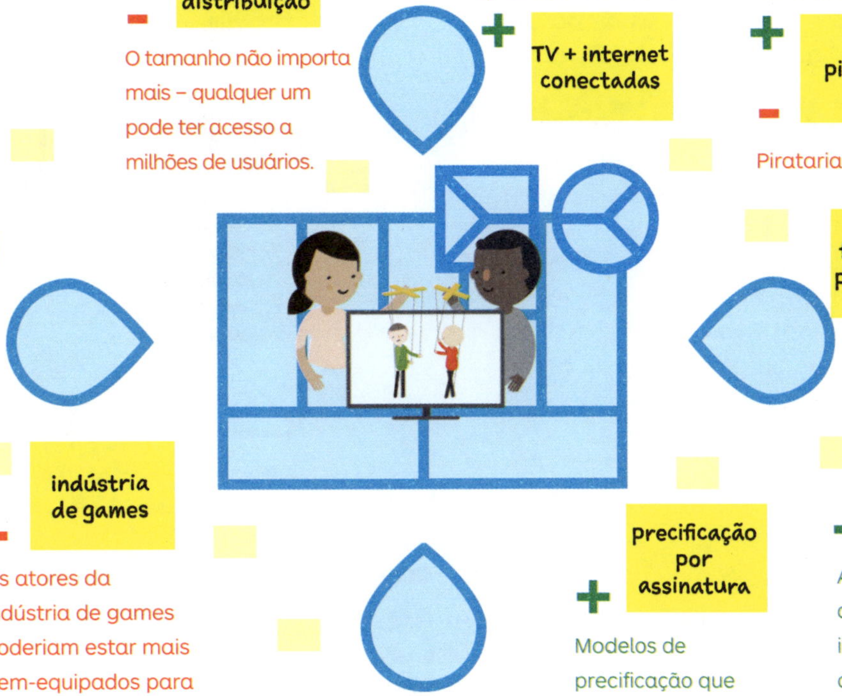

− fidelidade a plataformas

Dificuldade em conseguir que os espectadores abdiquem de plataformas estabelecidas, como Netflix ou Apple.

Conteúdo conduzido pelo usuário pode anular um conteúdo produzido profissionalmente.

− indústria de games

Os atores da indústria de games poderiam estar mais bem-equipados para o sucesso com uma proposta de valor participativa.

Custo da perda de talentos.

+ custo de lançar talentos

+ precificação por assinatura

Modelos de precificação que produzem receitas (assinatura) se ajustam bem a uma comunidade de cocriadores.

+ geração web

A geração de usuários que cresceu com a internet participa online diariamente.

Value Proposition Design versus Concorrência

Vamos focar em um elemento específico de seu design e ambiente de tomada de decisões: a concorrência. Avalie o desempenho de sua proposta de valor em comparação com o da concorrência, com base na Curva de Valor, ferramenta gráfica do livro *Estratégia do Oceano Azul**. Uma forma simples, mas poderosa, de visualizar e comparar o desempenho das "vantagens" de sua proposta de valor.

Nestas páginas, comparamos o desempenho do *Value Propostion Design* para cursos presenciais e cursos online, abertos e massivos de educação para executivos (chamados MOOCs). Desenhamos uma Curva de Valor com uma série de fatores competitivos no eixo x, apresentando o desempenho de diversos concorrentes em cada um desses fatores. Os fatores competitivos foram extraídos do nosso Mapa de Valor, sendo complementados com os elementos do Mapa de Valor da concorrência.

*A Estratégia do Oceano Azul (2005), de Kim & Mauborgne.

Value Proposition Design (VPD)

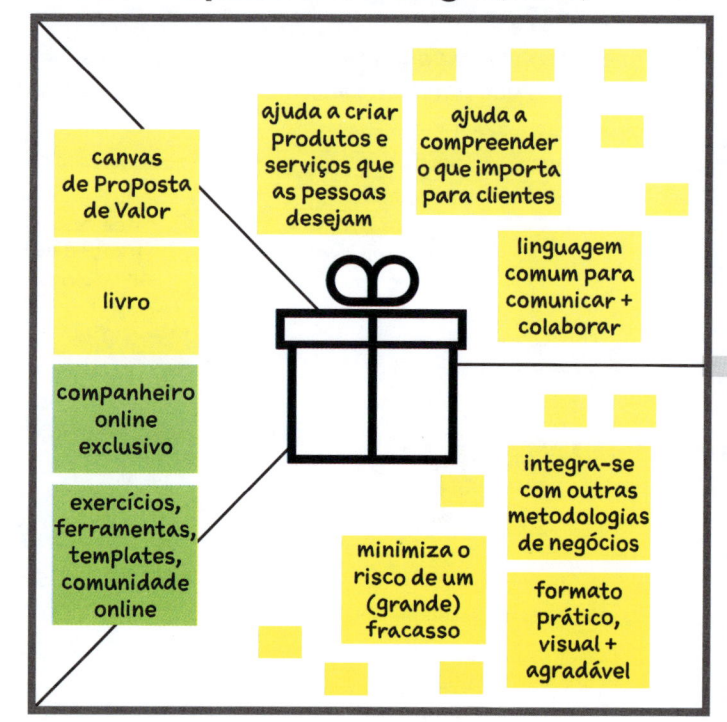

- canvas de Proposta de Valor
- livro
- companheiro online exclusivo
- exercícios, ferramentas, templates, comunidade online
- ajuda a criar produtos e serviços que as pessoas desejam
- ajuda a compreender o que importa para clientes
- linguagem comum para comunicar + colaborar
- integra-se com outras metodologias de negócios
- minimiza o risco de um (grande) fracasso
- formato prático, visual + agradável

Selecione os aspectos mais importantes de sua proposta de valor para serem usados na Curva de Valor como fatores competitivos.

Curso presencial para executivos
- sala de aula exclusiva
- rede de contatos
- práticas ao vivo
- material do curso
- reputação/nome

MOOCs
- currículo online
- ampla escolha
- busca e navegação fáceis
- certificados
- vídeo = "eduvertmento"
- gratuito

Curva de Valor

Proposta de valor deste livro x **Cursos presenciais para executivos** x **MOOCs, em comparação**

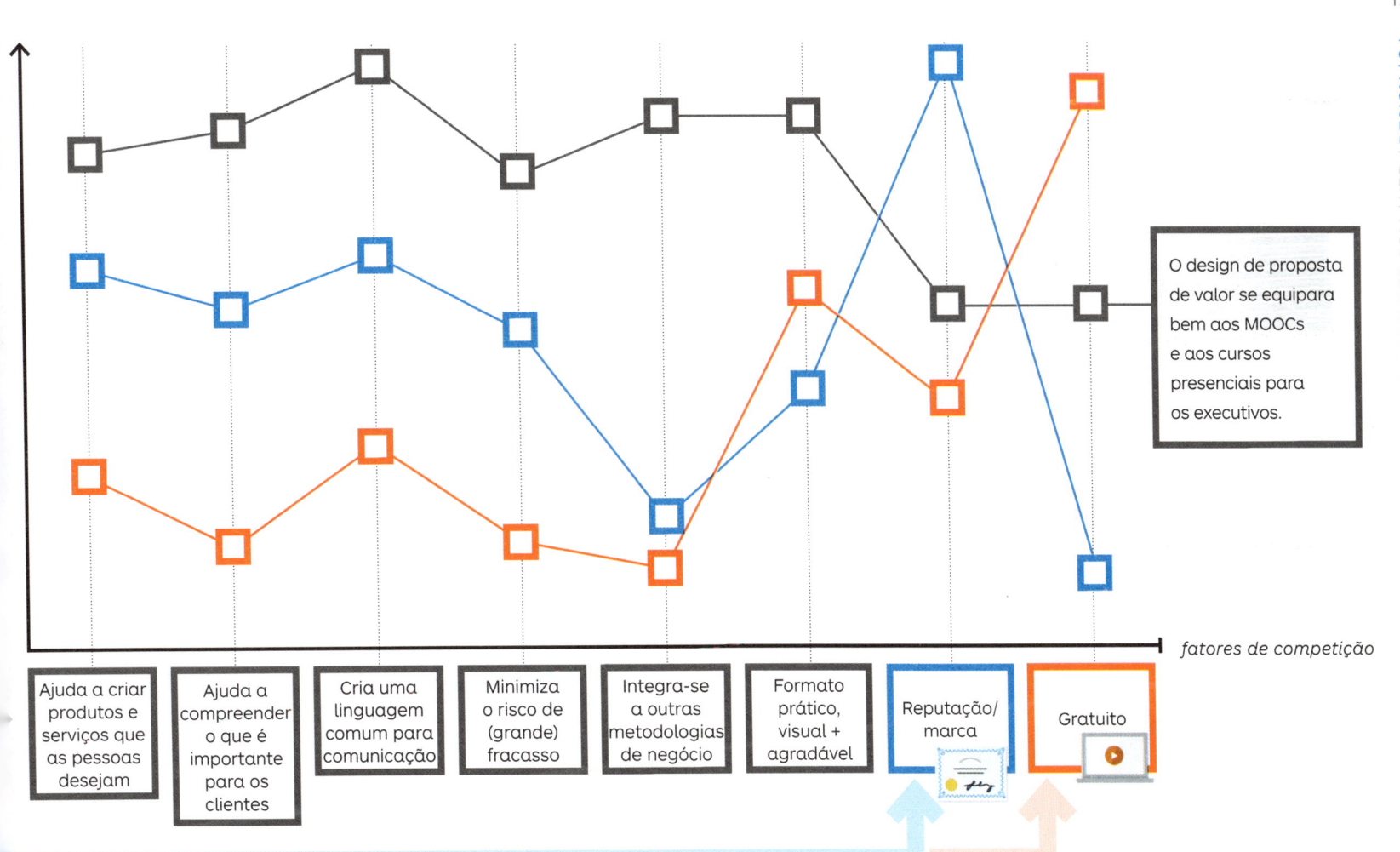

O design de proposta de valor se equipara bem aos MOOCs e aos cursos presenciais para os executivos.

fatores de competição

| Ajuda a criar produtos e serviços que as pessoas desejam | Ajuda a compreender o que é importante para os clientes | Cria uma linguagem comum para comunicação | Minimiza o risco de (grande) fracasso | Integra-se a outras metodologias de negócio | Formato prático, visual + agradável | Reputação/ marca | Gratuito |

Compare sua proposta de valor com a concorrência

EXERCÍCIO

OBJETIVO	RESULTADO
Compreender seu desempenho em comparação com os outros.	Comparação visual com a concorrência.

Use a Curva de Valor do livro *Estratégia do Oceano Azul* para traçar o desempenho de sua proposta de valor em contraste com as dos concorrentes. Em seguida, compare as curvas para avaliar como você se diferencia.

Instruções

Desenhe uma Curva de Valor passo a passo e compare sua proposta de valor com a proposta de valor da concorrência.

1. Prepare ou obtenha um Mapa de Valor para este exercício.
2. Consiga uma folha de papel grande ou uma lousa.
3. Siga os passos.

1
Escolha uma proposta de valor

Escolha a proposta de valor (protótipo) que você deseja comparar.

2
Escolha os fatores da concorrência

Trace um eixo horizontal (*x*). Selecione os analgésicos e os criadores de ganhos que você quer comparar com a concorrência. Coloque-os sobre o eixo. Esses são os fatores da concorrência de sua Curva de Valor.

Dica
Você pode acrescentar dores e ganhos se sentir que descrevem, de melhor forma, fatores importantes da concorrência.

3
Pontue sua proposta de valor

Trace um eixo vertical (*y*) para representar o desempenho de uma Proposta de Valor. Acrescente uma escala de "baixo" a "alto" ou de "0" a "10". Faça a marcação do desempenho de sua Proposta de Valor em cada fator de concorrência do eixo *x* (p.ex., os analgésicos e os criadores de ganhos que você escolheu).

4
Acrescente propostas de valor concorrentes
Acrescente propostas de valor concorrentes à Curva de Valor. Escolha as mais representativas da concorrência. Acrescente analgésicos e criadores de ganhos da proposta de valor deles aos fatores da concorrência no eixo (x) se necessário.

Dica
Considere as propostas de valor concorrentes além das fronteiras tradicionais da indústria. Não compare apenas as propostas de valor com base em produtos e serviços semelhantes aos seus.

5
Pontue as propostas de valor concorrentes
Trace como as propostas de valor concorrentes se comportam, conforme você fez com a sua própria.

Dica
Use esta ferramenta para comparar o desempenho de uma proposta de valor alternativa que possa estar considerando.

6
Analise seu ponto ideal
Analise as curvas e descubra oportunidades. Pergunte-se se e como está se diferenciando da concorrência com sua proposta de valor.

Dica
Certifique-se de que os fatores da concorrência que você está comparando se alinham com as principais tarefas, dores e ganhos no perfil do cliente. Normalmente, este deveria ser o caso, uma vez que analgésicos e criadores de ganhos são concebidos para combinar com tarefas, dores e ganhos relevantes.

Evite o Assassinato Cognitivo para Obter um Feedback Melhor

Apresente sua proposta de valor aos outros para recolher feedback, obter adesão e complementar a "avaliação analítica" mais ampla que vimos até esta altura e os experimentos que vamos examinar no capítulo referente ao teste.

Assegure-se de que dará o melhor de si ao apresentar suas ideias, explicando-as com simplicidade e coerência cativantes. Seria perda de tempo e de recursos colocar toda sua energia no design de propostas de valor notáveis para não apresentá-las de uma forma convincente quando isso é o que importa.

É importante a apresentação de suas ideias e quadros de forma clara e concreta, ao longo de todo o processo de design. Apresente protótipos iniciais e rudimentares antes de aprimorar seus protótipos rapidamente ou para obter adesão de diferentes partes interessadas. Só trabalhe em apresentações mais apuradas mais adiante no processo de design.

Um dos aspectos mais importantes na apresentação de propostas de valor é transmitir mensagens tendo as tarefas, dores e ganhos do cliente em mente. Nunca se limite a expor características; em vez disso, pense em como sua proposta de valor ajuda na realização de tarefas importantes, elimina dores agudas e cria ganhos fundamentais.

Use protótipos de baixa "resolução" para concretizar suas ideias.

Durante a apresentação, refira-se sempre às tarefas do clientes, suas dores e ganhos.

As Melhores Práticas para o Apresentador

√ FAÇA	× NÃO FAÇA
Simples	Complexo
Concreto	Abstrato
Apresenta apenas o que importa	Apresenta tudo o que sabe
Centrado no cliente	Centrado nas características
Uma informação após a outra	Todas as informações de uma vez
Suporte de mídia apropriado	Falta de apoio visual
Cronologia	Fluxo aleatório de informações

1. Comece com um Canvas em branco. Certifique-se de que os ouvintes já têm alguma noção sobre o Canvas.

2. Inicie a apresentação por onde fizer mais sentido. Você pode começar com produtos ou com tarefas.

3. Coloque um post-it após o outro, progressivamente, para explicar sua proposta de valor, de modo que sua plateia não vivencie o assassinato cognitivo. Sincronize o que você diz com aquilo que está apresentando. Conte uma história de criação de valor, ligando produtos e serviços a tarefas, dores e ganhos do cliente.

Canvas a serem implementados

Protótipos de alta qualidade

Teste dos dados

Entrevistas e vídeos com o cliente

Canvas testados

Canvas não testados

Protótipos de baixa qualidade (p.ex., caixa do produto)

Esboços de guardanapo

O que apresentar e quando
Apresente diferentes tipos de protótipos dependendo de quão longe você esteja no processo de design e teste.

Domine a Arte da Crítica

Treine a arte do feedback para ajudar as ideias a se desenvolverem em vez de se estagnarem. Isso vale tanto para os que recebem feedback que apresentam ideias quanto para os que dão feedback, oferecendo dados e informações sobre as ideias.

Aprenda com as profissões de design, nas quais as pessoas são treinadas para apresentar ideias logo cedo, e os provedores de feedback são treinados para oferecer "críticas do design" eficazes. É diferente dos provedores de feedback nos negócios, que em geral são líderes de conselhos diretivos ou consultivos. São treinados para decidir e não para dar feedback. Se não conseguem chegar rapidamente a uma decisão, costumam ficar nervosos ou insatisfeitos.

Ensine os provedores de feedback a ajudar no desenvolvimento das ideias (em vez de decidir sobre elas). Faça que eles compreendam que os protótipos de propostas de valor são peças primitivas e que evoluem durante o design e a fase de teste. Os protótipos podem mudar radicalmente, sobretudo por se basearem em fatos do mercado, que importam mais do que a opinião dos provedores de feedback.

Ensine aos que recebem feedback que os provedores de feedback não têm a mesma importância que os clientes, por mais poderosos que sejam. Dar mais ouvidos aos provedores de feedback do que aos clientes e à realidade do mercado apenas adia o fracasso.

Obtenha o pôster Domine a Arte da Crítica.

Numa ótima cultura de feedback...

... as pessoas se sentem à vontade para apresentar ideias (ousadas) novas logo de início, sabendo que elas evoluirão substancialmente, talvez no sentido de algo bem diferente.

Apresente logo.

Diferencie os Três Tipos de Feedback

			+	−
OPINIÃO	"Se aderíssemos ... acredito que teríamos melhores chances de fazê-lo funcionar."		O raciocínio lógico pode ajudar a melhorar as ideias.	Pode levar a seguir ideias "de estimação" das pessoas com mais veemência.
EXPERIÊNCIA	"Quando fizemos... em nosso último projeto, aprendemos que..."		Experiências passadas oferecem aprendizados valiosos que ajudam a evitar erros dispendiosos.	Não se dar conta de que diferentes contextos levam a diferentes resultados.
FATOS (MERCADO)	"Nós entrevistamos ... as pessoas sobre isso e soubemos que ... % lutavam com..."		Oferece informações que reduzem a incerteza e o risco (de mercado).	A mensuração de dados incorretos ou simplesmente ruins pode levar à perda de uma grande oportunidade.

... líderes e tomadores de decisões são treinados para dar feedback em relação a ideias iniciais, ajudando a desenvolvê-las. Eles sabem que sua opinião pode ser vencida pela realidade do mercado e se sentem à vontade com isso.

Não julgue ✗

Ouça ✓

Desenvolva ideias ✓

Não faça ✗	Detonar as pessoas por apresentarem ideias (ousadas) novas.	Apresentar apenas ideias refinadas para a liderança e os tomadores de decisões.	Promover discussões longas, não estruturadas e de fluxo livre, que consomem tempo excessivo.	Permitir a proliferação de simples opiniões.	Criar um contexto que permite a prevalência de políticas e pautas pessoais sobre a criação de valor.	Criar uma vibração negativa que destrói a energia positiva criativa.	Alimentar uma cultura na qual o feedback destrói ótimas ideias por serem difíceis de implementar.	Perguntar apenas "Por quê?".
Faça ✓	Criar um ambiente saudável no qual as pessoas se sentem à vontade para apresentar ideias (ousadas).	Alimentar uma cultura de feedback inicial, para rapidamente desenvolver ideias.	Conduzir processos estruturados, com facilitação.	Prover feedback com base na experiência ou na realidade do (mercado).	Estimular uma cultura de feedback centrada no cliente que neutraliza políticas.	Acolher o bom humor e processos de feedback produtivos.	Fazer uma distinção entre "difícil de fazer" e "vale a pena fazer".	Perguntar "por que não", "e se?" e "o que mais?".

Obtenha Feedback Eficiente com os Chapéus do Pensamento de De Bono

Recolha feedback sobre ideias, propostas de valor e modelos de negócios com os chapéus do pensamento de Edward de Bono. É um método muito eficaz — principalmente com grupos grandes — e que ajuda a evitar a perda de tempo com discussões intermináveis.

OBJETIVO
Obter feedback de maneira eficaz e evitar longas discussões.

RESULTADO
Compreensão dos aspectos positivos e negativos de cada ideia e de como elas podem ser aprimoradas.

Os participantes do workshop colocam um chapéu colorido metafórico que simboliza certo tipo de pensamento. Esta técnica permite a você colher rapidamente diferentes tipos de feedback, evitando detonar uma ideia por motivos meramente políticos. Use quatro dos seis chapéus do pensamento de De Bono para obter feedback.

1
Exponha
3-15 min. dependendo do estágio da ideia.
A equipe de design apresenta sua ideia, Canvas de Proposta de Valor ou de Modelo de Negócios.

2
Chapéu branco
Informações e dados. Neutro e objetivo.
2-5 min. dependendo do estágio da ideia.
Os participantes da apresentação fazem perguntas de esclarecimento a fim de compreender a ideia completamente.

3a
Chapéu preto
Dificuldades, fraquezas, perigos. Identificando os riscos.
1 min. Anote.
Os participantes, em um post-it, registram porque é uma má ideia.

3b
3 min. Recolha o feedback.
O facilitador colhe o feedback rapidamente, um após o outro, num bloco de papel, enquanto os participantes leem em voz alta.

Dicas:

- Este exercício requer habilidades sólidas de facilitação. Garanta que as pessoas não expressem opiniões quando for o momento de fazer perguntas de esclarecimento (chapéu branco).
- Garanta que — não importa se as pessoas amam ou odeiam uma ideia — todos "coloquem" todos os chapéus, branco, preto, amarelo e verde.
- Use o chapéu preto antes do chapéu amarelo para neutralizar pessoas demasiadamente negativas. Uma vez tendo exposto seu feedback, poderão até pensar de forma positiva.
- Os Chapéus do Pensamento de De Bono também funcionam bem com grupos pequenos ou individualmente para apresentar todas as razões pelas quais uma ideia pode fracassar ou ser bem-sucedida.

4a
Chapéu amarelo
Pontos positivos. Por que uma ideia é útil.
1 min. Anote.
Os participantes registram por que é uma boa ideia numa folha de post-it.

4b
3 min. Recolha o feedback.
O facilitador colhe o feedback rapidamente, um após o outro, num bloco de papel, enquanto os participantes leem em voz alta.

5
Chapéu verde
Ideias, alternativas, possibilidades. Soluções para os problemas dos chapéus pretos.
5-15 min. Discussão aberta.
O fórum está aberto para debate. Os participantes trazem sugestões sobre como desenvolver as ideias apresentadas.

6
Desenvolva
A equipe apresentadora desenvolve sua ideia, de posse dos feedbacks dos chapéus brancos, pretos, amarelos e verdes.

Referência: Six Thinking Hats (1985), de Edward de Bono.

Vote Visualmente

OBJETIVO
Visualizar as preferências de um grupo e evitar longas discussões.

RESULTADO
Escolha rápida de ideias.

Use a votação para visualizar rapidamente as preferências de um grupo, especialmente em contextos de grandes grupos de discussão. Esta é uma técnica simples e rápida para estabelecer prioridades entre diferentes opções de propostas de valor e modelos de negócio. Ajuda a evitar discussões prolongadas.

1
Galeria de ideias
As ideias ou os Canvas são expostos numa parede, como uma galeria de opções.

2
Adesivos
Cada participante do workshop recebe o mesmo número de adesivos (p. ex. 10), cada um valendo um voto.

3
Critérios
Os critérios da "votação" são definidos. Por exemplo, coloque adesivos nas suas ideias favoritas.

4
"Vote"
Os participantes podem colar todos os seus adesivos em uma única ideia ou distribuí-los por várias ideias.

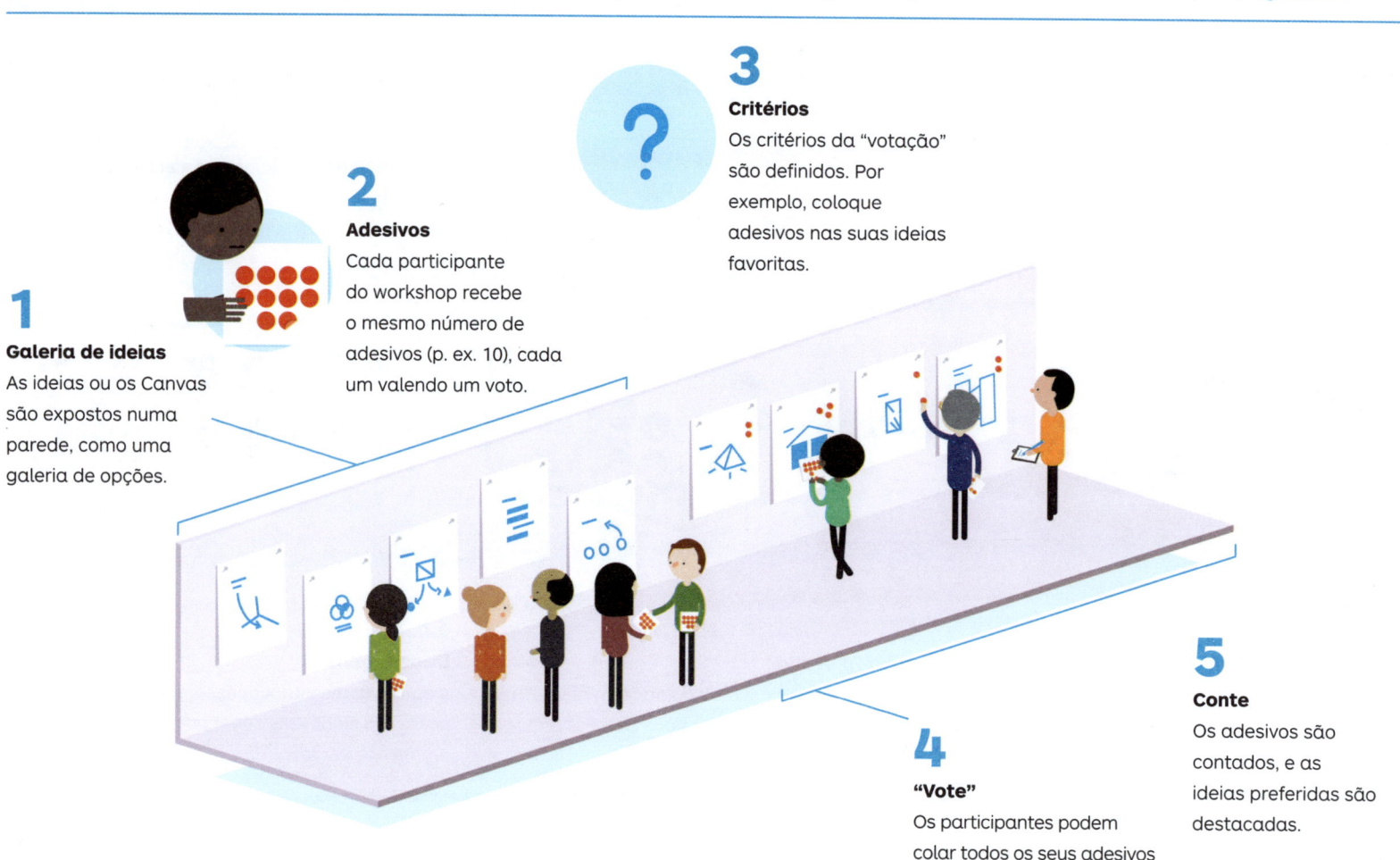

5
Conte
Os adesivos são contados, e as ideias preferidas são destacadas.

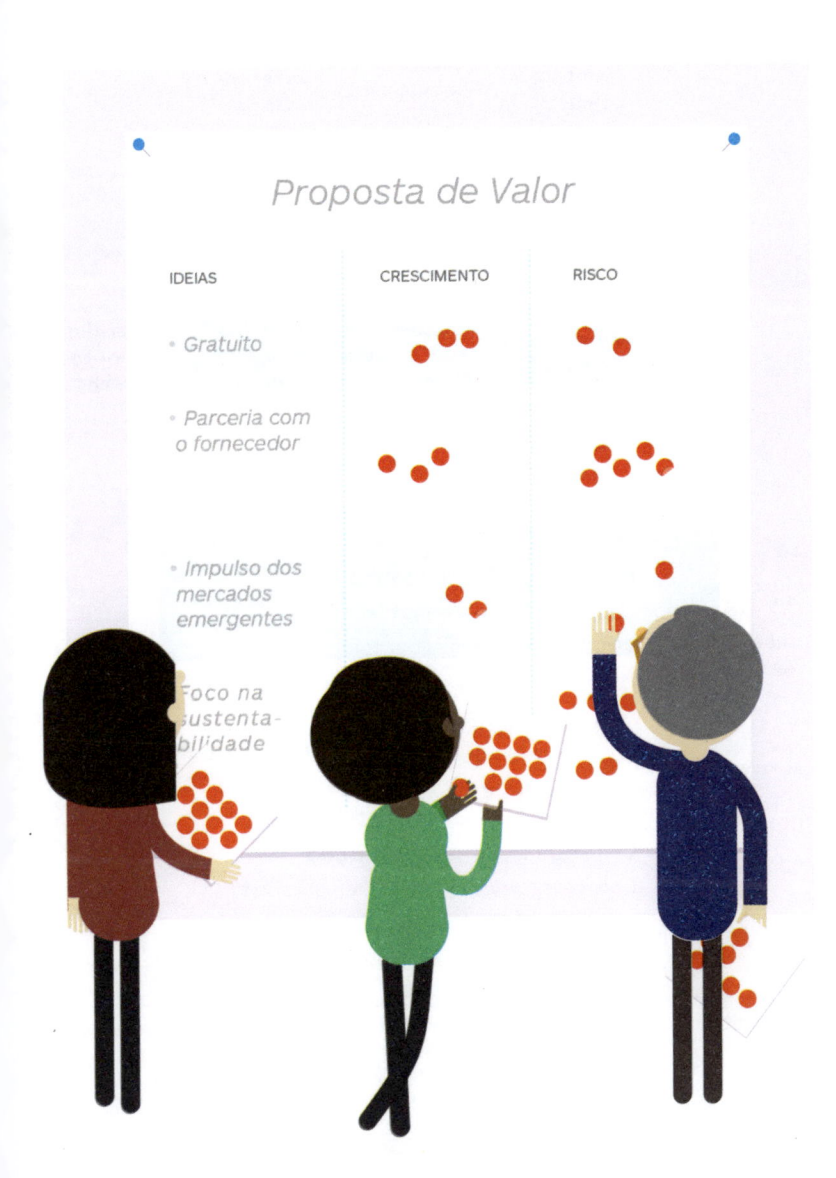

Multiplicidade de Critérios

Use uma tabela quando quiser usar critérios variados para escolher entre diferentes propostas de valor e modelos de negócio.

A votação é usada para selecionar ideias com base em critérios "internos", tais como "potencial de crescimento", "risco", "potencial de diferenciação" etc. Aplique esta técnica durante o processo de design para escolher entre várias alternativas antes de testá-las na prática.

PROCESSO

Defina os Critérios e Selecione os Protótipos

OBJETIVO
Selecionar entre diversas alternativas.

RESULTADO
Classificação de protótipos.

Durante o processo de design, decida sobre os critérios mais relevantes para você e para sua organização e selecione propostas de valor e modelos de negócio de acordo com eles. Você deve estabelecer prioridades entre as alternativas (espera-se que sejam atraentes), mesmo que seu cliente seja o juiz final de suas ideias mais adiante no processo.

Use os seguintes temas e critérios como elementos para sua própria seleção de critérios:

Encaixe com a Estratégia
Como a ideia se ajusta à direção geral da empresa.

- alinha-se à estratégia
- oportuna
- ajusta-se ao nível desejado de risco
- pode substituir modelos de negócios ultrapassados

Ajusta-se aos Insights do Cliente
Como a ideia está relacionada com os primeiros insights do cliente, obtidos durante a primeira pesquisa de mercado.

- tarefa importante
- não existe uma boa solução
- dor visível e concreta
- evidências sólidas do cliente

Concorrência e Ambiente
Como a ideia permite que a empresa se posicione em relação à concorrência.

- oferece vantagem competitiva
- ajusta-se à tecnologia e outras tendências
- permite diferenciação

Relação com o Atual Modelo de Negócio
Como a ideia se fundamenta ou não no atual modelo de negócio.

- ajusta-se à marca
- ajusta-se ao atual modelo de negócio
- baseada em pontos fortes
- neutraliza os pontos fracos
- abala as fontes de lucro atuais

Finanças e Crescimento
O potencial de cada ideia em relação ao crescimento e às finanças.

- tamanho do mercado
- potencial de receita
- crescimento do mercado
- margens

Critérios de Implementação
Qual a dificuldade para implementar a ideia, da concepção até o mercado.

- tempo de colocação no mercado
- custo de fabricação
- temos a equipe e os recursos adequados?
- acesso à clientela-alvo
- risco de tecnologia
- risco de implementação
- risco de resistência por parte da administração

1
Critérios para o Brainstorming
Proponha a maior quantidade de critérios que puder para avaliar a atratividade de seus protótipos.

2
Selecione os critérios
Selecione os critérios mais importantes para você e para sua organização.

Critérios		Protótipo A: 36	Protótipo B: 32	Protótipo C: 12	Protótipo D: 42
→	permite diferenciação	• • • • • • • • • • • •	• • • • • • • • • • • •	• • • •	• • • • • • • • • • • • • •
→	baseada em pontos fortes	• • • • • • • • • • • • • •	• • • • • • • • • •	• • • • • •	• • • • • • • • • • • • • • • •
→	crescimento do mercado	• • • • • • • • • •	• • • • • • • • • • • •	• •	• • • • • • • • • • • •

3
Pontue os Protótipos (0 baixo – 10 alto)
Pontue cada ideia quanto aos critérios escolhidos.

4
Desenvolva o Protótipo e Explore no Mercado
Desenvolva seu protótipo (por exemplo, baseado nas pontuações que obteve) e teste-o no mercado para saber se ele realmente tem potencial.

2.5 Encontrando o Modelo de Negócio Certo

AVALIAÇÃO
PARA TESTES
7 PERGUNTAS
FINANCEIRO
MODELO DE NEGÓCIOS
PROTÓTIPOS
DESCARTADOS

Crie Valor para Seu Cliente e seu Negócio

Para criar valor para seu negócio, é preciso que você crie valor para seu cliente.

Para criar valor sustentavelmente para seu cliente, é preciso que você crie valor para seu negócio.

Um negócio que gera menos receitas que custos está, inevitavelmente, fadado a desaparecer, mesmo com a proposta de valor mais bem-sucedida. Esta seção mostra como a obtenção de ambos, o modelo de negócio e a proposta de valor certos, é um processo de idas e vindas até você chegar no ponto certo.

Você está criando valor para seu negócio?
O Canvas de Modelo de Negócio expressa como você está criando e captando valor para seu negócio.

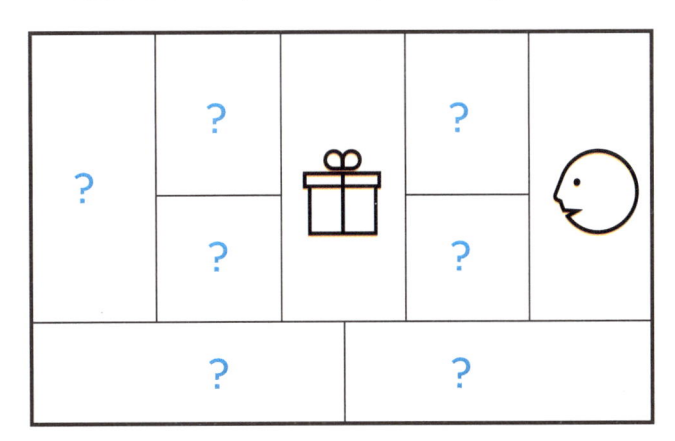

-zoom distanciado　　**+zoom aproximado**

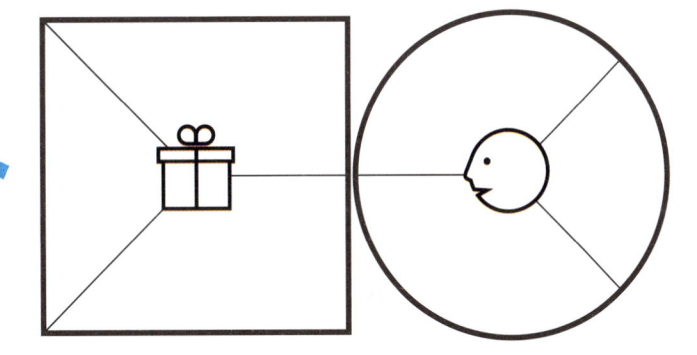

Distancie o zoom e visualize o plano maior para analisar se você pode, vantajosamente, criar, entregar e capturar valor em torno desta proposta de valor em particular.

Aproxime o zoom e visualize o plano mais detalhado para investigar se a proposta de valor do cliente, em seu modelo de negócio, cria realmente valor para ele.

Você está criando valor para seu cliente?
O Canvas de Proposta de Valor expressa a forma como você está criando valor para seus clientes.

Azuri (Eight19): Transformando a Tecnologia Solar em um Negócio Viável

1,6 bilhão de pessoas no mundo ainda vive sem eletricidade. Será que propostas de valor e modelos de negócios inovadores em torno de novas tecnologias teriam respostas a oferecer?

Simon Bransfield-Garth fundou a Eight19, tendo como base uma tecnologia de impressão 3D originária da Universidade de Cambridge. A tecnologia é projetada para fornecer células fotovoltaicas de baixo custo. Em 2012, a Eight19 lançou a Azuri, para comercializar a tecnologia e levar eletricidade a clientes isolados em mercados rurais emergentes.

Não é fácil encontrar propostas de valor e modelos de negócios certos nesse contexto. Ilustramos, nas páginas seguintes, como este é um processo de idas e vindas entre ambos.

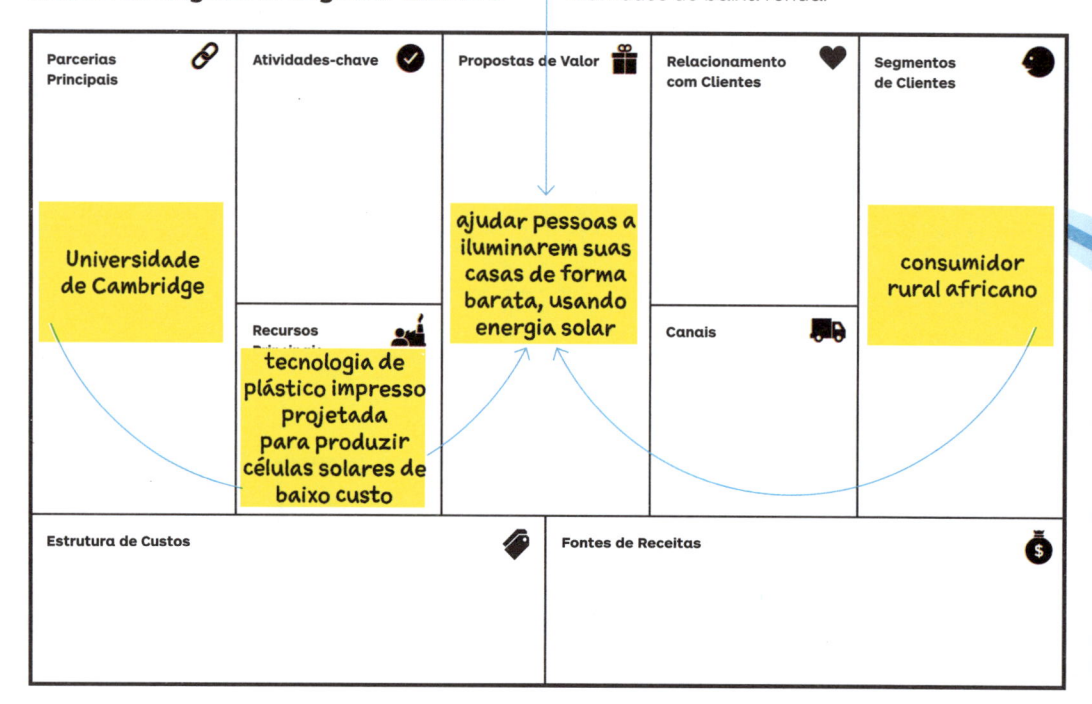

Modelo de Negócio da Eight19: versão 0

Parcerias Principais	Atividades-chave	Propostas de Valor	Relacionamento com Clientes	Segmentos de Clientes
Universidade de Cambridge		ajudar pessoas a iluminarem suas casas de forma barata, usando energia solar		consumidor rural africano
	Recursos Principais: tecnologia de plástico impresso projetada para produzir células solares de baixo custo		Canais	
Estrutura de Custos			Fontes de Receitas	

1
Ideia inicial
Uma oportunidade
Combinar tecnologia de energia solar de baixo custo & necessidade de acesso à eletricidade para indivíduos de baixa renda.

Caso adaptado com autorização da Azuri.

zoom
aproximado

2
Observe

A barreira do custo

"Um fazendeiro rural ganhando $3 dólares por dia se esforça/luta para adquirir um sistema de energia solar de $70 dólares."

3
Design

E se?

Oferecer a instalação do equipamento solar gratuitamente de modo a eliminar o peso do investimento inicial.

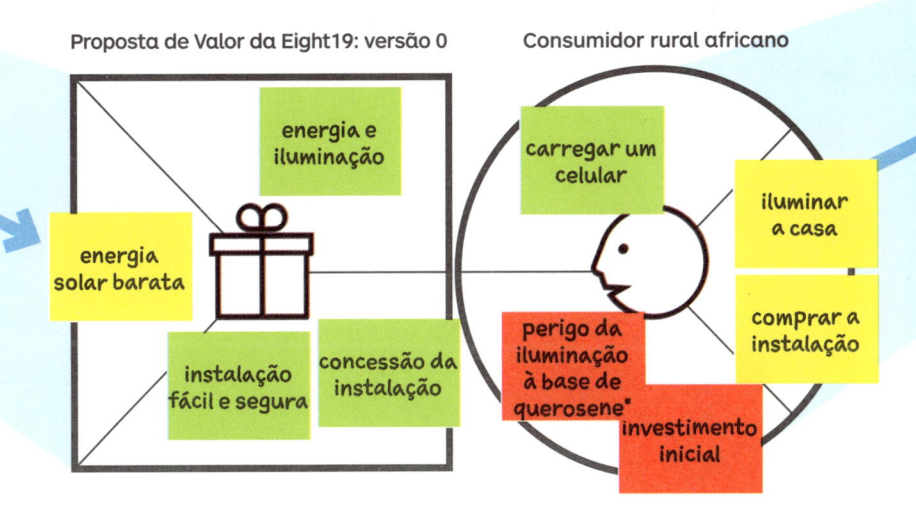

Proposta de Valor da Eight19: versão 0

- energia e iluminação
- energia solar barata
- instalação fácil e segura
- concessão da instalação

Consumidor rural africano

- carregar um celular
- iluminar a casa
- comprar a instalação
- perigo da iluminação à base de querosene*
- investimento inicial

*Alternativas para iluminação incluem querosene, que é perigoso e caro.

4

Iteração 2

Ideia para o modelo de negócio

Concessão dos equipamentos solares, recolhendo valores mensais de assinaturas; funciona bem com painéis convencionais; obter recursos e parcerias para financiar os equipamentos.

zoom distanciado

Modelo de Negócio da Eight19: versão 1

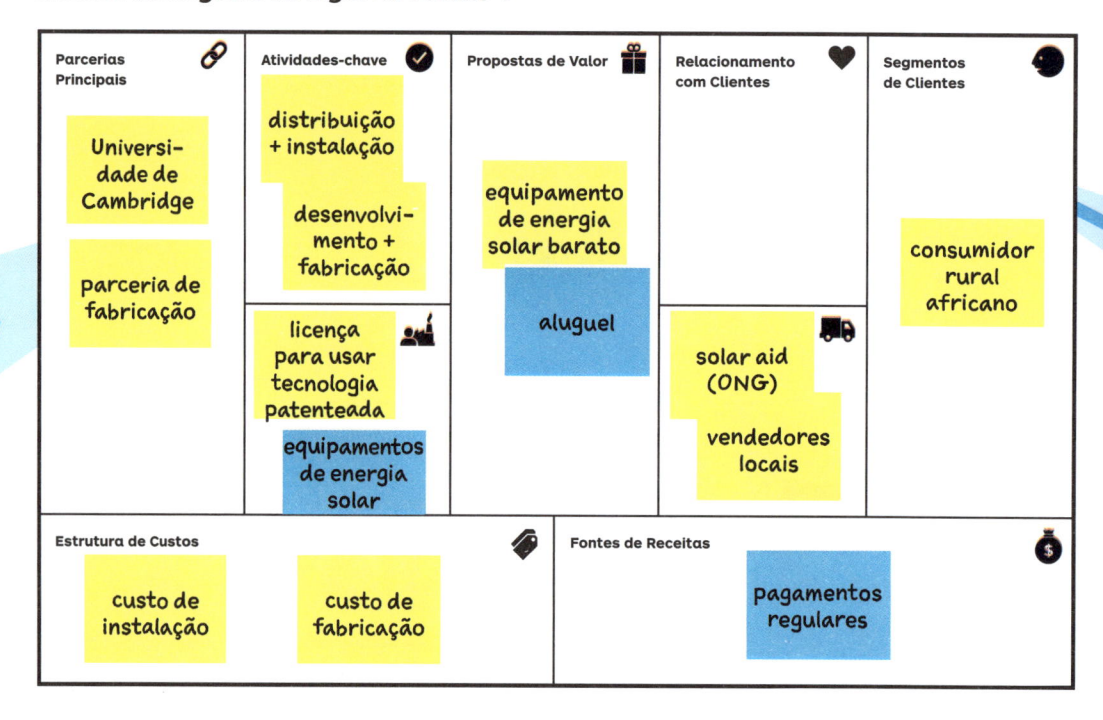

Parcerias Principais	Atividades-chave	Propostas de Valor	Relacionamento com Clientes	Segmentos de Clientes
Universidade de Cambridge	distribuição + instalação	equipamento de energia solar barato		consumidor rural africano
parceria de fabricação	desenvolvimento + fabricação	aluguel	solar aid (ONG)	
	licença para usar tecnologia patenteada		vendedores locais	
	equipamentos de energia solar			

Estrutura de Custos		Fontes de Receitas	
custo de instalação	custo de fabricação	pagamentos regulares	

zoom
aproximado

5
Observe
A barreira da falta de bancos
Como recolher pagamentos regulares sem um sistema bancário eficiente?

6
Design
Solução com tecnologia simplificada
Combinar telefone celular e tecnologia solar com cartões tipo "raspadinha", para ter acesso à eletricidade por determinado período.

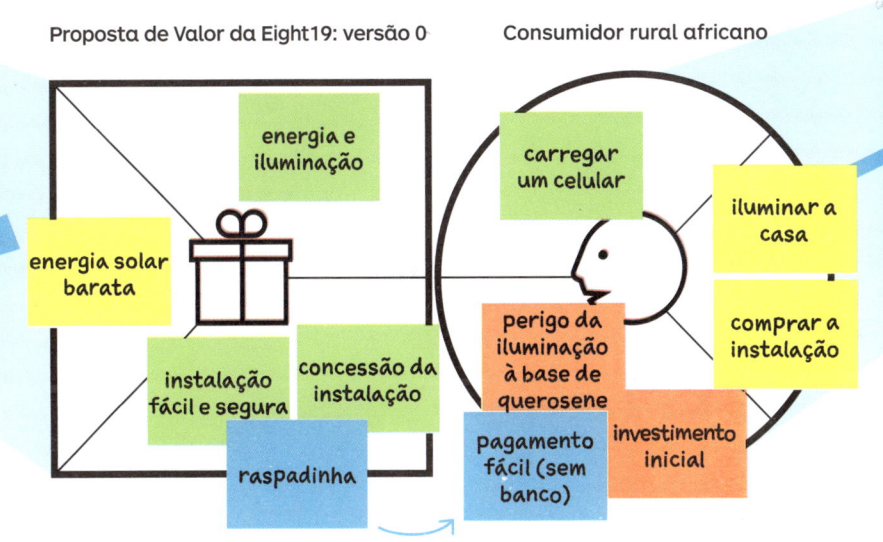

Proposta de Valor da Eight19: versão 0

Consumidor rural africano

- energia e iluminação
- energia solar barata
- instalação fácil e segura
- concessão da instalação
- raspadinha
- carregar um celular
- iluminar a casa
- comprar a instalação
- perigo da iluminação à base de querosene
- pagamento fácil (sem banco)
- investimento inicial

7

Iteração 3

Ideia para o modelo de negócio da Azuri

A Azuri fornece serviços de energia solar, com a Indigo, sistema de recarga de energia e eletricidade pré-pago, no qual os clientes adquirem semanalmente cartões tipo "raspadinha"; adapte o modelo de receita conforme o caso.

zoom distanciado

Modelo de Negócio Azuri: versão 2

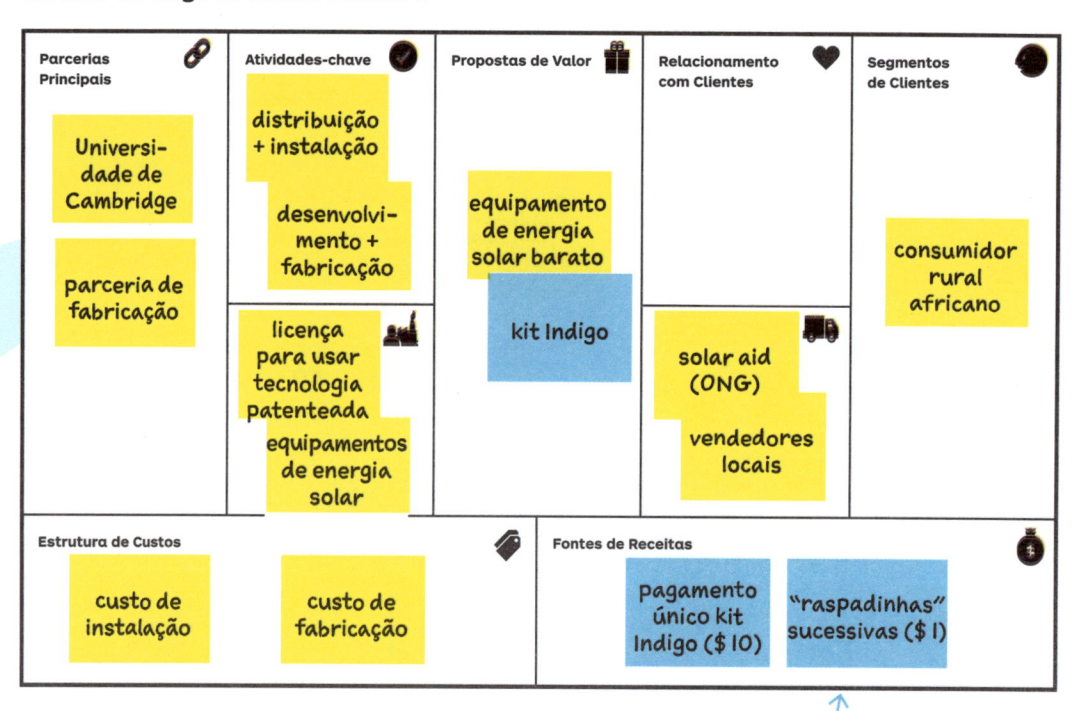

Parcerias Principais	Atividades-chave	Propostas de Valor	Relacionamento com Clientes	Segmentos de Clientes
Universidade de Cambridge	distribuição + instalação	equipamento de energia solar barato	solar aid (ONG)	consumidor rural africano
parceria de fabricação	desenvolvimento + fabricação	kit Indigo	vendedores locais	
	licença para usar tecnologia patenteada			
	equipamentos de energia solar			

Estrutura de Custos		Fontes de Receitas	
custo de instalação	custo de fabricação	pagamento único kit Indigo ($10)	"raspadinhas" sucessivas ($1)

"Raspadinhas" acessíveis viabilizam, aos poucos, os custos de instalação.

Então...

Como a proposta de valor da Indigo é apresentada ao cliente?

$10
Comprar o kit (placa solar, lâmpadas, carregador).

$1
Comprar "raspadinhas", inserir o código na unidade *Indigo* via SMS e usar o equipamento por determinado período (normalmente uma semana).

Grátis
Ter a própria caixa depois da 80ª "raspadinha" ou...

Upgrade *Tempo*
Ter acesso a um sistema ampliado e obter mais energia; continuar a comprar "raspadinhas".

EXERCÍCIO

Da oroposta de valor ao modelo de negócio...

OBJETIVO
Praticar a relação entre proposta de valor e modelo de negócios, sem risco algum.

RESULTADO
Aprimoramento das habilidades.

← Da página 96

A1
Linha de frente
Faça o protótipo de um modelo de receita, escolha os canais de distribuição e defina os relacionamentos que poderiam ser adotados com os clientes.

O Canvas de Modelo de Negócio

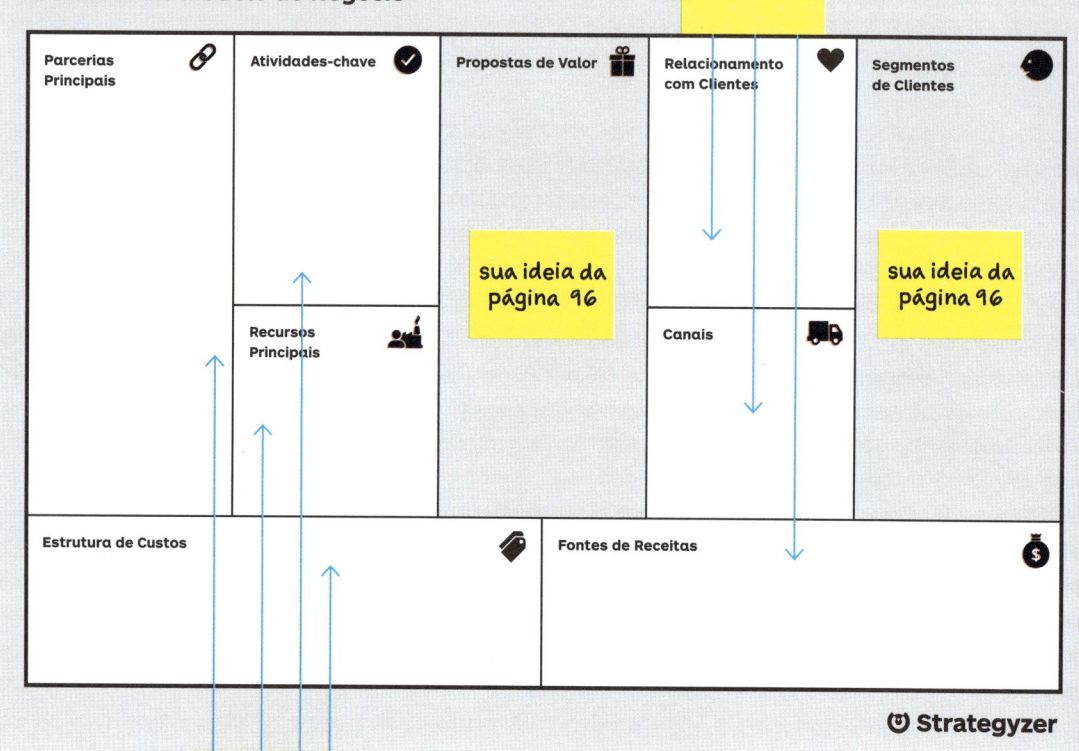

Parcerias Principais	Atividades-chave	Propostas de Valor	Relacionamento com Clientes	Segmentos de Clientes
	Recursos Principais	sua ideia da página 96	Canais	sua ideia da página 96

Estrutura de Custos	Fontes de Receitas

© Strategyzer

Parte A

Conceba o modelo de negócio completo
Na página 96, você imaginou uma proposta de valor visando comercializar uma tecnologia inovadora para armazenar energia por ar comprimido. Agora, assinale os elementos restantes do modelo de negócio e registre os números aproximados (parte A).

A2
Bastidores
Selecione um segmento de cliente que poderia estar interessado nesta proposta de valor e que estaria disposto a pagar por ela.

A3
Avaliação
Avalie seu protótipo e identifique possíveis pontos fracos do modelo de negócio (cf. resultados financeiros → p. 156, Sete perguntas).

...e de volta para a proposta de valor

Parte B

Revendo a proposta de valor
Avalie os pontos fracos do primeiro protótipo de modelo de negócio completo (da parte A). Pergunte-se como poderia melhorar ou modificar sua proposta de valor inicial, mudando, talvez, para um segmento inteiramente diferente, considerando as cinco perguntas seguintes:

zoom aproximado

B1
Nova proposta de valor?
Seria possível outra proposta de valor radicalmente diferente para a mesma tecnologia?

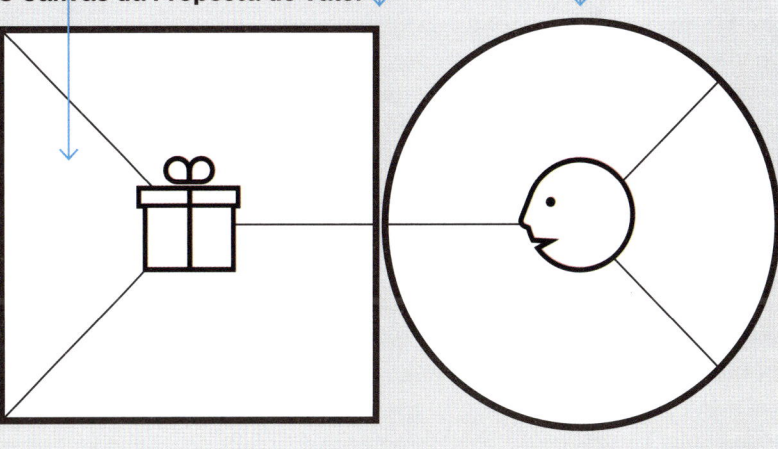

Dica
Faça um acompanhamento das novas premissas do cliente, pesquisando-os
➔ p. 106 e produzindo evidências ➔ p. 216.

B2
Novo segmento?
Você vai manter o mesmo segmento de cliente ou mudar para outro segmento de mercado, inteiramente diferente, talvez maior?

B4
Desfazer ou modificar os benefícios?
Você precisa modificar os benefícios criados por sua proposta de valor porque o perfil do cliente mudou?

B5
Encaixou?
Existe encaixe entre seu novo perfil de cliente e a proposta de valor recém-concebida?
(➔ p. 42 sobre Encaixe).

B3
Desfazer ou refinar o perfil?
Você poderia refinar seu perfil de cliente ou precisa descrever outro, inteiramente novo porque trocou os segmentos de cliente?

O Canvas da Proposta de Valor

↩ *Repita a Etapa A se necessário.*

Strategyzer

Realizando um Teste com Dados: o Caso da MedTech

Uma ótima proposta de valor sem um modelo de negócio financeiramente sólido não o levará muito longe. Na pior das hipóteses, você fracassará porque seu modelo de negócio incorre em mais custos do que gera receitas. Entretanto, mesmo modelos de negócio que funcionam podem produzir resultados substancialmente diferentes.

Jogue com diferentes modelos de negócio e premissas de ordem financeira para encontrar o melhor. Nestas páginas, exemplificamos com o caso da MedTech. Esquematizamos dois modelos, ambos partindo de uma mesma tecnologia que possibilita a construção de um dispositivo de diagnóstico barato.

O protótipo 1 gera $ 5,5 milhões em receitas, com um lucro de $ 0,5 milhão. O protótipo 2 parte da mesma tecnologia, mas gera acima de $ 30 milhões em receitas, com um lucro de $ 23 milhões, com uma proposta de valor e um modelo de negócio diferentes.

Só o mercado é capaz de julgar qual dos modelos funcionaria, mas você certamente quer explorar e testar as melhores opções.

*Original Equipment Manufacturer, ou OEM, é uma modalidade diferenciada de distribuição de produtos originais, na qual não são comercializados aos consumidores finais. (N.T.)

Protótipo Medtech 1

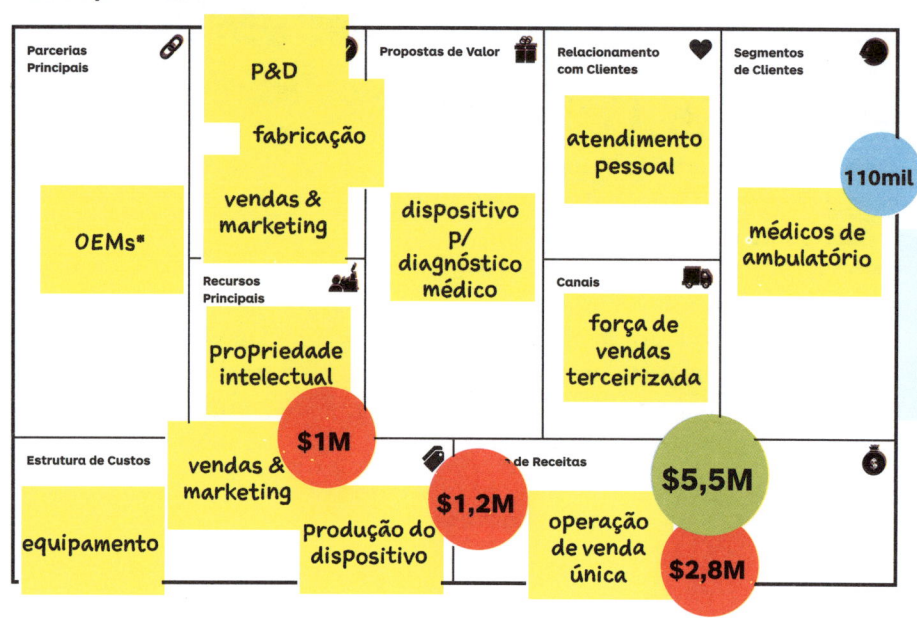

- Parcerias Principais: OEMs*
- Atividades-chave: P&D, fabricação, vendas & marketing
- Propostas de Valor: dispositivo p/ diagnóstico médico
- Relacionamento com Clientes: atendimento pessoal
- Recursos Principais: propriedade intelectual
- Canais: força de vendas terceirizada
- Segmentos de Clientes: médicos de ambulatório (110mil)
- Estrutura de Custos: equipamento $1M, vendas & marketing, produção do dispositivo $1,2M
- Fontes de Receitas: operação de venda única $2,8M, $5,5M

VS.

Protótipo Medtech 2 — Vencedor!

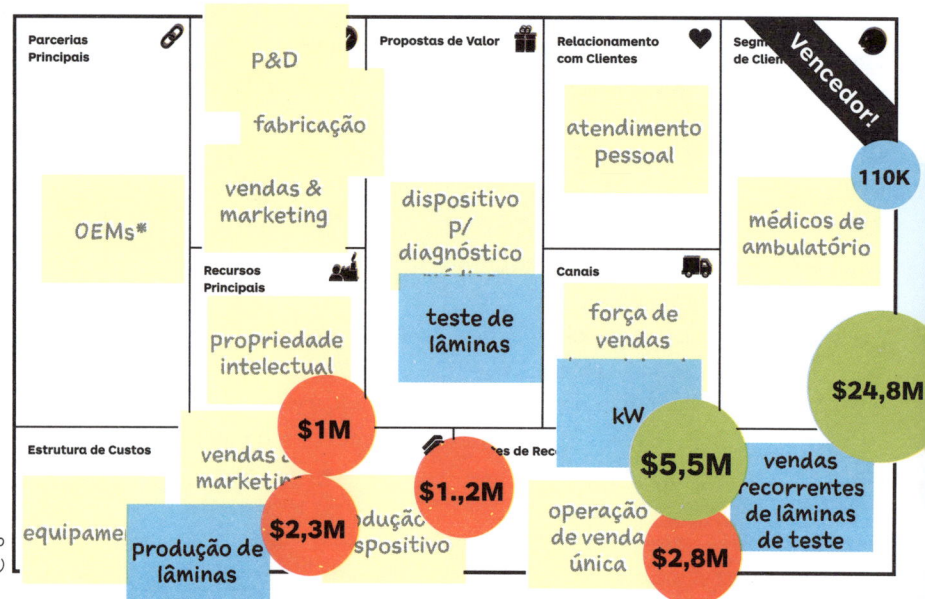

- Parcerias Principais: OEMs*
- Atividades-chave: P&D, fabricação, vendas & marketing
- Propostas de Valor: dispositivo p/ diagnóstico médico, teste de lâminas
- Relacionamento com Clientes: atendimento pessoal
- Recursos Principais: propriedade intelectual
- Canais: força de vendas, kW
- Segmentos de Clientes: médicos de ambulatório (110K)
- Estrutura de Custos: equipamento, vendas & marketing $1M, produção do dispositivo $1,2M, produção de lâminas $2,3M
- Fontes de Receitas: operação de venda única $2,8M, $5,5M, vendas recorrentes de lâminas de teste $24,8M

Modelo 1: Vendas de Dispositivo de Diagnóstico Médico

- Uma venda transacional do dispositivo para médicos de ambulatório nos EUA, por mil dólares a unidade.
- 5% fatia de mercado.
- Vendas via força de venda terceirizada – 50% comissão.
- Custos variáveis de produção $ 225 por unidade.
- Despesas fixas de marketing $1 milhão.

Custos	Receitas
Produção do dispositivo 1,2 M	Vendas dos dispositivos 5,5 M
Vendas & Marketing 1 M	
Comissões s/ Venda 2,8 M	
Lucro 0,5 M	

Modelo 2: Receitas Contínuas de Lâminas de Teste Descartáveis

- Cada diagnóstico requer uma lâmina de teste descartável.
- Receitas recorrentes com a venda de uma média de 5 lâminas/dispositivo a $ 75 cada.
- Custos variáveis de produção de lâminas a $ 7 a lâmina.

Custos	Receitas
Produção do dispositivo 1,2 M	Vendas dos dispositivos 5,5 M
Vendas & Marketing 1M	Vendas de Lâminas de Teste 24,8 M
Comissões de Venda 2,8 M	
Prod. Lâminas de Teste 2,3 M	
Lucro 23 M	

$0,5M

Lucro

Um rápido esboço dos valores nos oferece uma constatação de que esse modelo não é muito lucrativo, então deveríamos voltar e explorar modificações no modelo de negócio.

Lucro

A mesma tecnologia com um modelo de negócio diferente promove agora um potencial de lucro bem maior. Embora os dados não estejam comprovados, é claramente o protótipo mais interessante a ser levado para a etapa de teste.

$23M

Modelo de Proposta de Valor 1

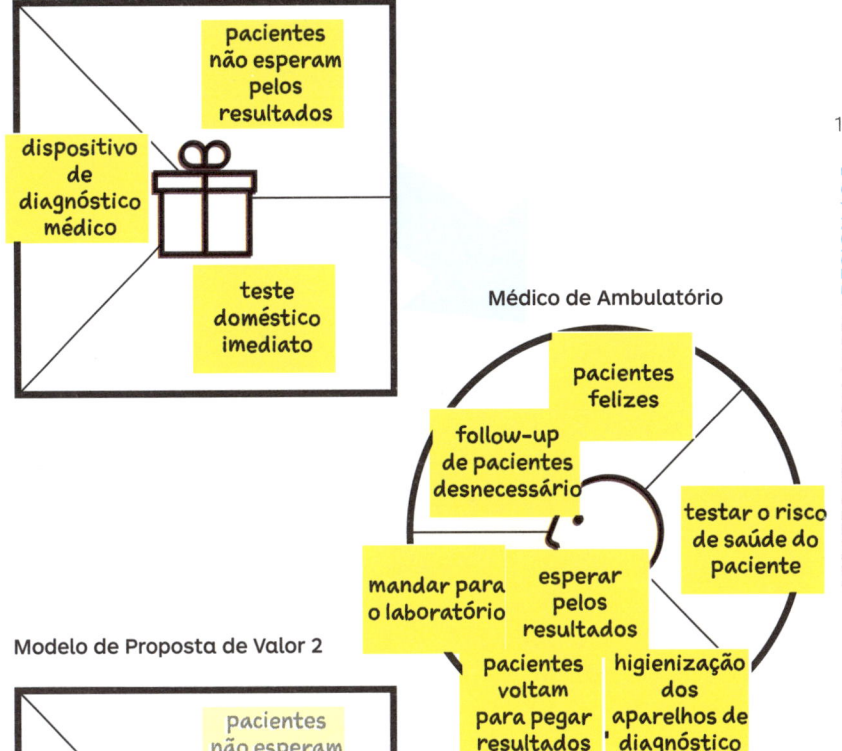

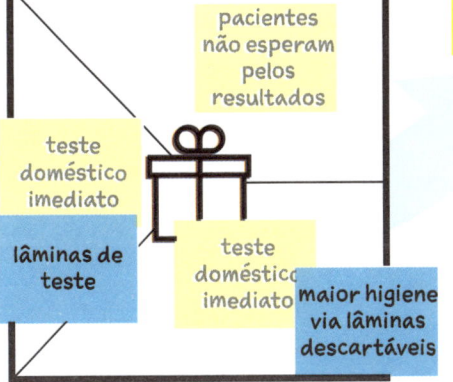

- pacientes não esperam pelos resultados
- dispositivo de diagnóstico médico
- teste doméstico imediato

Modelo de Proposta de Valor 2

- pacientes não esperam pelos resultados
- teste doméstico imediato
- lâminas de teste
- teste doméstico imediato
- maior higiene via lâminas descartáveis

Médico de Ambulatório

- pacientes felizes
- follow-up de pacientes desnecessário
- testar o risco de saúde do paciente
- mandar para o laboratório
- esperar pelos resultados
- pacientes voltam para pegar resultados
- higienização dos aparelhos de diagnóstico

Sete perguntas para avaliar seu modelo de negócio

OBJETIVO
Descobrir potencial para aperfeiçoar sua proposta de valor.

RESULTADO
Avaliação de proposta de valor.

Grandes propostas de valor devem estar inseridas em grandes modelos de negócios. Alguns modelos são melhores que outros em termos de design e produzirão resultados financeiros melhores, serão mais difíceis de copiar e superarão a concorrência.

Pontue seu design de modelo de negócio com as sete perguntas a seguir.

1. Custos de mudança
É fácil ou difícil para os clientes mudarem de empresa?

Meus clientes se mantêm fidelizados por vários anos.
10
o
o
o
o
o
o
o
o
o
0
Nada impede meus clientes de me abandonarem.

O iPod da Apple possibilitou às pessoas copiar toda sua seleção de músicas no seu software iTunes, o que tornou a troca mais difícil para os clientes.

2. Receitas recorrentes
Cada venda é um novo esforço ou resultará em receitas e compras continuadas praticamente garantidas?

100% das minhas vendas resultam automaticamente em receitas recorrentes.
10
o
o
o
o
o
o
o
o
o
0
100% das minhas vendas são transacionais.

A Nespresso transformou a indústria transacional de venda de café em outra com receitas recorrentes, vendendo cápsulas de porção individualizada, adaptáveis exclusivamente a suas máquinas.

Faça o download da Avaliação pelas 7 Perguntas.

3. Ganhe antes de gastar
Você está gerando receitas antes de incorrer em custos?

4. Estrutura de custos de virar o jogo
Sua estrutura de custos é substancialmente diferente e melhor que a dos concorrentes?

5. Conseguindo que outros façam o trabalho
Até que ponto seu modelo de negócio faz que os clientes ou pessoal terceirizado criem valor para você gratuitamente?

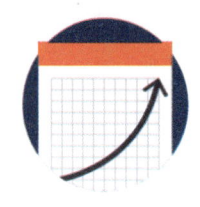

6. Escalabilidade
Com que facilidade você cresce sem encarar bloqueios (p.ex. infraestrutura, apoio ao cliente, contratação etc.)?

7. Proteção contra a concorrência
Até que ponto seu modelo de negócio o protege da concorrência?

Eu garanto 100% de minhas receitas antes de incorrer em custos de bens e serviços vendidos (CBSs).
10
○
○
○
○
○
○
○
○
○
0
Incorro em 100% de meus custos com bens e serviços vendidos, antes de auferir receitas.

Minha estrutura de custos é, no mínimo, 30% mais baixa que a dos concorrentes.
10
○
○
○
○
○
○
○
○
○
0
Minha estrutura de custos é, no mínimo, 30% mais alta que a dos concorrentes.

Todo o valor criado em meu modelo de negócio é criado gratuitamente por gente de fora.
10
○
○
○
○
○
○
○
○
○
0
Incorro em custos para todo o valor criado em meu modelo de negócio.

Meu modelo de negócio praticamente não tem limites para crescer.
10
○
○
○
○
○
○
○
○
○
0
O crescimento do meu modelo de negócio exige recursos e esforços substanciais.

Meu modelo de negócio oferece escudos protetores expressivos difíceis de serem derrubados.
10
○
○
○
○
○
○
○
○
○
0
Meu modelo de negócio não tem escudos protetores e estou vulnerável à competição.

Os PCs costumavam ser produzidos muito antes de serem vendidos, correndo o risco de depreciação dos estoques, até que a Dell abalou a indústria, partindo para a venda direta e ganhando antes de montar os PCs.

O Skype e o Whatsapp abalaram a indústria de telecomunicações fazendo uso da internet como estrutura gratuita para chamadas e mensagens, enquanto as telecons incorriam em pesados gastos de capital.

A maior parte do valor nos modelos de negócio do Facebook provém de conteúdo produzido gratuitamente por mais de um bilhão de usuários. De forma semelhante, comerciantes e consumidores criam valor gratuitamente para as empresas de cartão de crédito.

O licenciamento e a franquia são extremamente escalonáveis, assim como as plataformas do tipo Facebook ou Whatsapp, que servem centenas de milhões de usuários com poucos colaboradores. As empresas de cartão de crédito são também um ótimo exemplo de capacidade de expansão.

Muitas vezes é difícil competir com modelos de negócios poderosos. A Ikea enfrentou poucos imitadores. De forma análoga, modelos de plataforma tipo Apple, como a Appstore, oferecem muitos escudos poderosos.

2.6 Design em Organizações Estabelecidas

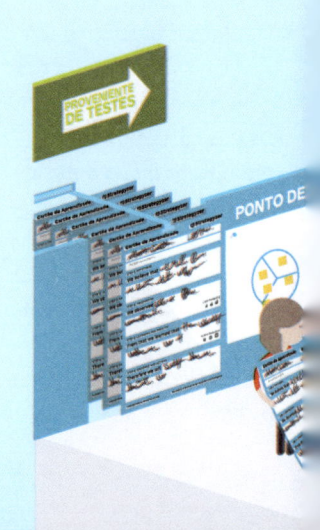

OBSERVAÇÃO
ELABORAÇÃO DE PROTÓTIPOS
AVALIAÇÃO
MODELO DE NEGÓCIO
FINANCEIRO
7 PERGUNTAS
PARA TESTES
DESCARTADOS

Adote a Atitude Certa para Inventar ou Melhorar

Inventar

Organizações já estabelecidas precisam melhorar as propostas de valor existentes e criar novas, de forma proativa. No início de determinado projeto, certifique-se de compreender em que extremidade do espectro você se encontra, uma vez que ambos requerem atitude e processo diferentes. Grandes empresas têm um portfólio equilibrado de projetos, abrangendo o espectro como um todo, da melhoria à invenção.

Objetivo	Conceber novas propostas de valor independentemente das limitações impostas pelas propostas de valor e pelos modelos de negócio existentes (embora a liderança possa definir outras limitações).
Ajuda a...	• Fazer aposta proativa no futuro. • Encarar uma crise. • Lidar com o surgimento de uma tecnologia revolucionária, uma regulamentação etc. • Reagir a uma proposta de valor abaladora de um concorrente.
Metas Financeiras	No mínimo, 50% de crescimento anual da receita (advertência: específico para cada empresa).
Risco & Incerteza	Altos.
Conhecimento do Cliente	Baixo, provavelmente inexistente.
Modelo de Negócio	Requer adaptações ou mudanças radicais.
Atitude frente ao Fracasso	Parte da aprendizagem e do processo repetitivo, de idas e vindas.
Mentalidade	Aberta para explorar novas possibilidades.
Abordagem do Design	Mudança radical na Proposta de Valor (e no Modelo de Negócio).
Principais Atividades	Buscar, testar & avaliar.
Exemplos	*Amazon Web Services* Design de uma nova proposta de valor para a infraestrutura de TI, tendo por alvo um novo segmento de cliente. Partindo de atividades e recursos essenciais existentes, mas necessitados de uma expansão expressiva do modelo de negócio da Amazon.com.

Melhorar

Aprimore sua(s) atuais propostas de valor sem mudar ou impactar radicalmente o(s) modelo(s) de negócio básicos.

- Renovar produtos e serviços ultrapassados.
- Garantir ou manter o encaixe.
- Melhorar o potencial de lucro ou a estrutura de custos.
- Manter o crescimento.
- Contemplar as queixas dos clientes.

0%-15% ou mais de crescimento anual da receita (advertência: específico para cada empresa).

Baixos.

Alto.

Pouca mudança.

Não é uma opção.

Focada em melhorar um ou vários aspectos.

Mudança e ajustes graduais na atual Proposta de Valor.

Refinar, planejar & executar.

Amazon Prime

Introdução de uma filiação com vantagens especiais direcionadas para os usuários assíduos da Amazon.com.

Entre uma coisa e outra: expanda

Uma situação comum no espectro da melhoria é a necessidade de encontrar novos motores de crescimento sem investir em mudanças expressivas no modelo de negócio existente. Muitas vezes isso é requerido para monetizar investimentos em modelos e plataformas existentes.

O objetivo é procurar novas propostas de valor que ampliem substancialmente o(s) modelo(s) de negócio básico(s) existente(s) sem modificar demais seus aspectos.

Exemplo: Com a introdução do Kindle, a Amazon criou um novo canal para ampliar suas ofertas digitais aos clientes da Amazon.com. Embora isso signifique uma nova e excelente proposta de valor para os clientes, permanece, em grande parte, dentro dos parâmetros de seu modelo de negócio com comércio virtual, estabelecido com grande sucesso e muito bem-conduzido.

Dica

Empresas de destaque administram um portfólio de propostas de valor e modelos de negócio que abrangem o espectro inventar-melhorar e evidenciam sinergias e conflitos competitivos. São proativas e inventivas, enquanto ainda são bem-sucedidas, em vez de esperar por uma crise.

O Livro de Negócios do Futuro

Imagine-se um editor de livros de negócios. De que maneira você poderia melhorar seu atual lançamento e inventar o livro de negócios do futuro, que poderia nem mesmo ser mais um livro? Esquematizamos três ideias, percorrendo o espectro inventar-melhorar.

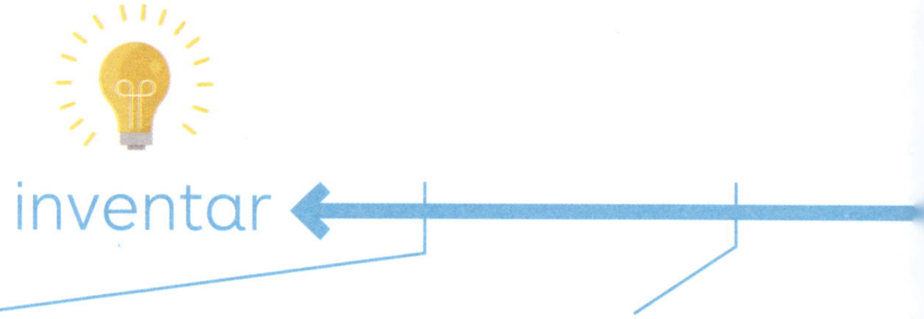

inventar

O YouTube da educação corporativa
Uma plataforma online, combinando vídeos veiculados por especialistas em negócios com clientes que procuram respostas para seus problemas. Isto requereria considerável expansão ou reinvenção do modelo de negócio de edições de livros.

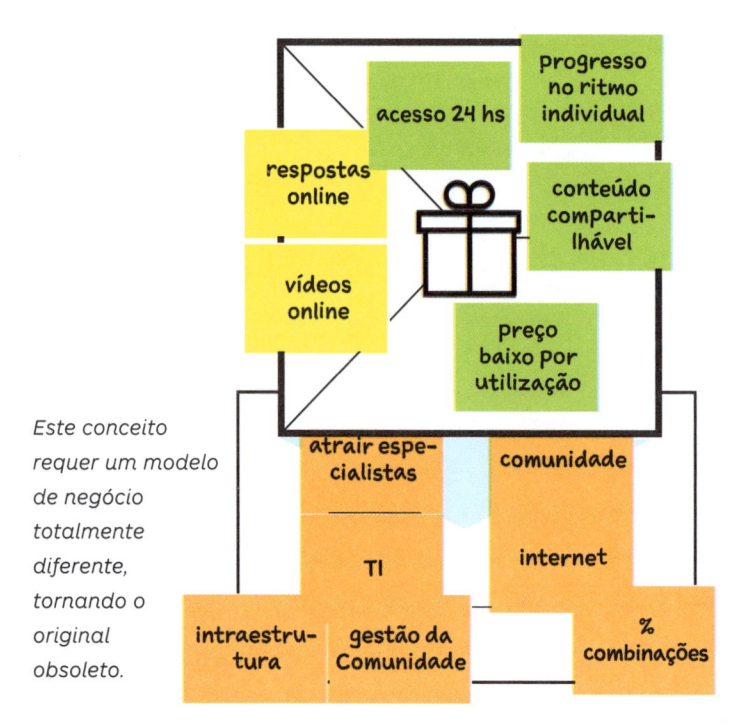

- respostas online
- vídeos online
- acesso 24 hs
- progresso no ritmo individual
- conteúdo compartilhável
- preço baixo por utilização
- atrair especialistas
- comunidade
- TI
- intraestrutura
- gestão da Comunidade
- % combinações
- internet

Este conceito requer um modelo de negócio totalmente diferente, tornando o original obsoleto.

A linha direta 0800-Livro-de-Negócio
Uma linha direta oferecendo acesso a exemplares de livros de negócios e respostas sob consulta. Isto seria construído sobre o modelo de negócio existente, mas requereria expandir um modelo de vendas para um de serviços.

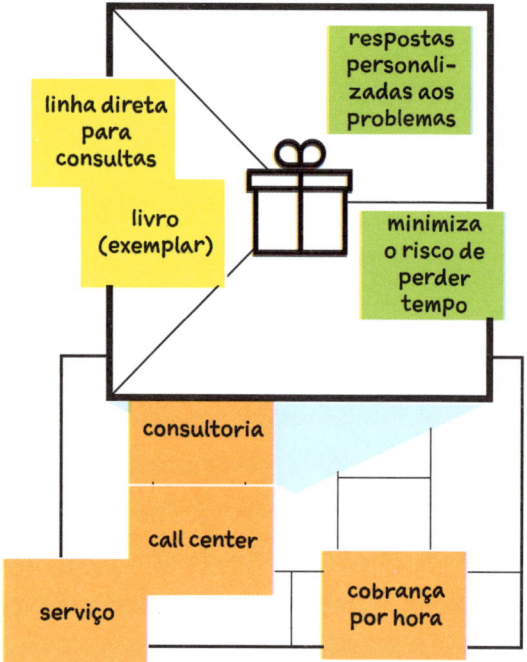

- linha direta para consultas
- livro (exemplar)
- respostas personalizadas aos problemas
- minimiza o risco de perder tempo
- consultoria
- call center
- serviço
- cobrança por hora

Um recurso adicional de serviço acrescenta um nível ao modelo de negócio, mas não o transforma.

Melhorar

O livro de negócios prático

Melhorar os livros de negócios, tornando-os mais aplicáveis e atraentes visualmente, sem alterar de forma considerável o cerne do modelo de negócio que o sustenta.

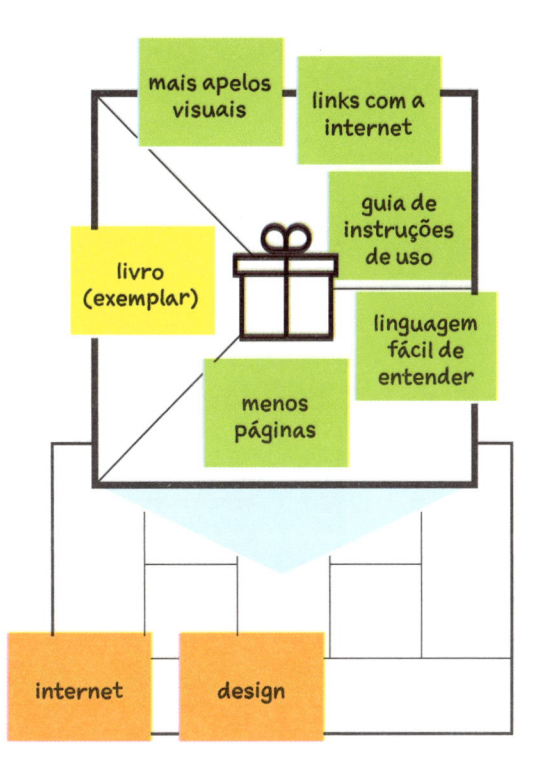

As melhorias acrescentam à proposta de valor, exigindo apenas pequenos ajustes no modelo de negócio.

Quanto mais você segue na direção da extremidade "inventar" do espectro, mais sua nova proposta diferirá das já existentes. A invenção de novas propostas de valor oferece a oportunidade de contemplar mais diretamente tarefas realmente importantes para o cliente (neste caso, obter respostas a perguntas relacionadas a negócios).

Nossa proposta de valor em três níveis: livro (exemplar), conteúdo online prático e compartilhável e aprendizagem avançada mediante nossos cursos online. É a nossa investida no sentido de impulsionar as fronteiras da aprendizagem e a prática nos negócios.

A proposta de valor deste livro, combinada com exercícios e o material do Strategyzer.com, é nossa tentativa de contemplar mais diretamente as tarefas que julgamos mais relevantes para nossos leitores.

Reinvente-se, Mudando de Produtos...

O fabricante de equipamentos para construção Hilti* reinventou sua proposta de valor, mudando de produtos para serviços. A mudança de venda de ferramentas elétricas para a garantia de acesso a elas em tempo hábil exigiu uma revisão geral expressiva não apenas de sua proposta de valor, como também, especialmente, de seu modelo de negócio. Vejamos como isso foi feito.

Muitas organizações desejam recuperar uma vantagem competitiva, transformando-se de fabricante de um produto para prestador de serviços. Algo que requer uma reinvenção substancial.

Um modelo vencido

O antigo modelo da Hilti focava principalmente na venda de ferramentas elétricas de alta qualidade diretamente para construtores. Eram ferramentas conhecidas por quebrarem menos, por durarem mais e por serem, em geral, menos dispendiosas por minimizarem a perda de tempo. As ferramentas da Hilti têm também fama por serem especialmente seguras e de manuseio confortável.

Infelizmente, esse modelo antigo era de margens decrescentes e estava sujeito à concorrência por parte de competidores com custos mais baixos.

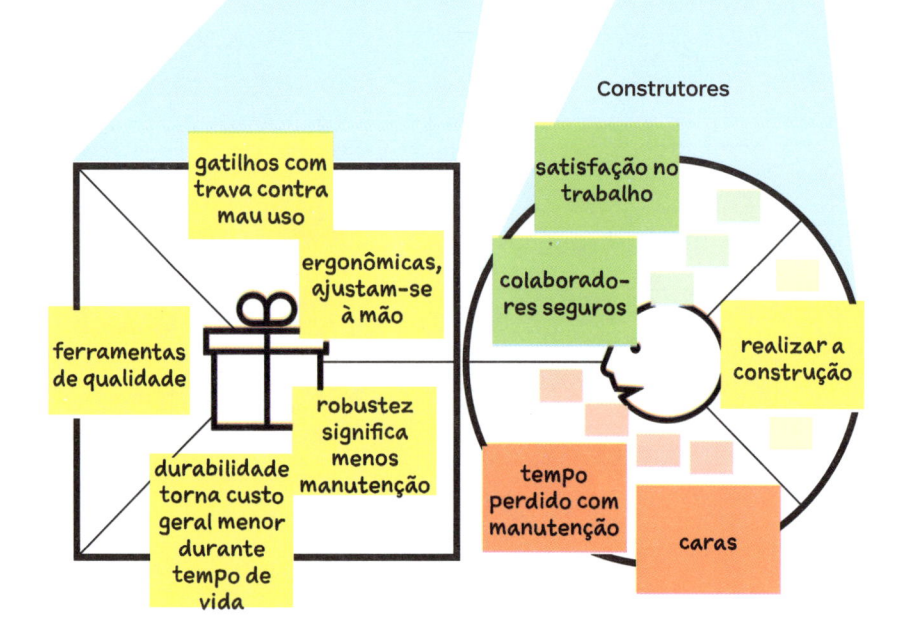

*Leia mais sobre a Hilti em Seizing the Whitespace (2010), de Johnson.

... para Serviços

A Hilti se concentrou em uma nova tarefa a realizar depois de descobrir que suas ferramentas estavam relacionadas a uma tarefa mais importante do cliente: a de entregar as obras pontualmente para evitar multas. Eles compreenderam que ferramentas quebradas, defeituosas ou roubadas poderiam levar a grandes atrasos e multas. Partindo daí a Hilti, mudou para uma nova proposta de valor, oferecendo serviços em torno das ferramentas elétricas.

Um novo começo
Hilti usou sua nova proposta de valor baseada em serviços para criar mais valor para as empresas de construção, garantindo-lhes as ferramentas certas, no lugar certo no momento certo. Assim, as empresas poderiam conseguir uma gestão de custos muito mais previsível e manter o funcionamento rentável.

Impacto no modelo de negócio
Sair de produtos para serviços soa como uma mudança fácil e óbvia de proposta de valor. Entretanto, é preciso uma reengenharia considerável do modelo de negócio. A Hilti teve de acrescentar novas atividades e recursos expressivos de serviço além da fabricação. Mas valeu a pena. Com sua nova proposta de valor, a Hilti alcançou margens mais elevadas, receitas recorrentes e melhor diferenciação.

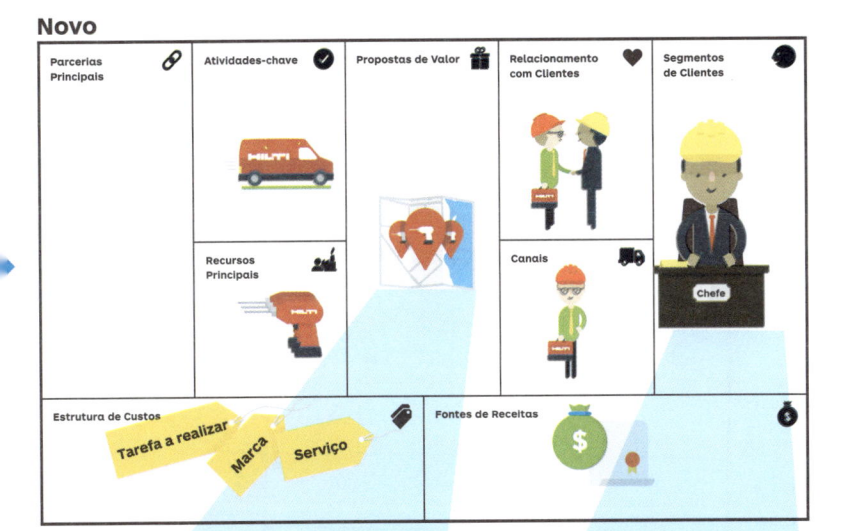

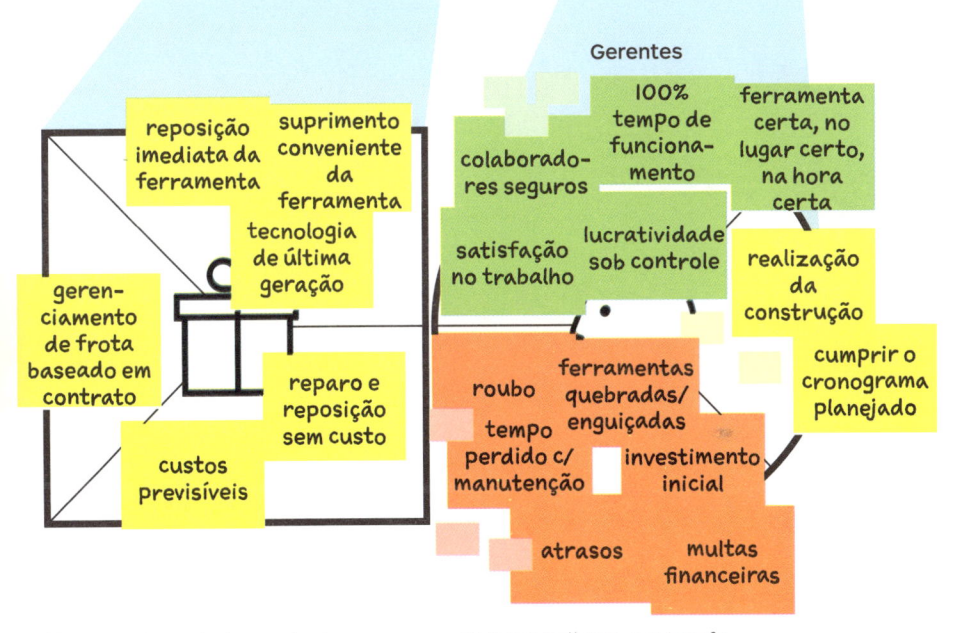

Novo serviço criado: contratos mensais para serviço de gerenciamento de frota.

O "novo" cliente e a tarefa mais importante identificada: entrega pontual!

O Ambiente Perfeito para o Workshop

Os workshops são uma parte importante do design de propostas de valor em empresas estabelecidas. Workshops de qualidade fazem uma grande diferença no processo de design e levam a melhores resultados. As questões a seguir vão ajudá-lo a criar o ambiente perfeito.

Utilize post-its para passar as ideias entre as pessoas – o ideal é que sejam de cores diferentes.

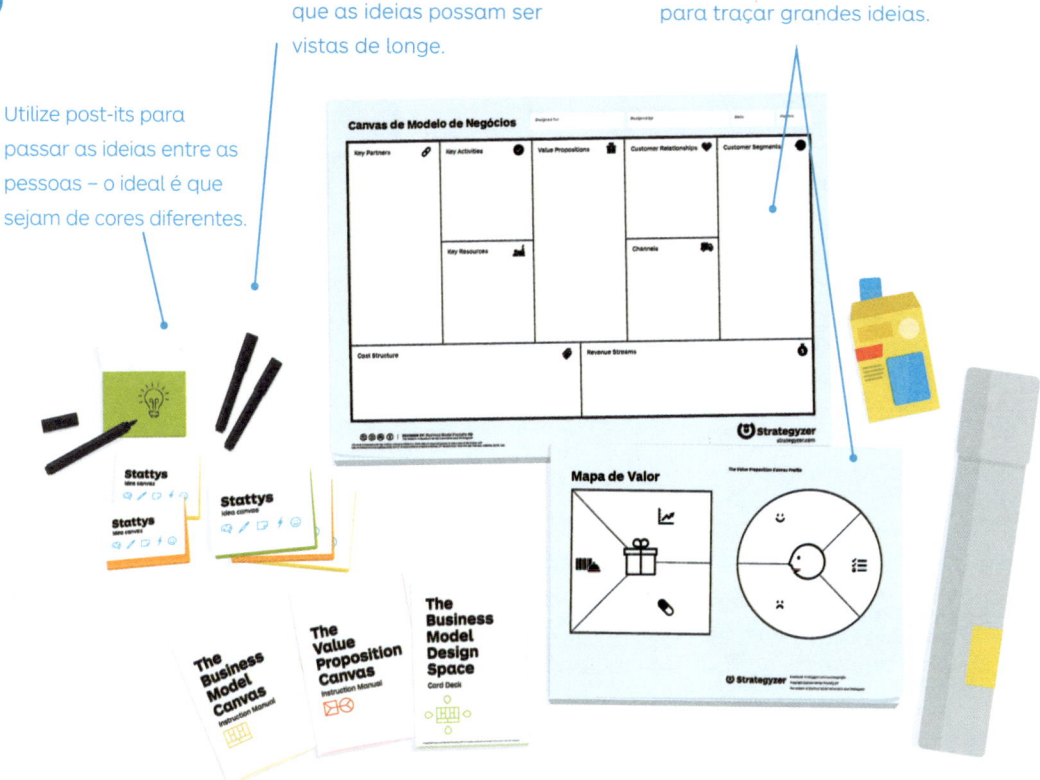

Utilize pincel atômico para que as ideias possam ser vistas de longe.

Utilize cartazes grandes para traçar grandes ideias.

Quem deve participar?

Convide pessoas de diferentes origens, especialmente quando souber que haverá grande impacto sobre o modelo de negócio. A adesão deles é decisiva. Faça que o pessoal de atendimento ao cliente participe para alavancar seu conhecimento. Clientes ou parceiros também podem ser incorporados para ajudarem a avaliar as propostas de valor.

Qual dever ser o formato?

Como regra prática, em geral, nos estágios iniciais do design de propostas de valor, é melhor haver mais pontos de vista do que só uns poucos. Com 20 participantes ou mais, você pode explorar diversas alternativas paralelamente, trabalhando em subgrupos de cinco. Equipes menores precisam explorar as alternativas sequencialmente. Nos estágios mais à frente, de desenvolvimento e refinamento da proposta de valor, em geral é melhor haver menos participantes.

Como o espaço pode ser usando como instrumento?

Os melhores espaços são um instrumento muitas vezes subestimado para criar ótimos workshops com resultados excepcionais. Escolha um espaço suficientemente amplo, com grandes paredes ou áreas de trabalho. Arranje uma área para servir de apoio à criação, à colaboração e à produtividade. Para resultados extraordinários, escolha um local "incomum" e inspirador.

Quais ferramentas e materiais são necessários?

Organize uma área "self-service" com cartazes dos canvas, bloquinhos de post-it, papel, fita adesiva, marcadores e outras ferramentas de modo que os participantes possam se servir daquilo que necessitarem.

Verifique o material disponível para o workshop.

Áreas para pequenos grupos

É o local onde o trabalho é realizado. O ideal são de 4 a 5 pessoas por grupo. Não use cadeiras ou mesas, a menos que sejam necessárias para uma atividade específica. Mantenha os grupos trabalhando numa mesma sala, em vez de dispersá-los em salas separadas, para manter o nível da energia elevado ao longo de todo o processo do workshop.

Galeria do trabalho em andamento/mural de inspiração

Arranje uma área onde você possa expor os Canvas e outros trabalhos em andamento. Acrescente um "mural de inspiração" com conteúdo a ser acessado pelos participantes, tais como modelos de referência, exemplos ou modelos da concorrência.

Projetor e tela

Para projetar slides ou vídeos do cliente, com bom alcance visual para todos.

Controle da sala

Espaço para o facilitador e sua equipe, com acesso a computador, sistema de som, wi-fi e, talvez, uma impressora.

De pé ←→ Sentados

Paredes

São necessárias amplas superfícies verticais, móveis ou parte da estrutura do prédio. Assegure-se de poder afixar nelas grandes cartazes, post-its e um flip chart.

Tamanho, aparência e ambiência

Como regra prática, calcule 50 m² para cada 10 participantes. Dê preferência a locais inspiradores, em vez de salas de reuniões em hotéis.

Espaço para plenárias

Um lugar onde todos se reúnem para apresentações e debates em plenário. Com ou sem mesas.

Organize seu Workshop

Um workshop de sucesso alcança resultados concretos e produtivos. Use as ferramentas e os processos contidos neste livro para começar a rascunhar um roteiro para o workshop que alcança excelentes resultados.

Elabore os princípios para um grande workshop

- Crie uma pauta para o workshop com uma indicação clara que mostre aos participantes como a(s) nova(s) proposta(s) de valor ou modelo(s) de negócio vão surgir.
- Conduza os participantes a uma jornada de várias etapas, concentrando-se em uma tarefa simples (ou módulo) de cada vez.
- Evite o blá-blá-blá, dando preferência a interações estruturadas, com ferramentas como o flip chart ou processos como os Chapéus do Pensamento.
- Alterne o trabalho em pequenos grupos (de 4 a 6 pessoas) com sessões plenárias para apresentações e integração.
- Controle o tempo destinado a cada módulo, principalmente na prototipagem. Use um relógio, visível para todos os participantes.
- Conceba a pauta como uma série de repetições para a mesma proposta de valor (ou modelo de negócio). Faça o design, critique, repita (idas e vindas) e faça tudo de novo.
- Evite diminuir o ritmo das atividades após o almoço.

Primeiro Dia

09:00
10:00
11:00
12:00
13:00
14:00
15:00
16:00
17:00

Segundo Dia

09:00
10:00
11:00
12:00
13:00
14:00
15:00
16:00
17:00

Use os módulos abaixo como um menu de opções para rascunhar uma pauta para o workshop.

Antes do Workshop
Faça o seu dever de casa e colha os insights dos clientes ➔ p. 104.

Depois do Workshop
Prossiga com o teste de suas propostas de valor e modelos de negócio na prática ➔ p. 172.

Obtenha Online:
- exemplos de pautas;
- templates e instruções;
- conjunto integrado de materiais.

Possibilidades de Protótipos

Perguntas Provocadoras — ➔ p. 15, 17, 31, 33

Traçado do Perfil do Cliente — ➔ p. 22

Traçado da PV — ➔ p. 36

Esboços em Guardanapos — ➔ p. 80

Ad-libs — ➔ p. 82

Esboçar Ideias com o CPV — ➔ p. 84

Limitações — ➔ p. 90

Novas Ideias com Livros — ➔ p. 92

Exercício Impulsionar/Puxar — ➔ p. 94

Seis Formas de Inovar — ➔ p. 102

Fazendo Escolhas

Classifique Tarefas, Dores e Ganhos — ➔ p. 20

Verifique seu Encaixe — ➔ p. 94

Seleção de Tarefas — ➔ p. 100

10 Perguntas — ➔ p. 122

Voz do Cliente — ➔ p. 124

Avaliação em Função do Ambiente — ➔ p. 126

Diferenciação da Concorrência — ➔ p. 128

Chapéus do Pensamento — ➔ p. 136

Votação — ➔ p. 138

Escolha do Protótipo — ➔ p. 140

Idas e Vindas com o Modelo de Negócio

Idas e Vindas Repetidas — ➔ p. 152

Projeções de Números — ➔ p. 154

7 Perguntas do MN — ➔ p. 156

Preparando os Testes

Extraindo Hipóteses — ➔ p. 200

Priorizando Hipóteses — ➔ p. 202

Testar o Design — ➔ p. 204

Escolher um Mix de Experimentos — ➔ p. 216

Testar o Roteiro — ➔ p. 242–245

Intervalos

Almoço
Café e Lanches

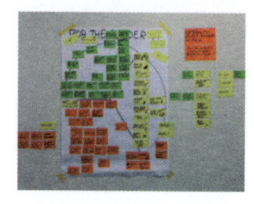

Lições Aprendidas

Prototipagem de Possibilidades

Construa alternativas rápidas de protótipos para suas propostas de valor e modelos de negócios. Não se apaixone pelas primeiras ideias. Mantenha os primeiros modelos suficientemente básicos para jogá-los fora sem pena, a fim desenvolver e melhorar mais adiante.

Compreendendo os Clientes

Imagine, observe e compreenda seus clientes. Coloque-se no lugar deles. Saiba o que estão tentando realizar no trabalho e na vida pessoal. Compreenda o que os impede de fazê-lo bem-feito. Descubra os resultados que estão procurando.

Encontrando o Modelo de Negócio Certo

Procure pela proposta de valor certa, inserida no modelo de negócio certo, porque cada produto, serviço e tecnologia pode ter muitos modelos diferentes. Até mesmo a melhor proposta de valor cairá por terra sem um modelo de negócio sólido. O modelo de negócio pode ser a diferença entre o sucesso e o fracasso.

171

STRATEGYZER.COM / VPD / DESIGN / 2.6

tes

te

3

Reduza o risco e a incerteza de suas ideias quanto a propostas de valor novas e aperfeiçoadas, decidindo **O Que Testar** p. 188. Em seguida, comece **Testando Passo a Passo** p. 196 e baseando-se na **Biblioteca de Experimentos** p. 214 antes de **Sintetizar** p. 238 e avaliar o seu progresso.

EXTRATOR DE HIPÓTESES
Cartão de Testes
Strategyzer
HIPÓTESES
#1
#2
#3
#4
#5
#6
#7
PARA O DESIGN

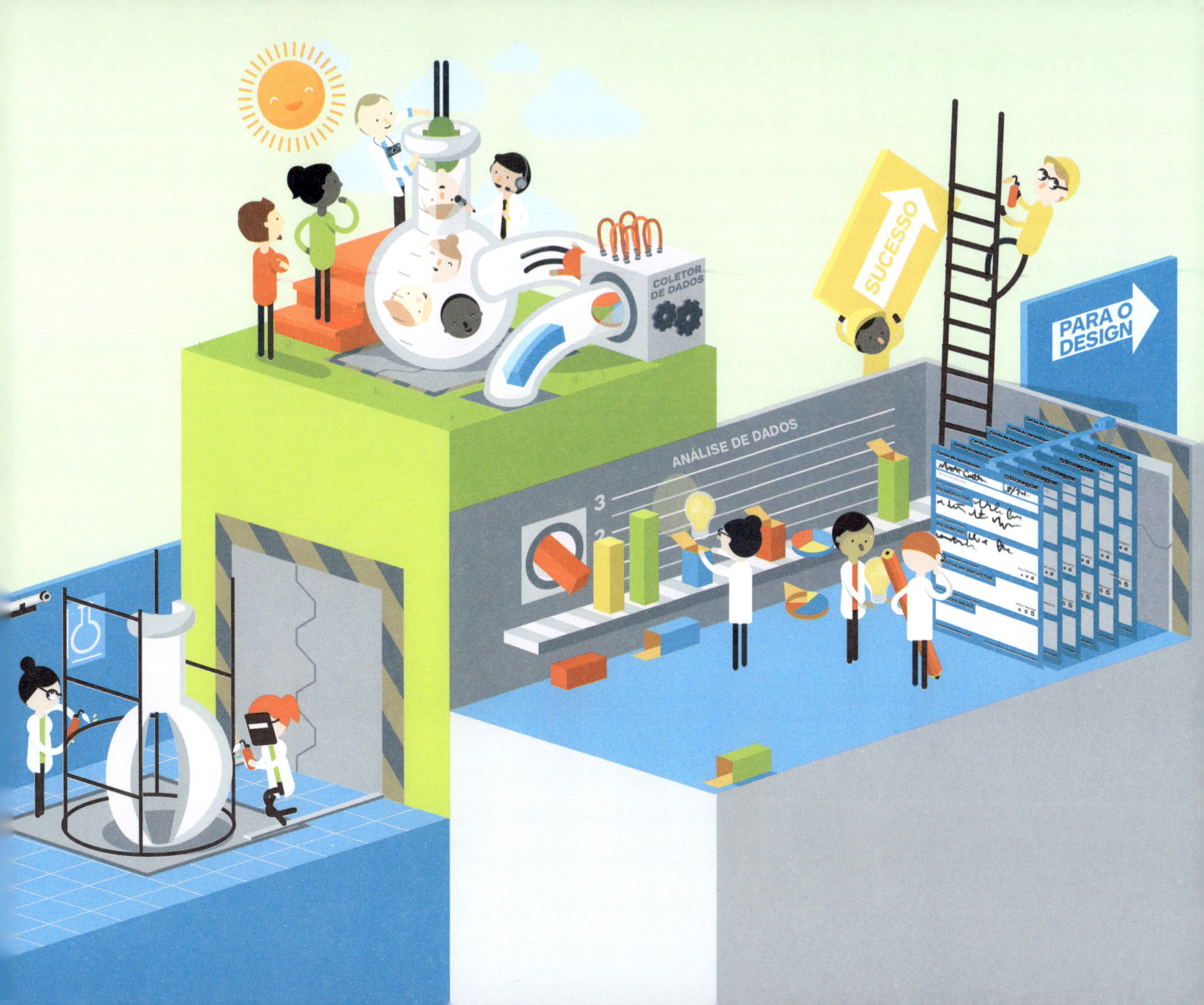
COLETOR DE DADOS
SUCESSO
PARA O DESIGN
ANÁLISE DE DADOS
3
2

Comece Experimentando para Reduzir o Risco

Normalmente, ao começar a explorar novas ideias, você se vê num espaço de incerteza máxima, sem saber se as ideias vão funcionar. O fato de aprimorá-las num plano de negócios não aumentará a probabilidade de serem bem-sucedidas. O melhor para aprender é testá-las com experimentos baratos e, de forma sistemática, reduzir a incerteza. Em seguida, aumente os gastos com experimentos, protótipos e pilotos, com uma certeza cada vez maior. Teste todos os aspectos de seus Canvas da Proposta de Valor e de Modelo de Negócio, em toda a sua extensão, desde clientes às parcerias (p.ex. parcerias de canais).

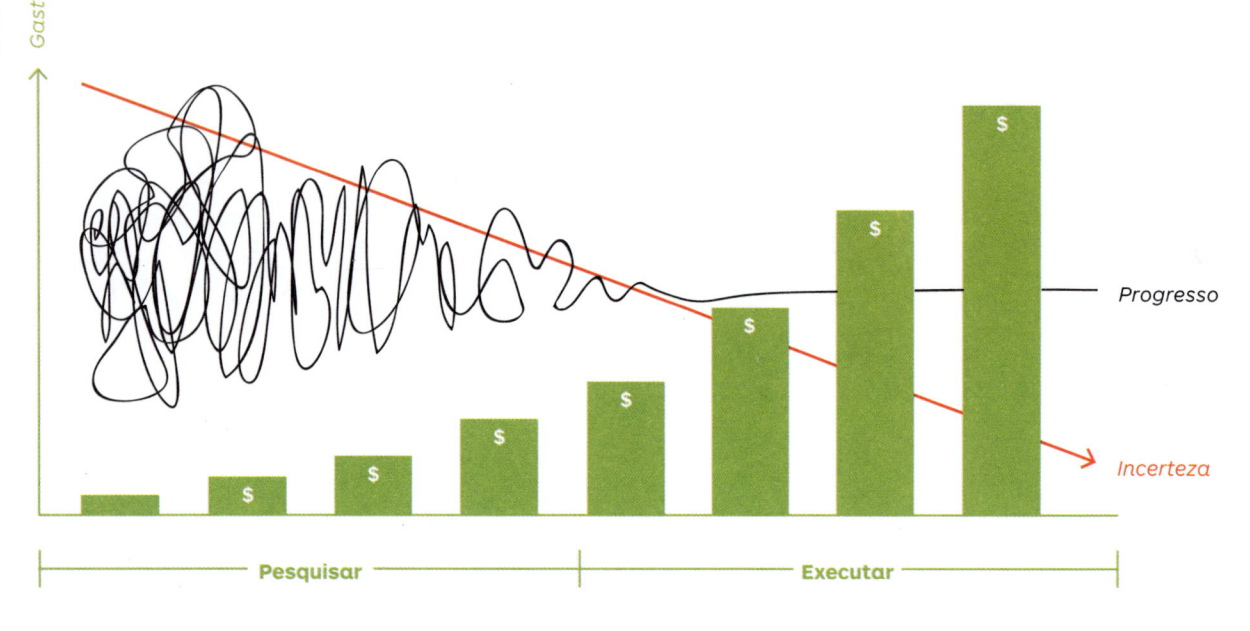

Planos de Negócio *versus* Processos de Experimentação

Redigir um plano de negócios costumava ser o primeiro passo de qualquer iniciativa. Hoje sabemos melhor. Os planos de negócios são ótimos documentos de execução, em um ambiente conhecido, com grau suficiente de certeza. Infelizmente, novas empreitadas costumam acontecer sob alto grau de incerteza. Assim, testar ideias no intuito de saber o que funciona e o que não funciona é uma abordagem bem melhor que escrever um plano. Há quem argumente que os planos "maximizam o risco". Com sua natureza refinada e bem-acabada, fica a ilusão de que, com uma execução impecável, pouca coisa pode dar errado. No entanto, as ideias mudam drasticamente, desde a concepção até a concretização em termos de mercado e, muitas vezes, sucumbem pelo meio do caminho. É preciso que você experimente, que aprenda e se adapte para administrar essa mudança e, progressivamente, reduza o risco e a incerteza. O processo de experimentação explorado nas páginas seguintes é conhecido como Desenvolvimento de Clientes e *Startup* Enxuta.

Planejamento de Negócios ⟷ Experimentação

Aplicado a Novas Iniciativas

Planejamento de Negócios		Experimentação
Nós sabemos	**Atitude**	Nossos clientes e parceiros sabem
Plano de negócios	**Ferramentas**	Canvas de Modelo de Negócio e da Proposta de Valor
Planejamento	**Processo**	Desenvolvimento de Clientes e *Startup* Enxuta
"Dentro" do prédio	**Onde**	"Fora" do prédio
Execução de um plano	**Zoom**	Experimentação e aprendizagem
Fatos históricos do sucesso no passado	**Base para decisão**	Fatos e insights a partir de experimentos
Não tratado adequadamente	**Risco**	Minimizado pelos aprendizados
Evitado	**Fracasso**	Acolhido como forma de aprender e melhorar
Mascarada pelo plano detalhado	**Incerteza**	Reconhecida e reduzida via experimentos
Documentos e planilhas	**Detalhe**	Dependente do nível de evidências a partir dos experimentos
Premissas	**Resultados Financeiros**	Baseados em evidências

10 Princípios de Teste

Aplique estes 10 princípios ao começar a testar sua proposta de valor com uma série de experimentos. Um bom processo de experimentação produz evidências daquilo que funciona e do que não funciona. Também lhe dará condições de adaptar e mudar suas propostas de valor e modelos de negócio e, sistematicamente, reduzir o risco e a incerteza.

Otenha o pôster dos 10 Princípios de Teste.

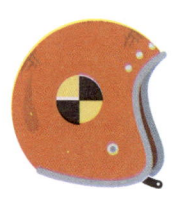

1
Conscientize-se de que evidências superam opiniões
O que quer que você, seu gestor, seus investidores ou qualquer outra pessoa pense, será superado pelas evidências (do mercado).

2
Aprenda mais rápido e reduza o risco, acolhendo o erro
O teste de ideias acontece com os erros. Portanto, errar de forma rápida e barata leva a um maior aprendizado, o que reduz o risco.

3
Teste cedo, refine mais tarde
Reúna insights com experimentos iniciais e baratos, antes de se aprofundar ou descrever suas ideias em detalhe.

4
Experimentos ≠ Realidade
Lembre-se que os experimentos são lentes através das quais você tenta entender a realidade. São ótimos indicadores, mas diferem dela.

5
Equilibre visão e aprendizados
Integre os resultados dos testes sem ignorar sua visão.

6
Identifique detonadores de ideias
Comece testando as premissas mais importantes: aquelas que poderiam detonar sua ideia.

7
Entenda primeiro os clientes
Teste as tarefas, as dores e os ganhos do cliente antes de testar o que pode oferecer a ele.

8
Torne-os mensuráveis
Bons testes produzem aprendizados mensuráveis, que lhe proporcionam insights produtivos.

9
Aceite que nem todos os fatos são iguais
Os entrevistados podem lhe dizer uma coisa e fazer outra. Considere a confiabilidade de suas evidências.

10
Teste decisões irreversíveis duas vezes
Garanta que as decisões que exercem um impacto irreversível sejam especialmente bem-fundamentadas.

Apresentando o Processo De Desenvolvimento de Clientes

O Desenvolvimento de Clientes é um processo de quatro etapas criado por Steve Blank, empreendedor compulsivo que se tornou escritor e educador. A premissa básica é de que não existem fatos "em casa", você precisa testar suas ideias com clientes e partes interessadas (como parcerias de distribuição e outros parceiros-chave) antes de implementá-las. Neste livro, usamos o processo do Desenvolvimento de Clientes para testar as premissas que fundamentam os Canvas da Proposta de Valor e de Modelo de Negócio.

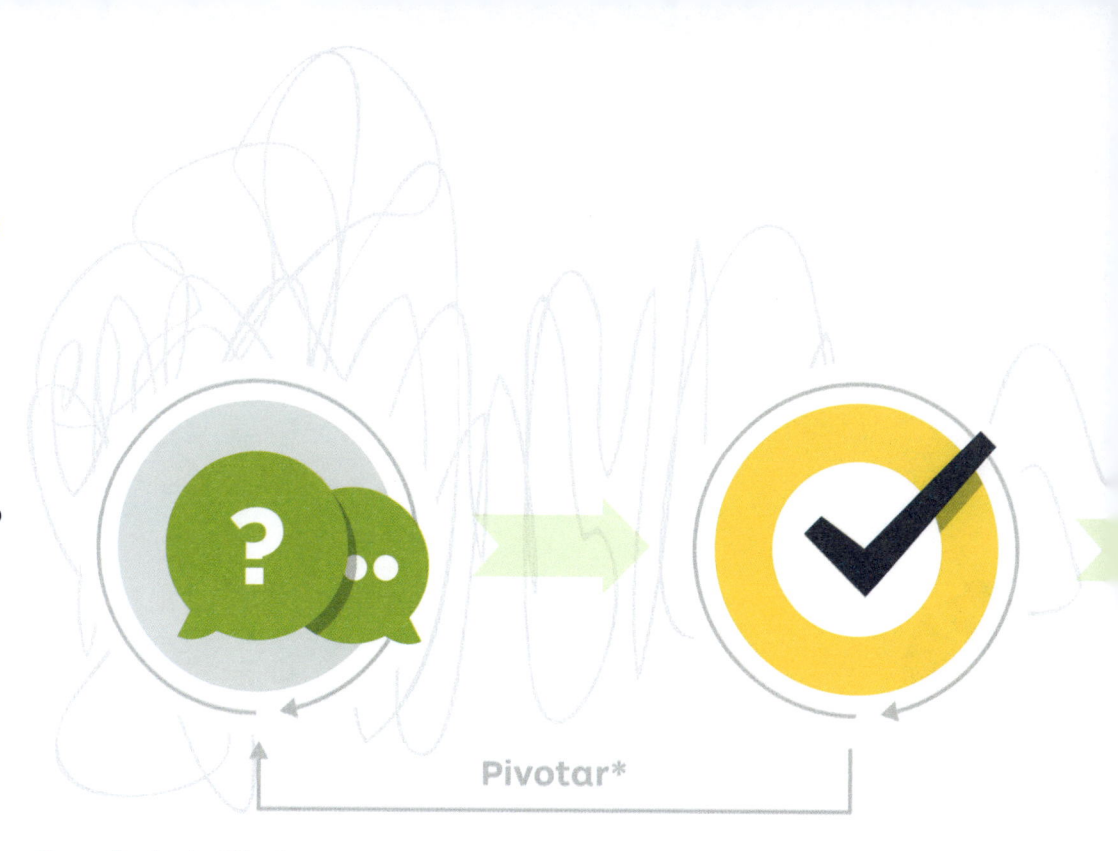

Descoberta do Cliente

Saia da empresa para conhecer as tarefas, dores e ganhos de seus clientes. Investigue o que poderia oferecer a eles para aplacar dores e gerar ganhos.

Validação do Cliente

Conduza experimentos para testar se os clientes valorizam a forma pela qual seus produtos e serviços pretendem aliviar dores e criar ganhos.

Pivotar*

Pesquisar

* Do inglês, pivot, termo que designa uma mudança radical na estratégia do negócio.

Pesquisar x Executar

A meta da fase de pesquisa é experimentar e saber que propostas de valor venderiam e que modelos de negócio funcionariam. Seus canvas vão mudar radicalmente e evoluirão de forma constante durante essa fase, à medida que você testar cada hipótese fundamental. Somente depois de comprovar suas ideias é que você deve passar a executar e escalonar. Nos estágios iniciais do processo, seus Canvas mudam rapidamente, mas se estabilizam com o conhecimento crescente, fruto de seus experimentos.

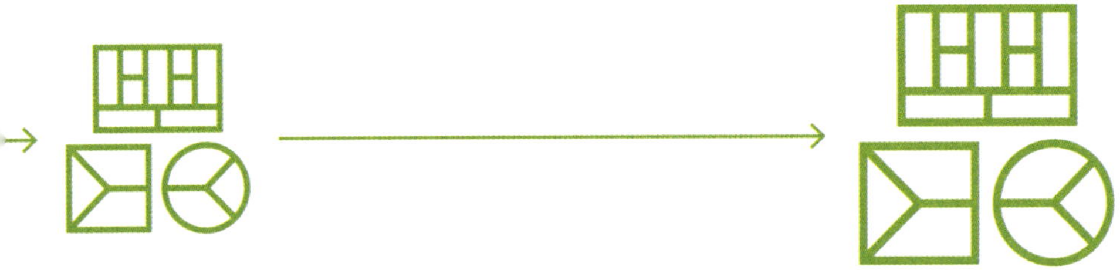

Dica

Capture cada hipótese, tudo o que você testou e tudo o que aprendeu. Use os Canvas da Proposta de Valor e de Modelo de Negócio para acompanhar o progresso, desde a ideia inicial e o ponto de partida na direção de uma proposta de valor e um modelo de negócio viáveis. O acompanhamento do seu progresso e das evidências produzidas ao longo do trajeto permitem que você possa voltar se necessário.

Criação do Cliente
Comece construindo a demanda do usuário final. Leve os clientes a seus canais de venda e comece a escalonar o negócio.

O Escritório da Empresa
Mude de uma organização temporária, concebida para buscar e experimentar, para uma estrutura focada na execução do modelo validado.

— Executar —

The Startup Owner's Manual (2012), de Blank & Dorf.

Integrando os Princípios das *Startups* Enxutas

Eric Ries lançou o movimento da *Startup* Enxuta*, fundamentado no Processo de Desenvolvimento de Clientes de Steve Blank. A ideia é eliminar do desenvolvimento do produto a negligência e a incerteza, mediante a construção, o teste e a aprendizagem contínuas, num processo repetitivo. Aqui, empregamos as três etapas combinadas com os Canvas e com o Desenvolvimento de Clientes para testar ideias, premissas e os chamados Produtos Viáveis Mínimos (PVMs).

Zoom aproximado

Pivotar

——— Pesquisar ——— | ——— Executar ———

Descoberta do Cliente | **Validação do Cliente** | **Criação do Cliente** | **Escritório**

*The Lean Startup (2011), de Ries.

1. Design/Construção

Elabore ou construa um artefato especificamente concebido para testar suas hipóteses, obter insights e aprender. Pode ser um protótipo conceitual, um experimento ou simplesmente um produto viável mínimo (PVM) dos produtos e serviços que você pretende oferecer.

0. Construção da Hipótese

Comece pelos Canvas da Proposta de Valor e de Modelo de Negócio para definir as hipóteses essenciais que sustentam suas ideias e para conceber os experimentos certos.

3. Aprenda

Analise o desempenho do artefato, compare-o com suas hipóteses iniciais e obtenha insights. Pergunte o que você achava que iria acontecer. Descreva o que de fato aconteceu. Em seguida, descreva o que vai mudar e como pretende fazê-lo.

2. Mensure

Meça o desempenho do artefato elaborado ou construído.

Aplique o Construir, Medir, Aprender

Utilize o ciclo da *Startup* Enxuta não apenas em relação a produtos e serviços. Siga os mesmos três passos de design/concepção, teste/mensuração e aprendizagem com todos os artefatos criados no *Value Proposition Design*. Aplique o construir/conceber, testar/medir, aprender em…

Protótipos conceituais

Elabore protótipos conceituais rápidos para dar forma às ideias, descubra o que poderia funcionar e identifique as hipóteses que teriam de ser verdadeiras para haver sucesso. Use tais protótipos como uma forma concreta para traçar, rastrear, repetir e compartilhar claramente suas ideias e hipóteses.

Teste suas hipóteses

Elabore e construa experimentos para testar as hipóteses que precisam ser verdadeiras para o sucesso de sua ideia. Comece pelas hipóteses mais essenciais que poderiam detonar sua ideia radicalmente.

Teste seus produtos & serviços

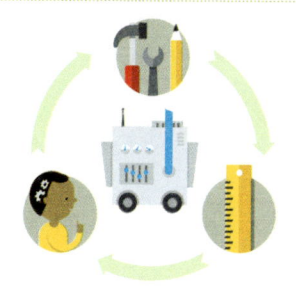

Construa Produtos Viáveis Mínimos (PVMs) para testar suas propostas de valor. São protótipos com um conjunto mínimo de características, concebidos especificamente para aprender, e não para vender.

Projetar/Construir	Mensurar	Aprender
Canvas de Modelo de Negócio ou de Proposta de Valor para dar forma às ideias por todo o processo.	Desempenho do protótipo conceitual: encaixe entre perfil do cliente e mapa de valor, estimativas aproximadas e avaliação do design com as 7 perguntas do modelo de negócio.	Se e por que você precisa adaptar seus protótipos conceituais. Presumido o desempenho financeiro de seu modelo de negócio. Presumido o encaixe. Que hipóteses você precisa testar.
Entrevistas, observações e experimentos para testar as premissas iniciais de proposta de valor e modelo de negócio resultantes da prototipagem conceitual.	Aquilo que realmente acontece com seus experimentos, comparado ao que você pensou que aconteceria (p.ex. suas hipóteses).	Se e por que você precisa mudar quaisquer dos blocos de construção de seus Canvas de Modelo de Valor e da Proposta de Valor.
Produtos Viáveis Mínimos (MVPs) com os benefícios e as características que você deseja testar.	Se seus produtos e serviços realmente aliviam as dores e criam ganhos para os clientes.	Se e por que você precisa mudar os produtos e serviços em sua proposta de valor. Identifique os analgésicos e os criadores de ganhos que funcionam e os que não funcionam.

Eu apresento modelos "shrek", uma expressão iídiche para "deixar as pessoas nervosas".
Frank Gehry,
arquiteto

Não existem fatos dentro do escritório... Então, ponha-se dali pra fora e vá falar com os clientes.
Steve Blank,
empreendedor & educador

Erre logo para vencer mais cedo.
David Kelley,
designer

3.1

O Que Testar

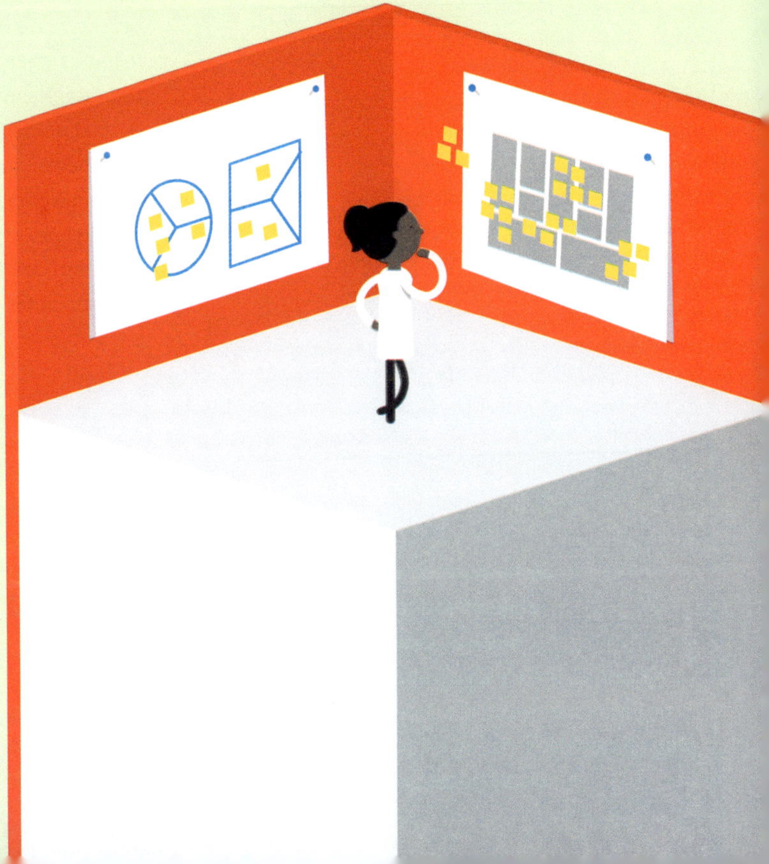

Testando o Círculo

Prove que tarefas, dores e ganhos são mais importantes para o cliente, conduzindo experimentos que produzam evidências além de sua pesquisa inicial do cliente. Só então, dê início à proposta de valor, assim evitando perder tempo com produtos e serviços sem relevância para os clientes.

Ofereça evidências mostrando o que é importante para os clientes (o círculo) antes de focar em como ajudá-los (o quadrado).

Comece pelas tarefas, dores e ganhos

Na seção de design, vimos uma série de técnicas destinadas a compreender melhor os clientes. Neste capítulo, avançamos um passo. O objetivo de "testar o círculo" é confirmar, com evidências, que nossos esboços de perfil, nossa pesquisa inicial, nossas observações e nossos insights resultantes das entrevistas estavam corretos. Queremos saber com mais certeza que tarefas, dores e ganhos realmente importam para os clientes.

Possuir evidências sobre tarefas, dores e ganhos do cliente antes de se concentrar em sua proposta de valor é algo muito poderoso. Ao começar pelo teste de sua proposta de valor, você nunca sabe se os clientes estão rejeitando-a ou se você está simplesmente tratando de tarefas, dores e ganhos irrelevantes. Será menor a probabilidade de isso acontecer, se você dispuser de evidências acerca das tarefas, dores e ganhos relevantes para os clientes.

Evidentemente, isso significa que você precisa encontrar formas criativas de testar as preferências do cliente sem recorrer ao uso de Produtos Viáveis Mínimos (PVMs). Mostramos como fazê-lo com as ferramentas contidas na Biblioteca de Experimentos, → p. 214.

- Quais os ganhos importantes para seus clientes?
- Quais os definitivamente fundamentais?

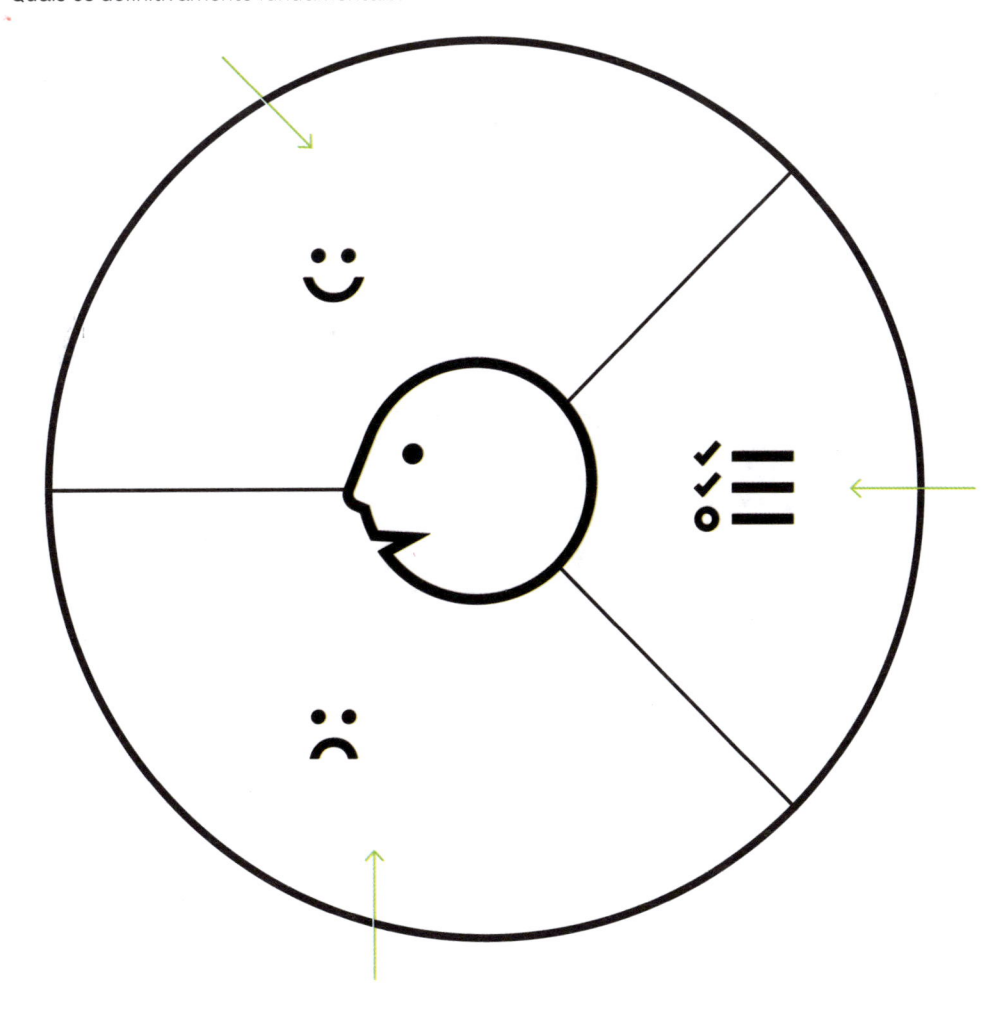

Você tem evidências que mostram...

- Quais as tarefas importantes para seus clientes?
- Quais as mais relevantes?

- Quais as dores importantes para seus clientes?
- Quais as mais agudas?

Testando o Quadrado

Teste se e quando seus clientes se importam com a maneira como você pretende ajudá-los. Conceba experimentos que produzam evidências mostrando que seus produtos e serviços aliviam as dores e criam ganhos relevantes para os clientes.

Você tem evidências que mostram...

- Quais de seus produtos e serviços os clientes realmente desejam?
- Quais deles são mais desejados?

- Quais de seus criadores de ganhos os clientes realmente necessitam ou desejam?
- De quais eles estão mais carentes?

- Qual de seus analgésicos ajuda os clientes com suas dores de cabeça?
- Quais os que eles mais anseiam?

Forneça evidências, mostrando que seus clientes se importam com a forma como seus produtos e serviços aliviam dores e criam ganhos.

A arte de testar propostas de valor

É uma arte testar o quanto seus clientes se importam com sua proposta de valor porque a meta é fazê-lo o mais barato e rápido possível, sem implementar a proposta de valor em sua totalidade. Você precisa testar o gosto de seus clientes pelos seus produtos e serviços, um analgésico e um ganho de cada vez, pelo design de experimentos mensuráveis, que ofereçam insights e permitam que você aprenda e melhore (c.f.3.3 Biblioteca de Experimentos, ➔ 214).

Certifique-se de que seus experimentos lhe permitam compreender que aspectos de seus produtos e serviços os clientes apreciam, a fim de evitar oferecer alguma coisa desnecessária. Em outras palavras, remova quaisquer aspectos ou esforços que não contribuírem diretamente para a aprendizagem que você procura.

Sempre garanta que sua meta é encontrar a forma mais simples, rápida e barata de testar um analgésico ou criador de ganho antes de começar a fazer protótipos de produtos e serviços.

Testando o Retângulo

Teste as premissas essenciais, que fundamentam o modelo de negócio em que sua proposta de valor está inserida. Lembre que mesmo propostas de valor maravilhosas podem falhar sem um modelo de negócio sólido. Ofereça evidências, mostrando que seu modelo de negócio provavelmente vai funcionar, gerar mais receitas do que custos e criar mais valor para o seu negócio, e não apenas para seus clientes.

Forneça evidências, mostrando que a forma pela qual você pretende criar, entregar e capturar valor provavelmente vai funcionar.

Não deixe de testar seu modelo de negócio

É possível que você falhe até mesmo com uma proposta de valor bem-sucedida se seu modelo de negócio gerar menos receitas do que custos. Muitos criadores ficam tão focados no design e no teste de produtos e serviços que, às vezes, negligenciam essa equação tão óbvia, resultante dos nove blocos de construção do Canvas de Modelo de Negócio.

Uma proposta de valor desejada pelos clientes tem pouco valor se você não dispuser dos canais para alcançá-los da forma como desejam ser alcançados. Um modelo de negócio que gasta mais conquistando clientes do que gera receitas com eles não sobreviverá por muito tempo. De forma semelhante, você obviamente irá à falência se seus recursos e atividades requeridos para criar valor são mais dispendiosos do que o valor que capturam. Ou, em alguns mercados, você poderá precisar ter acesso a parceiros essenciais que podem não estar interessados em trabalhar com você.

Conceba experimentos que contemplem os aspectos mais importantes, que devem ser verdadeiras para que seu modelo de negócio funcione. O teste dessas premissas fundamentais o impedirá de fracassar com uma ótima proposta de valor que os clientes de fato desejam.

Você tem evidências que mostram...

- Que você terá acesso às parcerias necessárias ao funcionamento de seu modelo?

- Que você terá condições de desempenhar as atividades necessárias para criar valor?

- Como você vai conseguir conquistar e reter clientes?

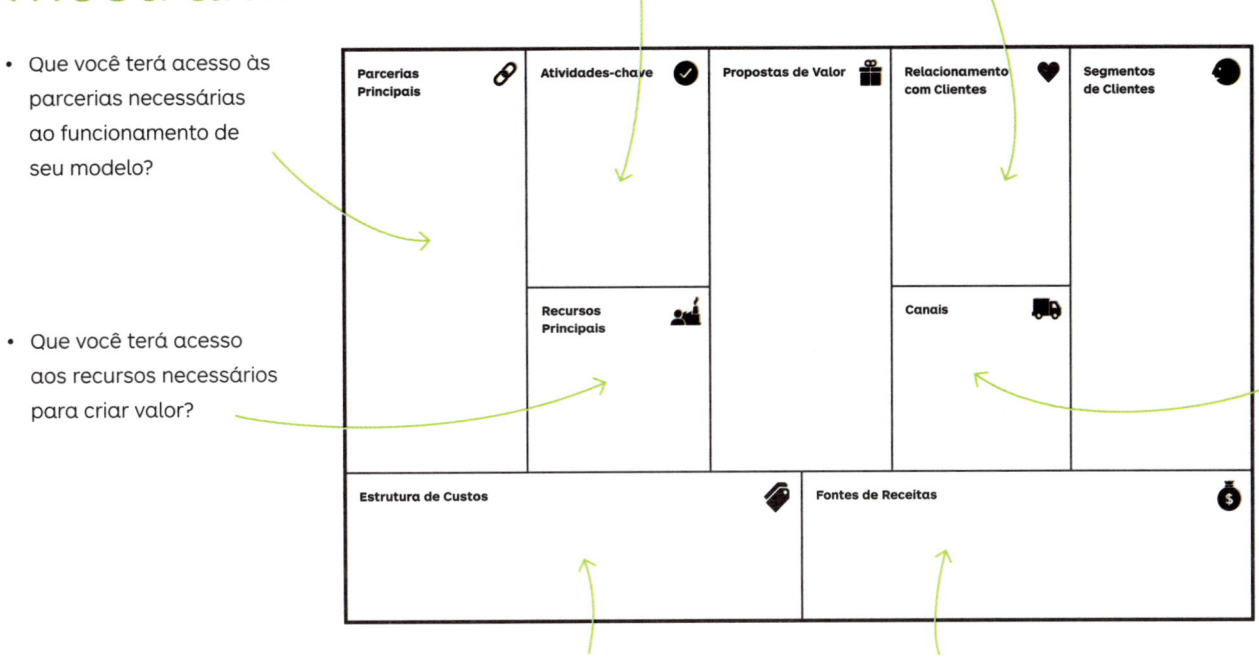

- Que você terá acesso aos recursos necessários para criar valor?

- Por que canais você conseguirá chegar aos clientes?

- Que você pode gerar mais receitas do que custos?

- Como você vai gerar receitas junto aos clientes?

Parcerias Principais	Atividades-chave	Propostas de Valor	Relacionamento com Clientes	Segmentos de Clientes
	Recursos Principais		Canais	
Estrutura de Custos		Fontes de Receitas		

3.2 Teste Passo a Passo

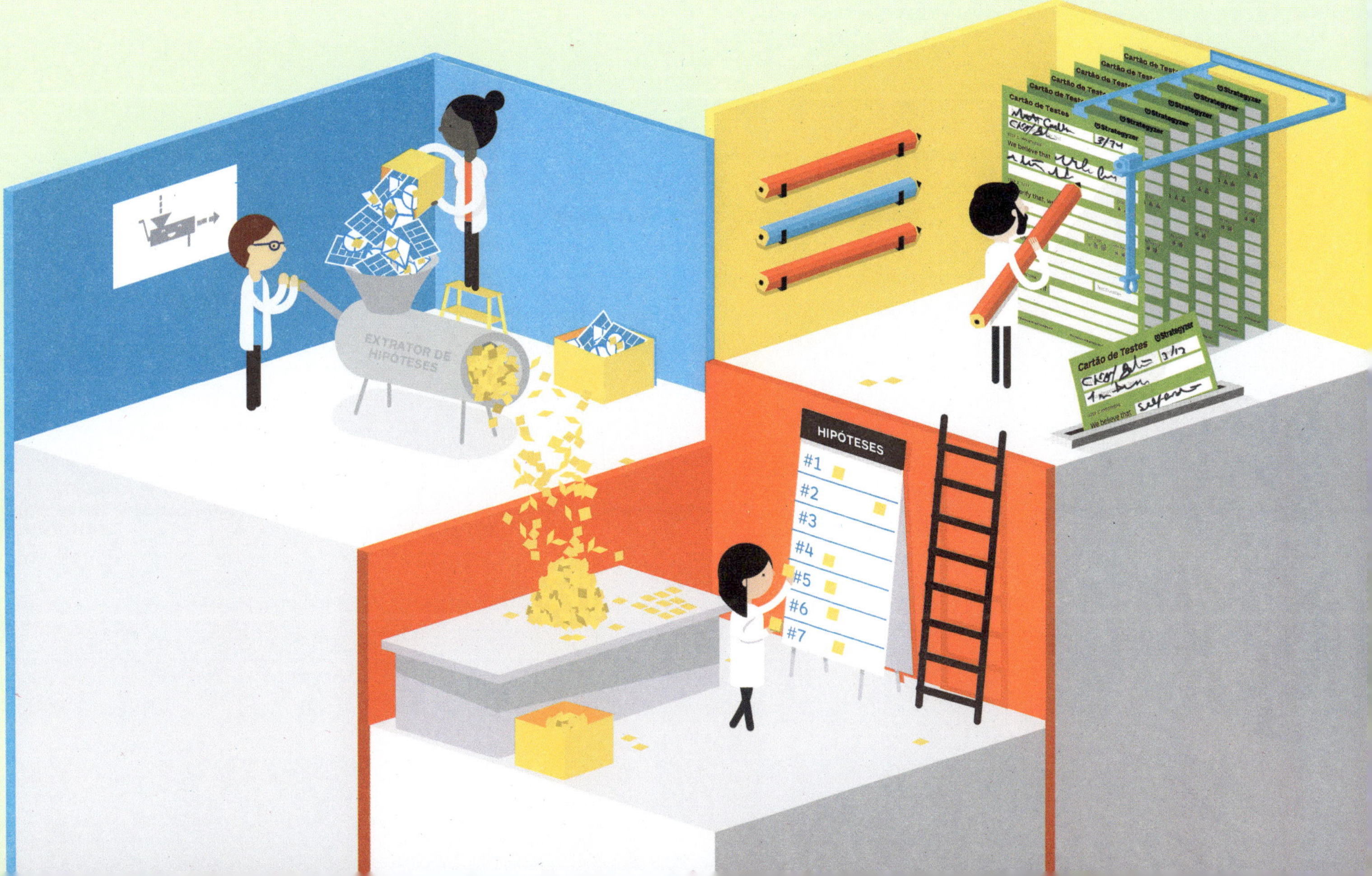

EXTRATOR DE HIPÓTESES
HIPÓTESES
#1
#2
#3
#4
#5
#6
#7
Cartão de Testes

Visão Geral do Processo de Teste

Extrair Hipóteses
↪ p. 200

Priorizar Hipóteses
↪ p. 202

Criar Teste(s)
↪ p. 204

■ Design   ■ Teste

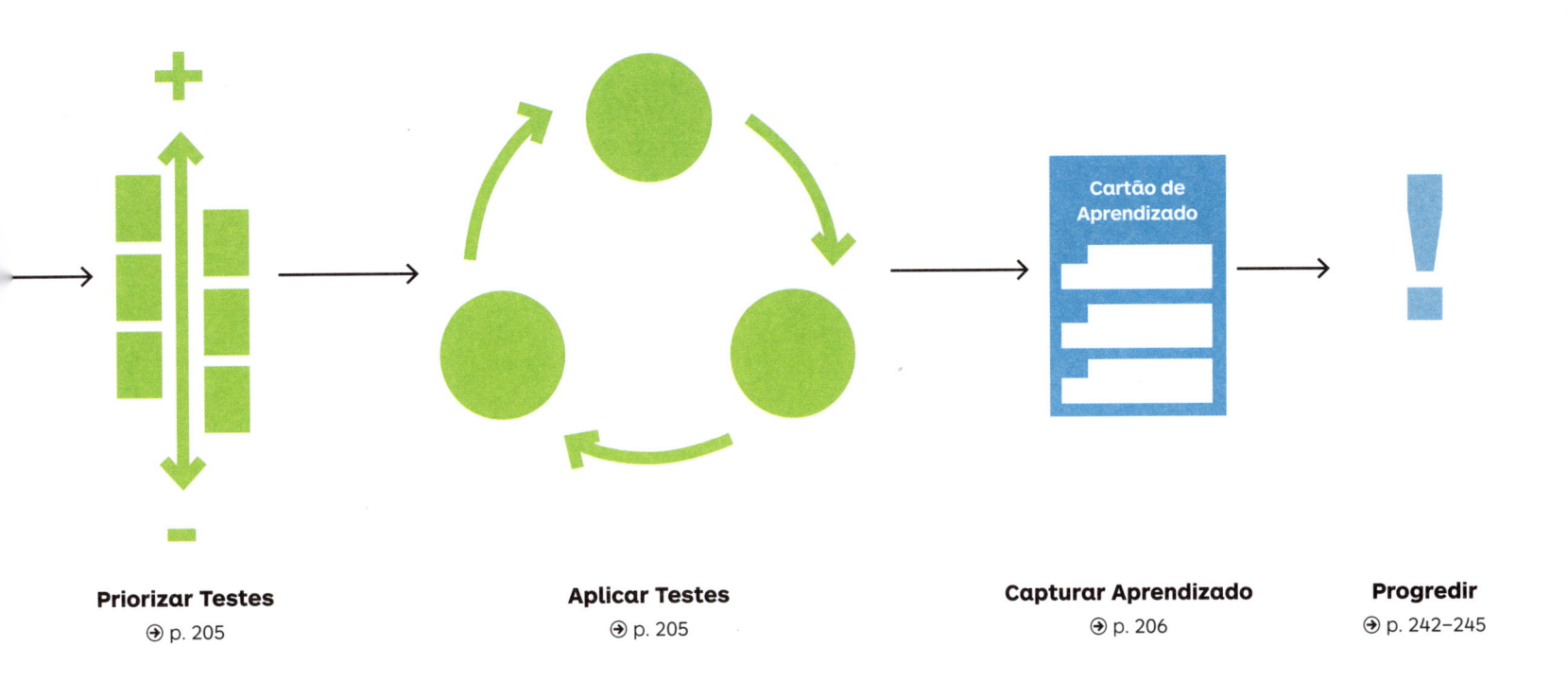

Priorizar Testes
→ p. 205

Aplicar Testes
→ p. 205

Capturar Aprendizado
→ p. 206

Progredir
→ p. 242–245

Obtenha o pôster da Visão geral do processo de teste.

Extraia suas Hipóteses:
O que Precisa se Mostrar Verdadeiro para que Sua Ideia Funcione?

Use os Canvas da Proposta de Valor e de Modelo de Negócio para identificar o que dever ser testado antes de "sair do escritório". Defina o que de mais importante precisa se mostrar verdadeiro para que sua ideia funcione.

Faça o exercício online.

Canvas do Modelo de Negócio

Parcerias Principais
- Wiley

Atividades-chave
- criação de conteúdo

Propostas de Valor
- livro
- online
- aplicativo web

Relacionamento com Clientes
- vareiistas
- Strategyzer.com

Segmentos de Clientes
- leitor
- varejista
- Wiley

Recursos Principais
- plataforma

Estrutura de Custos
- IT
- conteúdo

Fontes de Receitas
- % direitos autorais
- taxa do curso
- assinatura do aplicativo

Hipóteses (notas cinza):

- podemos produzir um best-seller
- leitores se inscrevem p/solicitar conteúdo gratuito online
- as pessoas têm interesse por este assunto
- a Wiley é a parceira certa
- as pessoas vão encontrar o livro
- nossa equipe de desenvolvimento dá conta do desafio
- varejistas vão comprar, estocar e expor o livro
- podemos atrair uma editora de renome
- estrutura de custos pode ser sustentada pelas receitas
- as pessoas vão comprar o livro
- algumas pessoas passam p/ serviços pagos

Para ser bem-sucedido, pergunte-se o que precisa ser verdadeiro sobre... → **...o seu modelo de negócio?**

DE·FI·NI·ÇÃO
Hipótese de negócio
Algo que precisa ser verdadeiro para que sua ideia funcione, mas que ainda não foi comprovado.

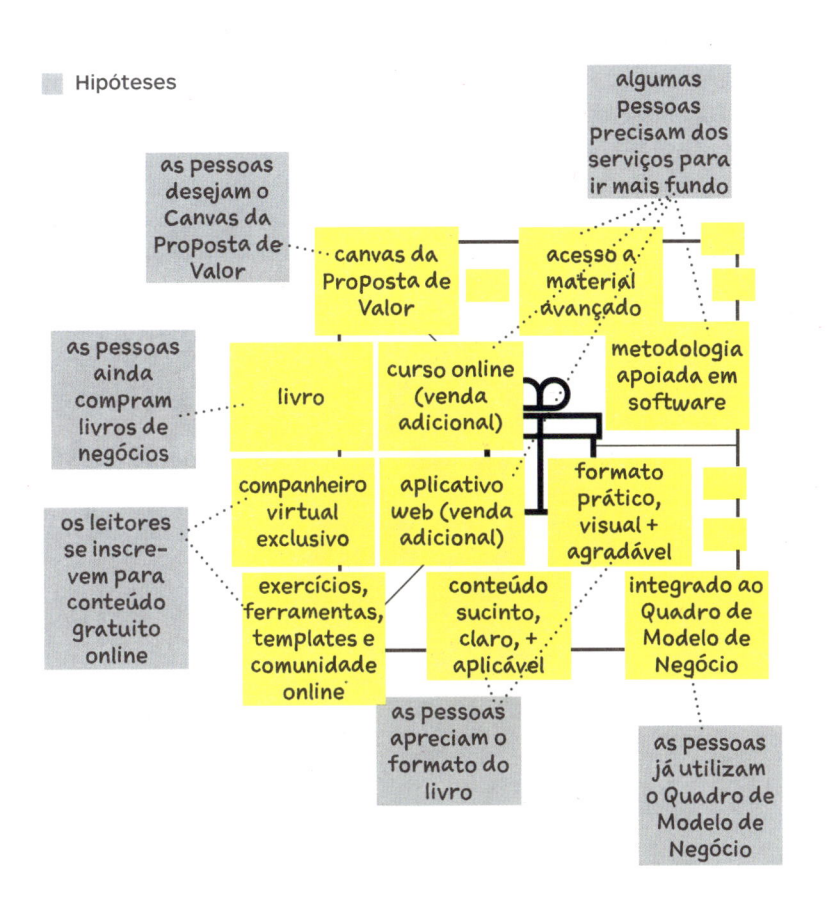

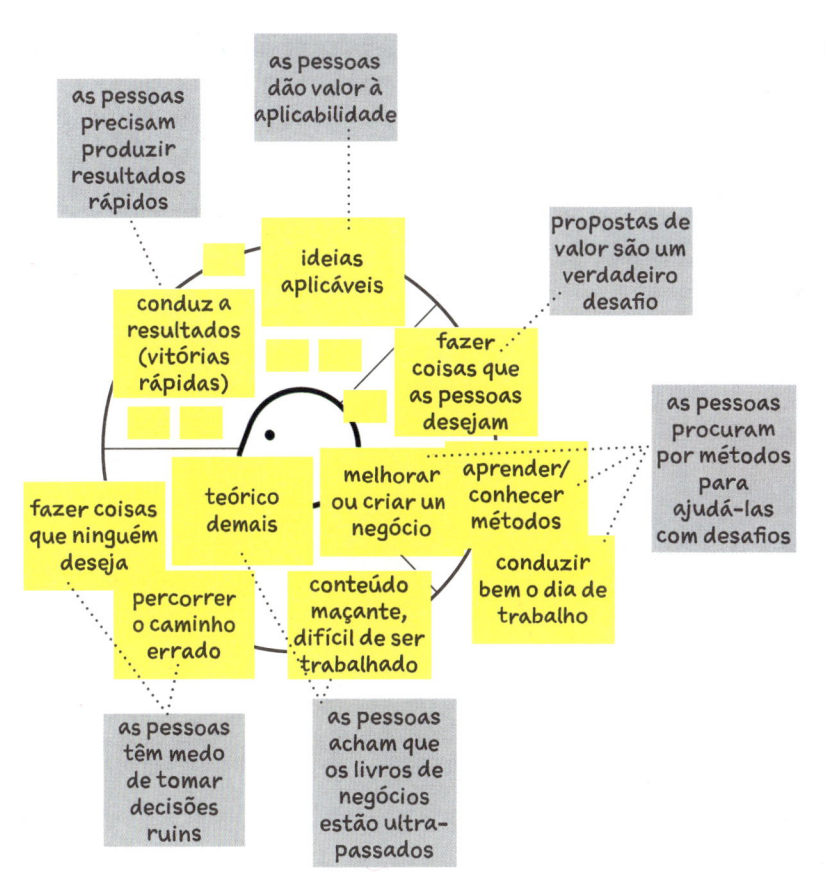

■ Hipóteses

Hipóteses da proposta de valor:
- as pessoas desejam o Canvas da Proposta de Valor
- algumas pessoas precisam dos serviços para ir mais fundo
- as pessoas ainda compram livros de negócios
- os leitores se inscrevem para conteúdo gratuito online
- as pessoas apreciam o formato do livro
- as pessoas já utilizam o Quadro de Modelo de Negócio

Post-its amarelos (proposta de valor):
- canvas da Proposta de Valor
- acesso a material avançado
- livro
- curso online (venda adicional)
- metodologia apoiada em software
- companheiro virtual exclusivo
- aplicativo web (venda adicional)
- formato prático, visual + agradável
- exercícios, ferramentas, templates e comunidade online
- conteúdo sucinto, claro, + aplicável
- integrado ao Quadro de Modelo de Negócio

Hipóteses do cliente:
- as pessoas precisam produzir resultados rápidos
- as pessoas dão valor à aplicabilidade
- propostas de valor são um verdadeiro desafio
- as pessoas procuram por métodos para ajudá-las com desafios
- as pessoas têm medo de tomar decisões ruins
- as pessoas acham que os livros de negócios estão ultrapassados

Post-its amarelos (cliente):
- ideias aplicáveis
- conduz a resultados (vitórias rápidas)
- fazer coisas que as pessoas desejam
- fazer coisas que ninguém deseja
- teórico demais
- melhorar ou criar um negócio
- aprender/ conhecer métodos
- percorrer o caminho errado
- conteúdo maçante, difícil de ser trabalhado
- conduzir bem o dia de trabalho

→ ... sua proposta de valor? → ... seu cliente?

Priorize suas Hipóteses: O que Poderia Detonar seu Negócio

Nem todas as hipóteses são igualmente essenciais. Algumas podem detonar seu negócio, enquanto outras importam apenas quando você levanta as hipóteses mais importantes corretamente. Comece por priorizar o que é fundamental para a sobrevivência.

→ **Identifique os detonadores de negócios. São aquelas hipóteses fundamentais à sobrevivência de sua ideia. Teste-as primeiro!**

Hierarquize todas as hipóteses segundo a ordem de sua essencialidade para que nossa ideia sobreviva e prospere.

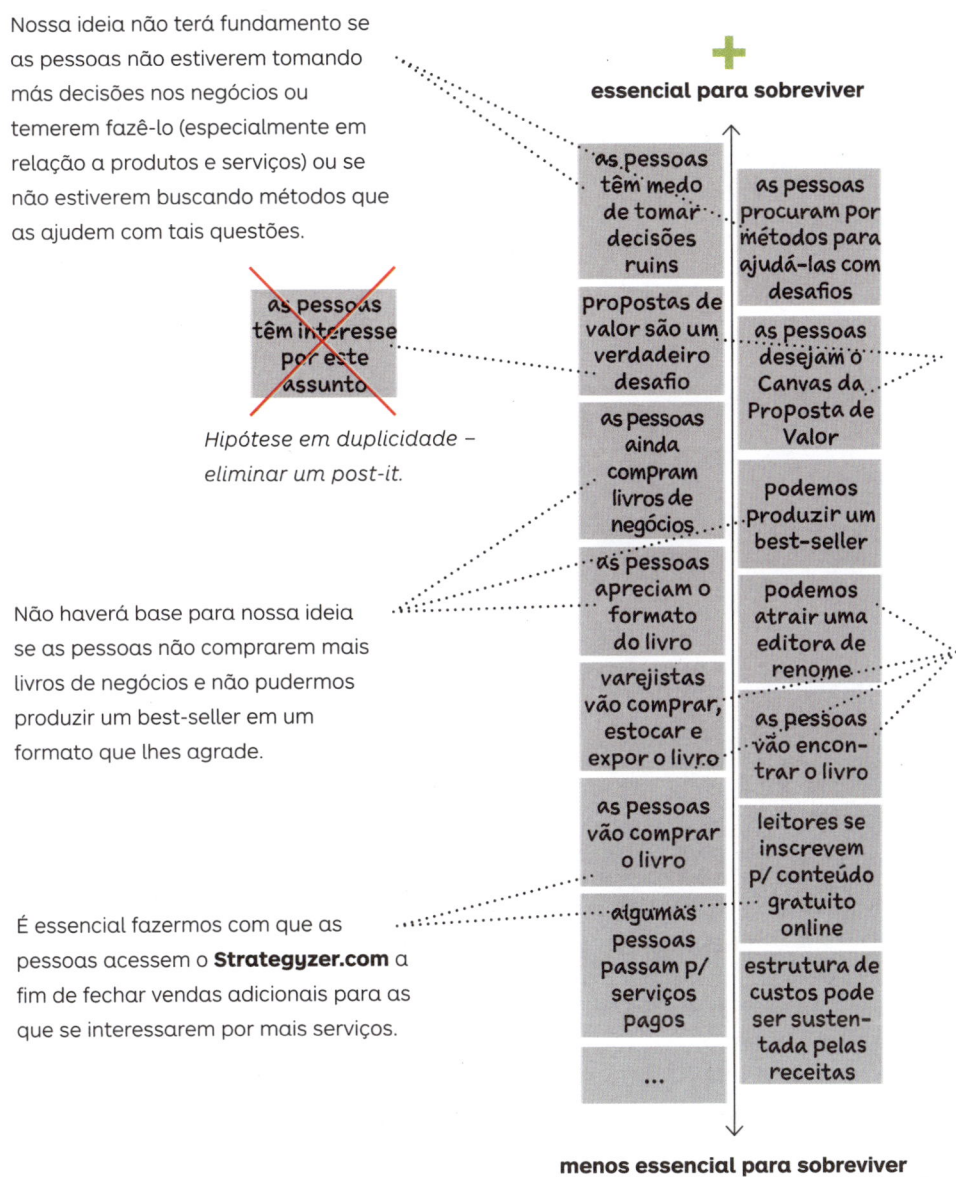

➕ **essencial para sobreviver**

Nossa ideia não terá fundamento se as pessoas não estiverem tomando más decisões nos negócios ou temerem fazê-lo (especialmente em relação a produtos e serviços) ou se não estiverem buscando métodos que as ajudem com tais questões.

~~as pessoas têm interesse por este assunto~~

Hipótese em duplicidade – eliminar um post-it.

Não haverá base para nossa ideia se as pessoas não comprarem mais livros de negócios e não pudermos produzir um best-seller em um formato que lhes agrade.

É essencial fazermos com que as pessoas acessem o **Strategyzer.com** a fim de fechar vendas adicionais para as que se interessarem por mais serviços.

Coluna 1 (de cima para baixo):
- as pessoas têm medo de tomar decisões ruins
- propostas de valor são um verdadeiro desafio
- as pessoas ainda compram livros de negócios
- as pessoas apreciam o formato do livro
- varejistas vão comprar, estocar e expor o livro
- as pessoas vão comprar o livro
- algumas pessoas passam p/ serviços pagos
- ...

Coluna 2 (de cima para baixo):
- as pessoas procuram por métodos para ajudá-las com desafios
- as pessoas desejam o Canvas da Proposta de Valor
- podemos produzir um best-seller
- podemos atrair uma editora de renome
- as pessoas vão encontrar o livro
- leitores se inscrevem p/ conteúdo gratuito online
- estrutura de custos pode ser sustentada pelas receitas

Se as pessoas não lutarem por propostas de valor ou se não perceberem o Canvas da Proposta de Valor como uma ferramenta útil, não haverá chance alguma para nossas ideias.

É fundamental que as pessoas gostem ou adorem nosso livro, mas isso é apenas o começo. Caso não o encontrem ou não souberem dele, não poderão comprá-lo, mesmo que potencialmente o apreciem.

➖ **menos essencial para sobreviver**

➡ **Que prioridades são as mais importantes?**

Conceba seus Experimentos com o Cartão de Teste

Estruture todos os seus experimentos com este simples Cartão de Teste. Comece testando as hipóteses realmente fundamentais.

1
Experimento de Design

Descreva a hipótese que deseja testar.

Descreva o experimento que vai conceber (design) para verificar se a hipótese é verdadeira ou falsa.

Defina os dados que vai mensurar.

Estabeleça um parâmetro como meta para validar ou invalidar a hipótese testada. Alerta: considere fazer um follow-up com mais experimentos para aumentar o grau de certeza.

Como você vai aprender?

Faça o download do Cartão de Teste e faça o exercício online.

Cartão de Teste — Strategyzer

Campanha Adwords	1º/maio/2014
Natasha Hanshaw	2 semanas

1ª ETAPA: HIPÓTESE
Acreditamos que há homens de negócio à procura de métodos que os ajudem no design de propostas de valor melhores.

Fundamental: ▲ ▲ ⓐ

2ª ETAPA: TESTE
Para verificar isso, vamos lançar uma campanha no Adwords do Google em torno do termo de busca "proposta de valor".

Custo do Teste:
Confiabilidade dos Dados:

3ª ETAPA: MÉTRICA
E mensurar o desempenho da campanha publicitária em número de cliques.

Tempo Necessário:

4ª ETAPA: CRITÉRIOS
Estaremos certos se atingirmos um coeficiente de cliques (CTR) de no mínimo 2% (número de cliques dividido pelo número de vezes que o anúncio é exposto).

Copyright Business Model Foundry AG — Os criadores do Business Model Generation e do Strategyzer

---

- Atribua um nome ao teste.
- Indique quão fundamental a hipótese é para o funcionamento da ideia como um todo.
- Indique o nível de custo do teste a ser executado.
- Indique o grau de confiabilidade dos dados mensurados.
- Indique por quanto tempo o teste deve ser conduzido até que os resultados sejam avaliados (tempo de ciclo).

4
Conduza os experimentos
Comece conduzindo os experimentos do topo de sua lista.
Alerta: Se seus primeiros experimentos invalidarem suas hipóteses iniciais, é possível que você tenha de voltar e repensar suas ideias. Isto poderá tornar irrelevantes os Cartões de Teste restantes na lista.

+ fundamentais p/ a sobrevivência

menos fundamentais p/ a sobrevivência

2
Conceba uma série de experimentos para as hipóteses realmente essenciais

Dica:
Considere testar as hipóteses realmente essenciais com diversos experimentos. Comece com testes rápidos e baratos. Em seguida, faça um follow-up com testes mais elaborados e confiáveis se for necessário. Assim, você poderá criar diversos Cartões de Teste para as mesmas hipóteses.

3
Hierarquize os Cartões de Teste
Priorize seus Cartões de Teste. Atribua o nível mais alto às hipóteses mais essenciais, mas dê preferência a testes rápidos e baratos logo no início do processo quando a incerteza é máxima. Aumente o gasto com experimentos que produzem mais evidências e insights confiáveis com uma certeza cada vez maior.

Repetir.

Onde você pode obter o máximo de aprendizagem no mínimo de tempo?

Capture seus Insights com o Cartão de Aprendizado

Estruture todos os seus insights com este simples Cartão de Aprendizado.

Faça o download do Cartão de Aprendizado.

Cartão de Aprendizado — Strategyzer

Demanda por método de PV — 1º/maio/2014

Natasha Hanshaw

1ª ETAPA: HIPÓTESE

Acreditávamos que havia homens de negócio à procura de métodos que os ajudassem com o design de propostas de valor melhores.

2ª ETAPA: OBSERVAÇÃO

Observamos uma forte demanda durante os grupos de discussão e um CTR de 2,5% em nossa campanha Adwords do Google.

Confiabilidade dos Dados: 👍👍👍

3ª ETAPA: APRENDIZADOS E INSIGHTS

Com base nisso concluímos que há um interesse suficientemente forte pelo assunto.

Ação Necessária: ☑☑☑

4ª ETAPA: DECISÕES E AÇÕES

Portanto, vamos lançar uma campanha no LinkedIn para explorar o interesse por segmento (p.ex. gerentes de produto, etc.)

Copyright Business Model Foundry AG — Os criadores do Business Model Generation e do Strategyzer

---

- Dê um nome ao insight, a data do aprendizado e a pessoa responsável.
- Descreva a hipótese que você testou.
- Descreva os resultados de seu(s) experimento(s) em termos de dados e de resultados. Um Cartão de Aprendizado pode agregar observações de vários Cartões de Teste.
- O grau de confiabilidade dos dados mensurados.
- Explique as conclusões e insights que você pode tirar dos resultados do teste.
- Destaque quão drásticas são as ações necessárias, com base no que você aprendeu.
- Descreva as ações que você empreenderá com base em seus insights.

Você experimentou e aprendeu. E agora?

Invalidado

Volte ao quadro de desenho: pivote
Encontre novas alternativas de segmentos, de propostas de valor ou de modelos de negócio para fazer suas ideias funcionarem, quando os testes invalidarem as primeiras tentativas.

P.ex. quando você invalidar o interesse do cliente por uma nova tecnologia: busque novos potenciais em termos de clientes, de propostas de valor e de modelos de negócio.

Aprenda mais

Procure confirmar
Conceba e conduza mais testes quando os experimentos rápidos e baratos com dados iniciais indicarem a necessidade de ações drásticas.

P.ex. se as entrevistas com clientes em potencial mostrarem um forte interesse por um serviço que requer investimento pesado para ser lançado: faça follow-up com pesquisa e experimentos que produzam dados mais confiáveis, validando o interesse do cliente.

Aprofunde sua compreensão
Conceba e conduza mais testes para compreender porque uma tendência existe uma vez que você descobriu que ela está acontecendo.

P.ex. se os dados quantitativos de um experimento mostrarem que os clientes em potencial não estão interessados: faça follow-up com entrevistas de qualidade para compreender porque estão desinteressados.

Comprovado

Passe para o "bloco de construção" seguinte
Prossiga no sentido de testar a hipótese importante seguinte quando estiver satisfeito com seus insights e com a confiabilidade dos dados.

P.ex. quando você tiver comprovado o interesse do cliente por um produto: faça um follow-up com experimentos que comprovem a prontidão dos canais de parceria para estocar e promover seu produto.

Execute
Quando você estiver satisfeito com a qualidade de seus insights e a confiabilidade de seus dados, você poderá passar diretamente à execução com base nos aprendizados.

P.ex. quando você aprendeu e comprovou o que exatamente faz com que os canais de parceria se interessem por revender sua proposta de valor: comece a escalonar os esforços de vendas, contratando vendedores ou concebendo um material de marketing direcionado.

Com que Velocidade Você está Aprendendo?

A única coisa que existe entre você e aquilo que os clientes e parceiros realmente querem é a consistência e a velocidade que você e sua equipe podem impulsioná-lo ao longo do ciclo design/concepção, mensuração, aprendizagem. Isso se chama tempo de ciclo.

A velocidade que você aprende é decisiva, particularmente durante as fases iniciais do design de propostas de valor. Quando você dá a partida, a incerteza é máxima. Você não sabe se os clientes se importam com as tarefas, as dores e os ganhos que você pretende tratar, muito menos se estão interessados em sua proposta de valor.

Portanto, é indispensável que seus primeiros experimentos sejam extremamente rápidos e produzam um máximo de aprendizado de forma que você possa se adaptar de forma ágil. Essa é a razão pela qual a elaboração de um plano de negócio ou a condução de um amplo estudo de mercado terceirizado é o jeito errado de começar, embora possam fazer sentido mais tarde no processo.

aprendizagem rápida ↑

Velocidade	Instrumento
ULTRARRÁPIDA	Esboços em Guardanapos
	Canvas de MN & PV
RÁPIDA	Entrevistas com Clientes, Parcerias e partes interessadas
	Biblioteca de Experimentos
LENTA	Plano de Negócios
MUITO LENTA	Estudos de Mercado Terceirizados
MUITO LENTA	Estudo Piloto

↓ **aprendizagem lenta**

Instrumentos de Aprendizagem

Dê rapidamente forma a suas ideias, para poder compartilhá-las, desafiá-las ou reproduzi-las de forma continuada e para gerar hipóteses a serem testadas.

Obtenha rapidamente os primeiros insights de mercado. Mantenha os esforços "dentro de casa" para que as aprendizagens permaneçam novas e relevantes e para que você possa mudar rápido e agir com base em insights.

Use toda a variedade de experimentos disponíveis na Biblioteca de Experimentos, → p.214. Comece pelos testes rápidos, quando a incerteza é alta. Continue com outros mais confiáveis e lentos, quando tiver evidências sobre a direção certa.

Os planos de negócio são documentos mais refinados e em geral mais estáticos. Redija-os apenas quando tiver evidências claras e estiver próximo da fase de execução.

Os estudos de mercado costumam ser dispendiosos e lentos. Não são ferramenta de busca ideal por não permitirem que você se adapte às circunstâncias rapidamente. Eles fazem mais sentido no contexto de mudanças graduais para uma proposta de valor.

Um estudo piloto é muitas vezes a forma padrão de testar uma ideia dentro de uma organização. No entanto, deveriam ser levados a efeito com ferramentas mais baratas e mais rápidas, uma vez que a maioria dos pilotos se baseia em propostas de valor relativamente refinadas que envolvem tempo e custos consideráveis.

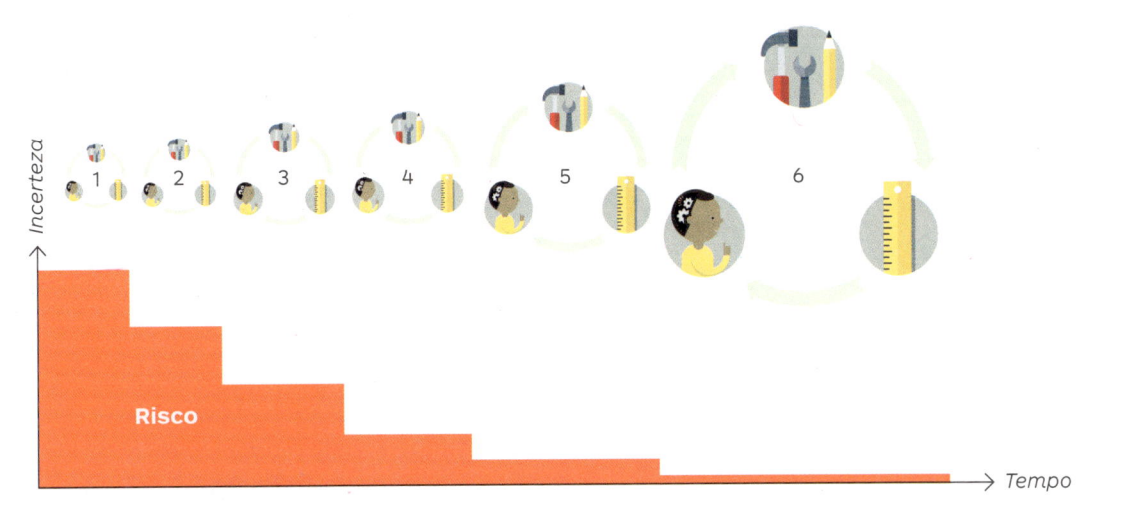

Seis ciclos repetitivos rápidos fundamentados em experimentos curtos produzem mais aprendizagem do que três ciclos repetitivos demorados, baseados em experimentos mais longos. A abordagem mais acelerada produzirá conhecimento com maior rapidez, assim reduzindo o risco e a incerteza de forma mais expressiva do que a outra abordagem.

Quanto mais rápido você repete, mais você aprende e mais rápido alcança o sucesso.

Não perca tempo!

Imagine-se levando uma semana, um mês ou mais refinando e aperfeiçoando sua ideia? Imagine levar todo esse tempo, pensando profundamente sobre o que teria de fazer para produzir dados de crescimento espetaculares e dar-se conta de que seus clientes e parceiros, na verdade, não se importam.

Cinco Armadilhas de Dados a Evitar

Evite o fracasso pensando criticamente sobre suas ideias. Os experimentos produzem evidências valiosas para reduzir o risco e a incerteza, mas são incapazes de prever o sucesso no futuro com 100% de precisão. Ou você pode ainda simplesmente tirar conclusões erradas dos dados. Evite as cinco armadilhas seguintes para testar suas ideias com êxito.

A Armadilha do Falso Positivo

Risco: Enxergar coisas que não existem.

Ocorre: Quando os dados sob teste o levam erradamente a concluir, por exemplo, que seu cliente tem uma dor, quando, de fato, isso não é verdade.

Dicas:

- Teste o "círculo" antes de testar o "quadrado". Compreenda o que é relevante para os clientes para evitar ser confundido por sinais positivos em relação a propostas de valor irrelevantes.
- Conceba experimentos diferentes para a mesma hipótese antes de tomar decisões importantes.

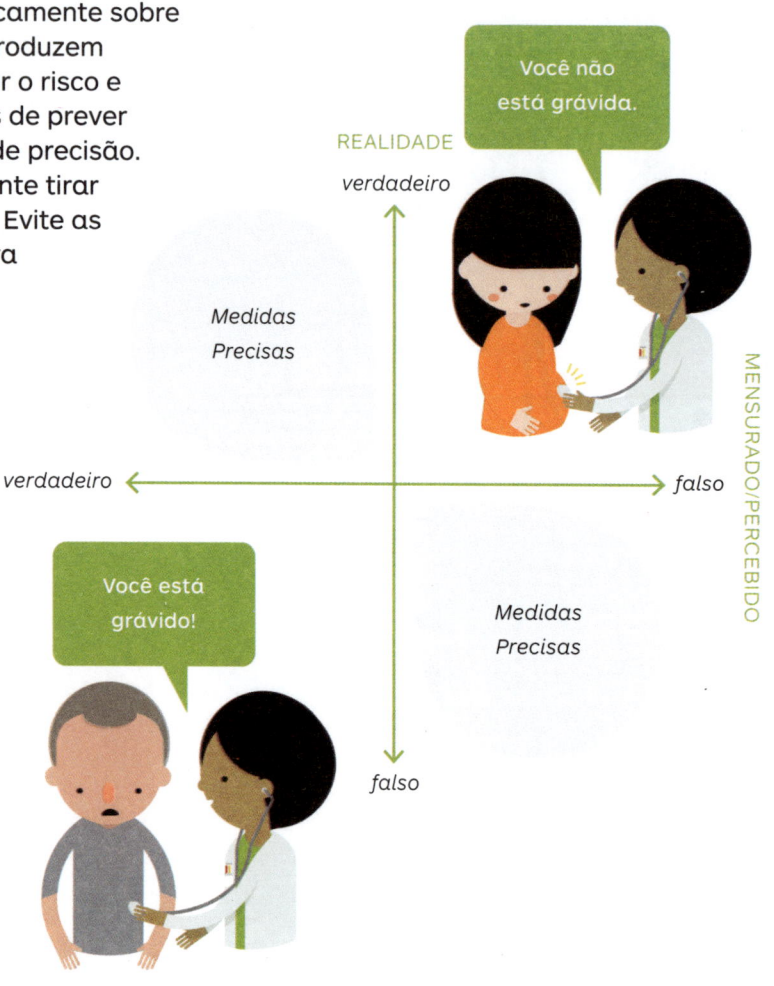

REALIDADE
verdadeiro

Medidas Precisas

Você não está grávida.

verdadeiro ← → falso

Você está grávido!

Medidas Precisas

falso

MENSURADO/PERCEBIDO

A Armadilha do Falso Negativo

Risco: Não enxergar coisas que de fato existem.

Ocorre: Quando o experimento não detecta, por exemplo, uma tarefa do cliente que deveria ser trazida à tona.

Dicas:

Assegure-se de que seu teste é adequado. O Dropbox, serviço de hospedagem de arquivos, testou inicialmente o interesse do cliente com o Adwords do Google. Eles invalidaram suas hipóteses, porque os anúncios não vingaram. Entretanto, as pessoas não fizeram buscas porque era um mercado novo e não por falta de interesse.

A Armadilha do "Ponto Máximo"

Risco: Perder a noção do verdadeiro potencial.
Ocorre: Quando você conduz experimentos que apontam para um ponto máximo, ignorando uma oportunidade melhor. Por exemplo, um feedback de teste positivo pode deixá-lo imobilizado com um modelo muito menos lucrativo quando existe outro bem mais vantajoso.

Dica:
Concentre-se na aprendizagem e não na otimização. Não hesite em retroceder para conceber alternativas melhores se os dados do teste forem positivos, mas pelos números eles deveriam ser melhores (p.ex. mercado maior, mais receitas, maior lucratividade etc.).

A Armadilha do "Máximo Esgotado"

Risco: Subavaliar limitações (p.ex. de um mercado).
Ocorre: Quando você pensa que uma oportunidade é maior do que é na realidade. Por exemplo, quando você pensa que está testando com uma amostra de uma população maior, quando, na verdade, a amostra é a população como um todo.
Dica:
Conceba testes que comprovem o potencial além dos sujeitos envolvidos diretamente no teste.

A Armadilha dos Dados Errados

Risco: Procurar no lugar errado.
Ocorre: Quando você abandona uma oportunidade porque está considerando os dados errados. Por exemplo, quando desiste de uma ideia porque os clientes envolvidos no teste não estão interessados e você não se dá conta de que há pessoas interessadas.
Dica:
Volte a criar novas alternativas antes de desistir.

Cartão de Teste

Strategyzer

Nome do teste

Deadline

Designado a

Duração

1ª ETAPA: HIPÓTESE

Acreditamos que

Fundamental:

2ª ETAPA: TESTE

Para verificá-lo, vamos

Custo do Teste:

Confiabilidade dos Dados:

3ª ETAPA: MÉTRICA

E mensurar

Tempo Necessário:

4ª ETAPA: CRITÉRIOS

Estaremos certos se

Copyright Business Model Foundry AG

Os criadores do Business Model Generation e do Strategyzer

Faça o download do Cartão de Teste.

Cartão de Aprendizado

Strategyzer

Nome do insight

Data do Aprendizado

Pessoa responsável

1ª ETAPA: HIPÓTESE
Acreditamos que

2ª ETAPA: OBSERVAÇÃO
Observamos

Confiabilidade dos Dados: 👍 👍 👍

3ª ETAPA: APRENDIZADOS E INSIGHTS
Com base nisso concluímos que

Ação Necessária: ☑ ☑ ☑

4ª ETAPA: DECISÕES E AÇÕES
Portanto, vamos

Copyright Business Model Foundry AG

Os criadores do *Business Model Generation* e do *Strategyzer*

Faça o download do Cartão de Aprendizado.

3.3
Biblioteca de Experimentos

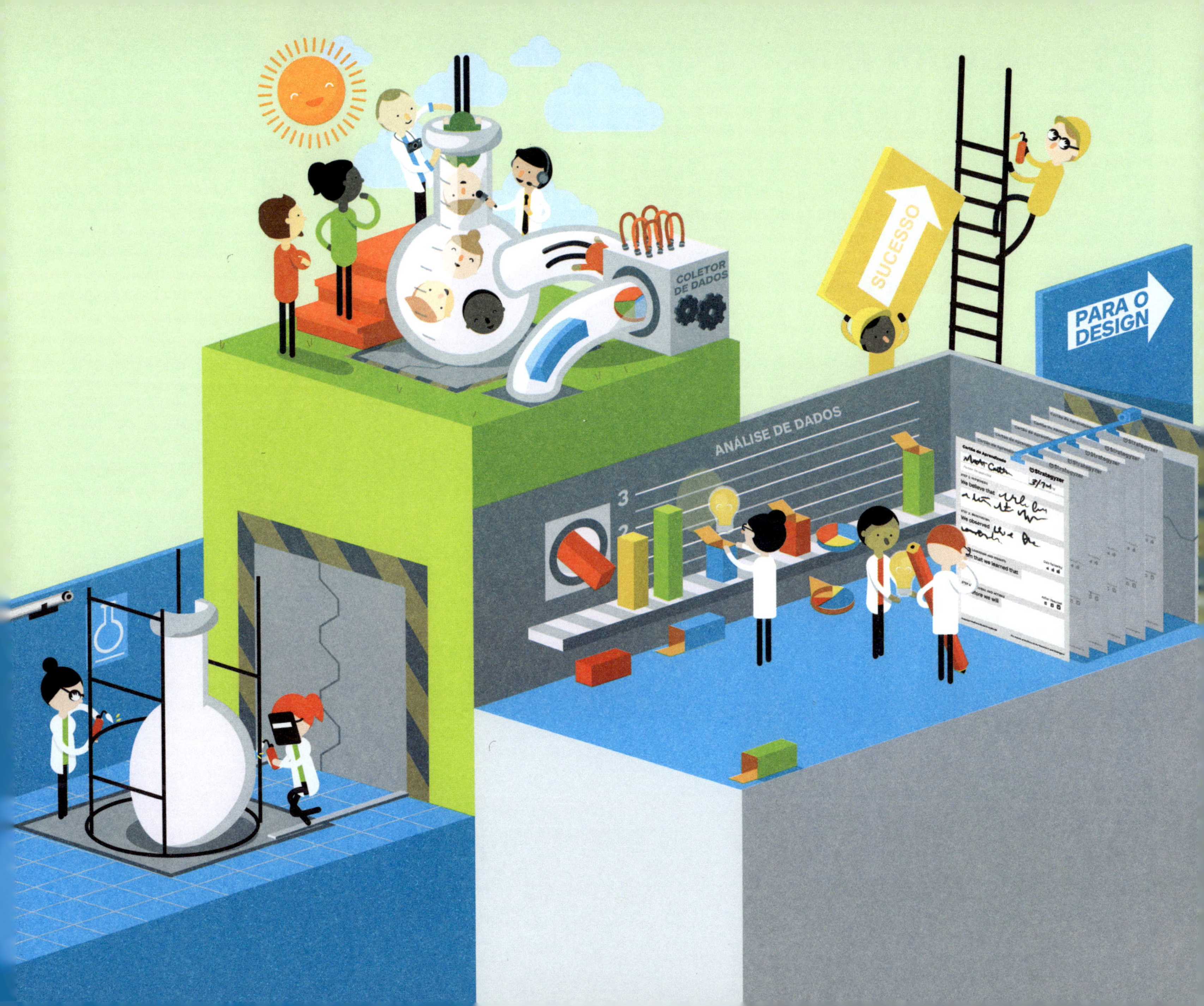
COLETOR DE DADOS
SUCESSO
PARA O DESIGN
ANÁLISE DE DADOS

Escolha um Mix de Experimentos

Todo experimento tem pontos fortes e pontos fracos. Alguns são rápidos e baratos, porém produzem evidências menos confiáveis. Outros produzem evidências mais confiáveis, mas exigem mais tempo e dinheiro na execução.

Ao conceber seu mix de experimentos, considere custos, confiabilidade dos dados e o tempo necessário. Como regra prática, comece pelo barato quando a incerteza é grande e aumente os gastos com os experimentos, à medida que a certeza for aumentando.

DE·FI·NI·ÇÃO
Experimento
Procedimento para validar ou invalidar uma hipótese de proposta de valor ou modelo de negócios, produzindo evidência.

Escolha uma série de testes, consultando a biblioteca de experimentos ou usando a imaginação para inventar novos experimentos. Lembre-se de duas coisas ao compor o seu mix:

O que os clientes afirmam e o que fazem são duas coisas diferentes
Use experimentos que fornecem evidências verbais dos clientes como ponto de partida. Faça que os clientes desempenhem ações e se envolvam nelas (p.ex. interagir com um protótipo) para produzir evidências mais fortes, baseadas naquilo que fazem e não no que dizem.

Os clientes se comportam de forma diferente quando você está presente e quando não está
Durante um contato pessoal direto com clientes, você tem como saber por que fazem ou dizem alguma coisa e obter deles informações sobre como melhorar sua proposta de valor. Entretanto, sua presença pode levá-los a se comportar de forma diferente da que seria na sua ausência.
    Já numa observação indireta dos clientes (pela internet, por exemplo), você está mais próximo de uma situação real, do dia a dia, que não é influenciada pela sua interação com eles. Você pode recolher dados numéricos e rastrear a quantidade de clientes que procedeu a uma ação induzida por você.

Dica:

Use estas técnicas para verificar se os clientes realmente fazem aquilo que dizem. Produza evidências de que as tarefas, dores e ganhos que mencionam são reais e que estão seriamente interessados em seus produtos e serviços.

CONTATO DIRETO com os clientes
Saber por que e como melhorar

OBSERVAÇÃO INDIRETA de clientes
Saiba quantos e quanto custa

O QUE OS CLIENTES FAZEM — *Observe seus comportamentos*

Estudos de laboratório
- Protótipo de aprendizagem / PVM ➔ p. 222
- Protótipos em tamanho real ➔ p. 226
- O Mágico de Oz ➔ p. 223

O antropólogo ➔ p. 114
para estudos de campo

Ações de venda
- Vendas simuladas ➔ p. 236
- Pré-venda ➔ p. 237
- Crowdfunding ➔ p. 237

Ações de rastreamento
- Rastreamento por anúncio ou link ➔ p. 220
- *Landing page* ➔ p. 228
- Teste de divisão (A/B) ➔ p. 230

O QUE OS CLIENTES DIZEM — *Observe suas atitudes*

Design de participação e avaliação
- Ilustrações, storyboards e cenários ➔ p. 224
- Lancha ➔ p. 233
- Caixa do Produto ➔ p. 234
- Compre uma Característica ➔ p. 235

O jornalista ➔ p. 110
para entrevistas

O detetive ➔ p. 108
para análise de dados

Dica:

Use estas técnicas para compreender como os clientes interagem com seus protótipos. Os investimentos costumam ser altos, mas produzem feedback concreto e produtivo.

Dica:

Use estas técnicas nos estágios iniciais do processo de design, uma vez que o investimento é baixo e produzem insights rápidos.

Inspirado no trabalho sobre experiência do usuário de Christian Rohner (NN).

Produza Evidências com uma Call-to-Action

Use experimentos para testar se os clientes estão interessados, quais são suas preferências e se estão dispostos a pagar pelo que você tem a oferecer. Faça com que eles participem de uma call-to-action tanto quanto possível, de modo a envolvê-los e produzir evidências do que funciona e do que não funciona.

Quanto mais um cliente (no caso, o sujeito do experimento) tem de investir para atender a uma call-to-action, mais fortes as evidências de que está de fato interessado. Clicar em um botão, responder a uma pesquisa, fornecer um e-mail pessoal ou fazer uma pré-aquisição são diferentes níveis de investimento. Escolha seus experimentos adequadamente.

As calls-to-action com um nível baixo de investimento são apropriadas no início do *Value Proposition Design*. Aquelas que exigem um maior investimento ganham mais sentido conforme o processo avança.

DE·FI·NI·ÇÃO
Call-to-action (CTA)
Estimula o sujeito a empreender uma ação; é utilizada num experimento para testar uma ou mais hipóteses.

Use experimentos para testar...

... interesse e relevância

Comprove que os clientes e as parcerias em potencial estão realmente interessados e que suas ideias são suficientemente relevantes para eles, no sentido de fazê-los desempenharem ações que vão além de mera retórica (p.ex. assinatura de e-mail, reuniões com tomadores de decisão e responsáveis por orçamento, cartas de intenção e outros).

... prioridades e preferências

Mostre as tarefas, dores e ganhos mais valorizados por seus clientes e parceiros em potencial e aqueles que eles menos valorizam. Ofereça evidências indicativas das características de sua proposta de valor que eles preferem. Comprove o que realmente importa para eles e o que não importa.

... a disposição para pagar

Forneça evidências de que os clientes em potencial estão suficientemente interessados nas características de sua proposta de valor para pagar por ela. Exponha fatos indicativos de que eles pagarão o que dizem.

Rastreamento de Anúncios

Use o rastreamento de anúncios para explorar o potencial do cliente em termos de tarefas, dores, ganhos e interesse – ou a falta dele – por uma nova proposta de valor. O rastreamento de anúncios é uma conhecida técnica utilizada por anunciantes para medir a eficácia dos gastos com anúncios. Você pode usar a mesma técnica para explorar o interesse do cliente mesmo antes que uma proposta de valor exista.

Teste o interesse dos clientes com os Adwords do Google

Usamos o Adwords do Google para ilustrar esta técnica, por ser particularmente própria para teste, com base em seu uso para buscar termos para propaganda (outros serviços como o LinkedIn ou o Facebook também funcionam bem).

1. **Selecione termos de busca**
   Selecione os termos de busca que melhor representam o que você deseja testar, por exemplo, a existência de uma tarefa, dor, ganho ou um interesse do cliente por uma proposta de valor?
2. **Conceba seu anúncio/teste**
   Elabore o texto do anúncio com um título, um link para uma *Landing page* e anuncie. Garanta que ele é representativo daquilo que você quer testar.
3. **Lance a campanha**
   Defina um orçamento para sua campanha de teste por anúncio e lance-a. Pague apenas pelos cliques no seu anúncio, o que representa interesse.
4. **Contabilize os cliques**
   Saiba quantas pessoas clicam no seu anúncio. Nenhum clique indica falta de interesse.

Onde aplicar?

No caso de um teste inicial para conhecer a existência de tarefas, dores, ganhos e interesse do cliente em relação a determinada proposta de valor.

Rastreamento do Link Exclusivo

Configure o rastreamento de link exclusivo para verificar o interesse de um potencial cliente ou parceiro para além do que dizem em reuniões, entrevistas ou telefonemas. É uma forma extremamente simples de medir o verdadeiro interesse das pessoas.

Onde aplicar?

Funciona em qualquer lugar, mas é especialmente interessante no caso de indústrias em que é difícil a elaboração de PVMs, como com máquinas industriais, equipamentos médicos etc.

1
"Fabrique" o link exclusivo
Crie um link exclusivo para informações mais detalhadas sobre suas ideias (p.ex. um download, uma *landing page* etc.) com um serviço como o Google.

2
"Lance a isca" e rastreie
Explique sua ideia para um cliente ou parceiro em potencial. Durante ou após a reunião, passe para ele (via e-mail) o link único, mencionando que dá acesso a informações mais detalhadas.

3
Saiba qual é o interesse genuíno
Rastreie para verificar se usaram o link ou não. Se não, isto pode ser um indicador de desinteresse ou de tarefas, dores e ganhos mais importantes do que aqueles contemplados pela sua ideia.

Catálogo de PVM

PVM significa Produto Viável Mínimo, conceito popularizado pelo movimento da *startup* enxuta para testar, de modo eficiente, o interesse em um produto antes de construí-lo por inteiro. Em vez de cunhar um novo termo, mantemos este, já estabelecido, e o adaptamos ao teste das propostas de valor.

Seja "real" com a representação de uma Proposta de Valor

Use as seguintes técnicas para fazer que suas propostas de valor pareçam reais e concretas antes de implementar qualquer coisa, ao testá-las com clientes e parceiros em potencial...

O que é um Produto Viável Mínimo neste livro?

Uma representação ou protótipo de uma proposta de valor concebida especificamente para testar a validade de uma ou mais hipóteses/premissas.

A meta é fazê-lo o mais rápido, barato e eficiente possível. Os PVMs são usados principalmente para explorar o interesse de potenciais clientes e parceiros.

Dica:

Comece de forma barata, mesmo em grandes empresas, com orçamentos polpudos. Por exemplo, use seu smartphone para fazer e testar reações a um vídeo antes de chegar com uma equipe de filmagem para "profissionalizar" os vídeos e ampliar o teste.

Folha de dados
São especificações da proposta de valor que você imaginou.
Requisitos: processador de texto.

Folheto
"Boneco" do folheto da proposta de valor que você imaginou.
Requisitos: processador de texto e habilidades de design.

Storyboard
Ilustração de um cenário do cliente, exibindo a proposta de valor que você imaginou.
Requisitos: desenhista.

Aprenda com PMVs Funcionais

Use protótipos concebidos especificamente para aprender via experimentos com clientes e parcerias em potencial.

Landing Page
Um site descrevendo a proposta de valor que você imaginou (muitas vezes com uma call-to-action).
Requisitos: web designer.

Caixa do Produto
Faça o protótipo da embalagem da proposta de valor que você imaginou.
Requisitos: designer de embalagens e implementação do protótipo.

Vídeo
Exposição, sob forma de vídeo, da proposta de valor imaginada por você ou explicando como funciona.
Requisitos: equipe de vídeo.

Protótipo de Aprendizagem
Protótipo ativo de sua proposta de valor com um conjunto mínimo de características necessário à aprendizagem.
Requisitos: desenvolvimento de produto.

O Mágico de Oz
Monte um cenário que pareça com a proposta de valor em pleno funcionamento e execute manualmente as tarefas que, no produto ou serviço, seriam normalmente automatizadas.
Requisitos: coloque as mãos na massa.

Ilustrações, Storyboards e Cenários

Compartilhe ilustrações, storyboards e cenários relacionados a suas ideias de proposta de valor com os clientes em potencial para saber o que, de fato, interessa a eles. São tipos de ilustrações produzidas rapidamente, com custo baixo e que concretizam a proposta de valor mais complexa.

Dicas:

- Em um contexto B2B, pense em propostas de valor para cada segmento de cliente importante, tais como usuários, responsáveis pelo orçamento, tomadores de decisão etc.
- No caso de uma organização estabelecida, garanta a inclusão do pessoal de atendimento ao cliente no processo, particularmente para obter adesão e obter acesso aos clientes para apresentar as ilustrações.
- Complemente as ilustrações com fichas técnicas, folhetos ou vídeos simulados para tornar suas ideias ainda mais concretas.
- Conduza testes A/B com cenários ligeiramente diferentes a fim de captar as variações que conseguem mais força.
- Em geral, 4 a 5 reuniões por segmento de cliente bastam para gerar feedback significativo.
- Alavanque o relacionamento com o cliente e repita o processo mais tarde com protótipos mais sofisticados.

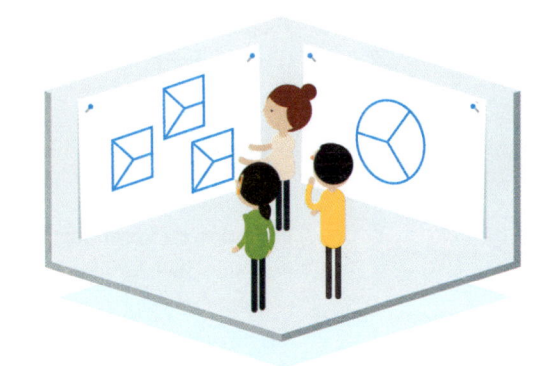

Processo adaptado de Christian Doll, bicdo.de.

1
Faça protótipos alternativos para as propostas de valor

Apresente vários protótipos alternativos para o mesmo segmento de cliente. Apele para a diversidade (p.ex. 8 a 12 propostas de valor radicalmente diferentes) e para variações (p.ex. alternativas ligeiramente diferentes).

2
Defina cenários

Esboce cenários e storyboards, descrevendo como o cliente vai vivenciar cada proposta de valor na prática.

3
Crie visuais convincentes

Recorra a um ilustrador para dar forma final a seus esboços, atribuindo a eles um visual convincente, que torne a experiência do cliente clara e tangível. Use ilustrações isoladas para cada proposta de valor ou storyboards completos.

Perguntas aos Clientes:

Que propostas de valor realmente criam valor para você?

Quais delas deveriam ser mantidas e levadas adiante e quais deveríamos descartar?

Aprofunde cada proposta de valor, atente para as tarefas, dores e ganhos e pergunte:

- O que está faltando?
- O que deveria ser posto de lado?
- O que deveria ser acrescentado?
- O que deveria ser reduzido?
- Pergunte sempre por que para obter feedback de qualidade.

4
Teste com os Clientes
Reúna-se com os clientes e apresente as diferentes ilustrações, cenários e storyboards para iniciar a discussão, provocar reações e saber o que é relevante para eles. Faça que os clientes hierarquizem as propostas de valor, da mais valiosa à menos útil.

5
Avalie e Adapte
Use os insights de suas reuniões com os clientes. Escolha as propostas de valor que vai continuar explorando, as que vai descartar e as que vai adaptar.

Experimentos em Tamanho Real

Faça que seus clientes interajam com protótipos em tamanho real e réplicas práticas de experiências com serviços. Mantenha-se fiel aos princípios da prototipagem curta, rápida e barata para obter insights do cliente apesar do contexto sofisticado. Acrescente uma call-to-action para comprovar o interesse.

Carros-conceito e Protótipos em Tamanho Real

São carros feitos para expor novos designs e tecnologias. Têm por objetivo obter reações dos clientes, em vez de partir diretamente para a produção em massa/série.

A Lit Motors usou os princípios da *startup* enxuta para construir o protótipo e testar com os clientes um veículo elétrico de duas rodas, giroscopicamente estabilizado. Considerando que esse tipo de veículo representa um conceito inteiramente novo, foi fundamental para a Lit Motors compreender a percepção e a aceitação do cliente desde os primeiros momentos.

Além disso, eles acrescentaram uma call-to-action para comprovar o interesse do cliente, além das interações iniciais com o protótipo. Os clientes podem fazer uma pré-reserva do veículo com um depósito variando entre $ 250 e $ 10 mil dólares. Os valores são depositados numa conta especial até que os veículos estejam prontos, com os depósitos mais altos movendo os clientes para a primeira posição da lista de espera.

Protótipos de Espaços

São espaços para cocriar experiências com produtos e serviços junto aos clientes ou observar seu comportamento, com a finalidade de obter insights novos. Convide clientes em potencial para criar sua própria experiência perfeita. Inclua especialistas da indústria para ajudar a construir e testar conceitos e ideias novas.

  A cadeia de hotéis Marriott construiu um espaço de prototipagem nos porões de sua sede chamado "Subterrâneo". Hóspedes e especialistas são convidados a criar a experiência do hotel do futuro, cocriando quartos de hotel e outros espaços. Os hóspedes são chamados a acrescentar móveis, tomadas elétricas, dispositivos eletrônicos e outros itens às réplicas de quartos, que podem ser facilmente reconfiguradas.

Dicas:

- Certifique-se de validar os protótipos em tamanho real e as experiências com serviços com uma call-to-action. Os clientes sempre estarão tentados a criar a experiência perfeita no contexto de protótipo, embora possam não estar dispostos a pagar por ela na prática.
- Use métodos de comprovação mais rápidos e mais baratos antes de recorrer a protótipos em tamanho real e réplicas das experiências com serviços.
- Não deixe que os custos com esse tipo de prototipagem saiam fora de controle. Mantenha-se firme quanto aos princípios da prototipagem curta, rápida e barata, à medida que oferece uma experiência semelhante à vida real para testar os sujeitos.

Landing Page

A *landing page* do PVM típica é uma única página da web ou um simples site que descreve uma proposta de valor ou alguns aspectos dela. O visitante do site é convidado a responder a uma call-to-action que permite ao testador comprovar uma ou mais hipóteses. O principal instrumento de aprendizagem de uma *landing page* PVM é a taxa de conversão entre o número de pessoas que visitam o site e os visitantes que respondem à call-to-action (p.ex. fornecimento de e-mail, venda simulada etc.).

> "A meta de uma *landing page* PVM é comprovar uma ou mais hipóteses, e não recolher e-mails ou vender, que são subprodutos interessantes do experimento."

Quando?

Em testagens iniciais para saber se as tarefas, dores e ganhos que você pretende tratar ou sua proposta de valor são suficientemente importantes para seu cliente para que ele responda com uma ação.

Variações

Combine com o teste de divisão (A/B) para investigar preferências ou alternativas que funcionam melhor do que outras. Meça a atividade de cliques com os chamados "mapas de calor" para saber onde os visitantes clicam na sua página.

Use seu Mapa de Valor para criar o título e o texto que descreve sua proposta de valor na *landing page*.

Conceba sua *landing page*, fluxo e call-to-action com base em suas metas de aprendizagem.

Fluxo

Crie fluxo para sua *landing page* de PVM com anúncios, rede social ou os seus canais já estabelecidos. Certifique-se de que está visando os clientes-alvo que deseja conhecer e não apenas qualquer pessoa.

Título

Crie um título que sensibilize seus clientes em potencial e que apresente a proposta de valor.

Proposta de Valor

Use as técnicas descritas anteriormente para tornar sua proposta de valor clara e concreta para os clientes em potencial.

Call-to-action

Faça com que os visitantes do site respondam com uma ação que informe alguma coisa a você, p.ex. fornecimento de e-mail, levantamentos, compra simulada, pré-aquisição etc. Limite suas calls-to-action para otimizar a aprendizagem.

Alcance

Busque as pessoas que responderam à call-to-action e investigue a razão de sua motivação para reagir na ação. Saiba sobre suas tarefas, dores e ganhos. É evidente que isso requer a coleta de informações durante a call-to-action.

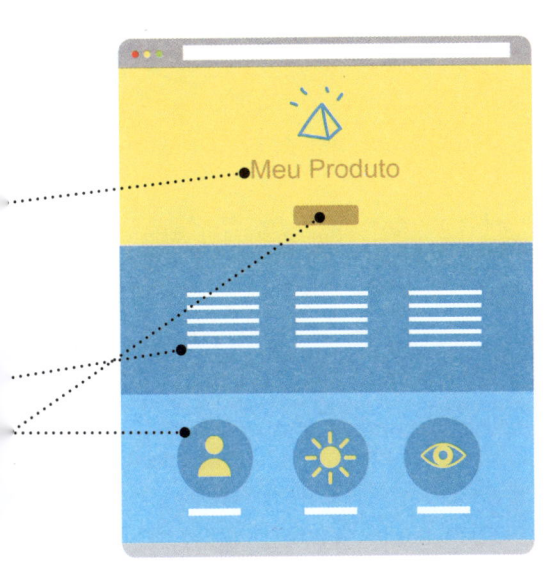

Dicas:

- Considere a construção de uma *landing page* de PVM que transmita a ilusão de que há uma proposta de valor mesmo se ela ainda não existir. Os insights que você obtiver de uma call-to-action mais próxima da realidade (p.ex. vendas simuladas) produzirão evidências mais realistas do que, por exemplo, o fornecimento de e-mail para uma proposta de valor planejada ou uma pré-aquisição dela.
- Seja transparente com os sujeitos do teste após concluir um experimento, se você, por exemplo, "fingir" a existência de uma proposta de valor. Considere oferecer a eles uma recompensa pela participação no experimento.
- Uma *landing page* de PVM pode ser lançada como uma página da web isolada ou dentro de um site já existente.

Público total visado

Qual a porcentagem de pessoas que se interessou o suficiente para visitar sua página?

Visitantes do site

Qual a porcentagem de pessoas que se interessou por empreender a ação?

Visitantes que empreenderam a ação

Qual a porcentagem de pessoas que se dispuseram a investir tempo falando com você?

Visitantes desejosos de falar com você

Teste de Divisão

O teste de divisão, também conhecido como teste A/B, é uma técnica para comparar o desempenho entre duas ou mais opções. Neste livro, aplicamos a técnica para comparar o desempenho de propostas de valor alternativas ou para aprender mais sobre tarefas, dores e ganhos.

Controle — 8%

Direcione a mesma quantidade de pessoas para as diferentes opções que você deseja testar.

Compare o desempenho de cada opção em relação à sua call-to-action.

Desafio — 20%

Conduzindo testes de divisão

A forma mais comum de teste de divisão é o teste de duas ou mais variações de uma página da web ou uma *landing page* intencionalmente construída (p.ex. as variações podem ter ajustes de design ou descrever propostas de valor ligeira ou inteiramente diferentes). A técnica foi popularizada por empresas como o Google, o LinkedIn ou a campanha de Obama em 2008. O teste de divisão também pode ser conduzido no plano físico. O principal instrumento de aprendizagem é comparar se as taxas de conversão em relação à call-to-action diferem entre alternativas concorrentes.

O que testar?

Aqui estão alguns elementos que você pode facilmente testar com o teste A/B:
- características alternativas;
- precificação;
- descontos;
- texto de Cópia?;
- embalagem;
- variações no site;
- ...

Call-to-action

Quantos dos sujeitos do teste empreenderam a ação?
- Aquisição.
- Fornecimento de e-mail.
- Clique na tecla.
- Levantamento.
- Realização de qualquer outra tarefa.

Teste A/B do título deste livro

Para este livro executamos vários testes de divisão. Por exemplo, redirecionamos o fluxo do businessmodelgeneration.com para testar três títulos de livro diferentes. Testamos os títulos com mais de 120 mil pessoas por um período de 5 semanas.

Foram várias, as calls-to-action. A primeira delas era simplesmente clicar o botão "Saiba mais". Em seguida, as pessoas podiam se inscrever com seu e-mail para o lançamento do livro. Finalmente, numa última call-to-action, pedimos a eles que preenchessem um levantamento para saber mais sobre suas tarefas, dores e ganhos. Como uma pequena recompensa, exibimos para as pessoas um vídeo, explicando o Canvas da Proposta de Valor.

Dicas:

- Teste uma variação isolada na opção "desafio" se quiser identificar claramente o que leva a um melhor desempenho.
- Use o chamado teste multivariado para testar diversos elementos combinados a fim de descobrir a combinação que causa o maior impacto.
- Use os Adwords do Google ou outras opções para atrair sujeitos para o teste.
- Assegure-se de alcançar uma significância estatística de >95%.
- Use ferramentas como o Google Website Optimizer, o Optimizely ou outros para conduzir facilmente testes A/B [de divisão].

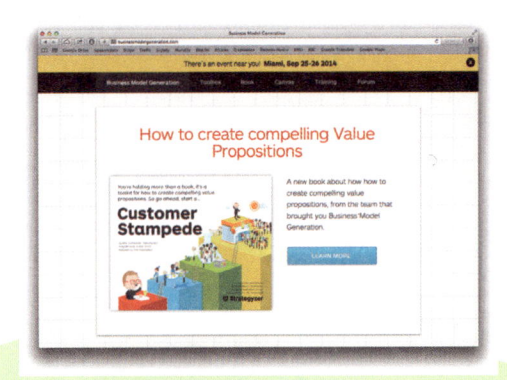

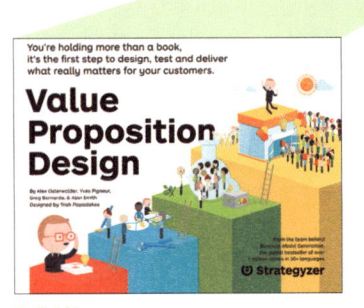

Taxa de conversão: 8.51%   6.62%   8.21%

Innovation Games®

O Innovation Games é uma metodologia popularizada por Luke Hohmann para ajudá-lo a conceber propostas de valor melhores, usando jogos colaborativos com seus (potenciais) clientes. Eles podem ser jogados online ou em pessoa. Apresentamos aqui três deles.

Os três Innovation Games* aqui apresentados podem ser usados de várias maneiras. Descrevemos adiante três tarefas específicas nas quais eles podem nos ajudar no caso do Canvas das Propostas de Valor e as hipóteses a ele referentes.

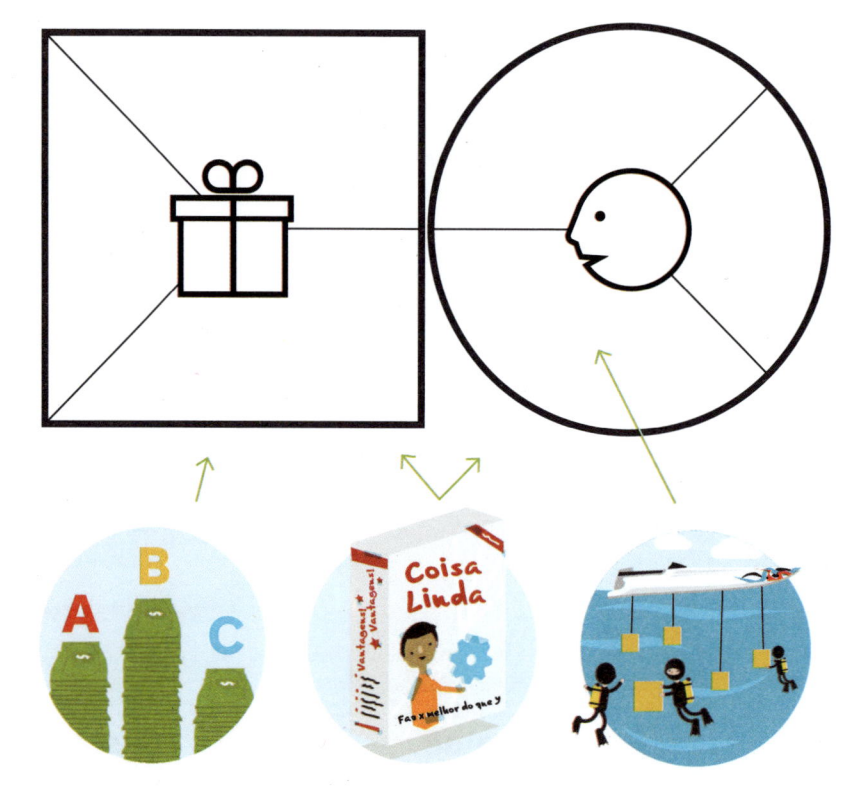

Compre uma Característica
Tarefa: Priorize o que o cliente mais deseja.

A Caixa do Produto
Tarefa: Compreender as tarefas, dores e ganhos de seus clientes e as propostas de valor que eles gostariam.

Lancha
Tarefa: Identificar as dores mais agudas que impedem os clientes de cumprirem suas tarefas a realizar.

*Innovation Games (2006), de Hohmann.

A Lancha

Trata-se de um jogo simples, porém poderoso, destinado a ajudá-lo a verificar sua compreensão sobre as dores dos clientes. Faça que os clientes exponham os problemas, obstáculos e riscos que os estão impedindo de desempenhar suas tarefas-a-fazer com êxito, recorrendo à analogia de uma lancha presa por âncoras.

1
Preparativos
Prepare um grande pôster, com a imagem de um barco flutuando no mar.

2
Identifique as dores
Convide os clientes a identificar os problemas, os obstáculos e os riscos que os estão impedindo de realizar o trabalho com sucesso. Cada questão deve ser escrita num post-it maior. Peça-lhes para colar o post-it como se fossem âncoras do barco – quanto mais profunda a âncora, mais aguda a dor.

3
Análise
Compare os resultados deste exercício com seu entendimento prévio sobre o que está impedindo os clientes de concluir suas tarefas a realizar.

Dicas:
- Este exercício pode ser usado durante a fase de design para identificar dores dos clientes ou durante o teste para verificar sua compreensão no momento.
- Use um barco à vela com âncoras e velas, caso queira trabalhar com dores e ganhos ao mesmo tempo. As velas permitem que você pergunte "O que faz o barco mais veloz?", além de ter as âncoras simbolizando aquilo que trava as pessoas.

A Caixa do Produto

Neste jogo, você pede aos clientes para conceber a caixa de um produto que representa a proposta de valor que gostariam de comprar de você. Será a forma de saber o que importa para os clientes e as características que mais os mobilizam.

1
Desenhe
Convide os clientes para participar de um workshop. Dê-lhes uma caixa de papelão e peça-lhes para literalmente desenhar uma caixa de produto que comprariam. Na caixa devem constar as mensagens principais de marketing, as características essenciais e os maiores benefícios que eles esperariam de sua proposta de valor.

2
Lance
Peça que os clientes imaginem que estão vendendo seu produto numa feira de negócios. Finja ser um observador cético e faça que o cliente apresente a caixa para você.

3
Capture
Observe e registre as mensagens, as características e os benefícios mencionados na caixa pelos clientes e os aspectos que eles mais enfatizam durante o lançamento. Identifique as tarefas, as dores e os ganhos dos clientes.

Compre uma Característica

Este é um jogo sofisticado para fazer que os clientes hierarquizem uma lista de características pré-definidas (mas ainda não existentes) de uma proposta de valor. Os clientes contam com um orçamento limitado para comprar suas características preferidas, cujo preço é atribuído por você segundo fatores da vida real, na prática.

Características	Preço	$35	$35	$35	Total Necessário	Comprou?
⭐	$35	20	0	10	-5	Não
🌵	$50	5	0	0	-45	Não
⚙️	$70	10	35	25	0	Sim

1
Escolha as características e respectivos preços
Selecione as características em relação às quais deseja testar as preferências do cliente. Atribua um preço a cada uma delas com base no custo de desenvolvimento, no preço de mercado ou outros fatores que sejam relevantes para você.

2
Defina o orçamento
Os participantes compram as características em grupo, mas cada um deles dispõe de um orçamento "pessoal", que pode ser alocado individualmente. Garanta que o orçamento pessoal force os participantes a conjugarem recursos e que o orçamento global os force a fazer escolhas difíceis entre as características que desejam.

3
Os Participantes Compram
Convide os participantes a alocar seus orçamentos, distribuindo-os pelas características que desejam. Instrua-os no sentido de que devem colaborar entre si para conseguir mais características.

4
Analise os Resultados
Analise as características que são mais valorizadas e são compradas e as que não são.

Simulação de Vendas

Uma excelente forma de testar o interesse genuíno de um cliente é realizar uma venda simulada antes mesmo de existir uma proposta de valor. A meta é fazer que seus clientes acreditem que estão realmente fazendo uma aquisição. É fácil fazê-la online, mas também pode ser levada a efeito concretamente.

Online

Teste os diferentes níveis de comprometimento do cliente com estes três experimentos:
Saiba sobre o interesse do cliente, contabilizando quantas pessoas clicam no botão "compre agora".

COMPRE AGORA »

Saiba como a precificação influencia o interesse do cliente. Combine com o teste A/B (cf.p.230) para saber mais sobre a elasticidade da demanda e o ponto ideal de preço (OPP).

COMPRE AGORA ($ 500) »

Consiga dados mais significativos, simulando uma transação com a informação do número do cartão de crédito do cliente. Esta é a evidência mais forte da demanda do cliente (cf. dicas para gerenciar a percepção do cliente).

Informe o número do seu cartão de crédito

COMPRE AGORA ($ 500) »

Ao Vivo e em Cores

As vendas simuladas não se limitam ao mundo virtual. Veja o que os varejistas fazem para testar o interesse do cliente e a precificação no "mundo real".

Apresente produtos que ainda não existem em um número limitado de catálogos (pedidos pelo correio).

Venda um produto em um determinado estabelecimento apenas por um tempo limitado (diferente de um piloto, que normalmente abrange todo um mercado).

Pré-venda

O principal objetivo deste tipo de pré-venda é explorar o interesse do cliente, em vez de vender. Os clientes fazem uma intenção de compra, cientes do fato de que a proposta de valor ainda não existe em sua totalidade. No caso de falta de interesse, a venda é cancelada e o cliente é reembolsado.

Dicas:

Não tema que as vendas simuladas possam frustrar os clientes ou impactar negativamente sua marca. Gerencie eficazmente a percepção do cliente e as vendas simuladas podem se transformar numa vantagem. Recorra a estas ótimas práticas:

- Explique que você estava aplicando um teste depois que o cliente fechar a venda simulada.
- Seja transparente quanto às informações que vai conservar e as que vai descartar.
- Descarte sempre as informações referentes a cartão de crédito numa venda "falsa".
- Ofereça uma recompensa pela participação no teste (p.ex. bombons, descontos etc.)

Você transformará os sujeitos do teste em defensores da marca em vez de negligenciá-los, se gerenciar bem a percepção do cliente.

Atenção

Lembre-se que a pré-venda bem-sucedida é um mero indicador. O Ouya, console de videogame de plataforma Android, arrecadou milhões com o Kickstarter, sendo que, mais tarde, deixou de atrair uma ampla base de clientes ou de conceber um modelo de negócio de escala.

Online

Plataformas como o Kickstarter popularizaram a estratégia da pré-venda. Elas permitem que você anuncie um projeto e, se os clientes gostarem, podem garantir uma quantia. Os projetos só recebem recursos quando alcançam suas metas predefinidas de financiamento. Se você tem condições de montar a infraestrutura necessária, será capaz de criar seu próprio processo de pré-vendas.

Ao vivo e em cores

Sinais, cartas de intenção e assinaturas, mesmo não sendo juridicamente comprometedoras, são técnicas poderosas para testar a disposição para comprar de clientes em potencial. Além disso, também é mais fácil aplicá-las num contexto B2B.

3.4
Tudo ao Mesmo Tempo

COLETOR DE DADOS
ANÁLISE DE DADOS
CARTÃO DE TESTE
HIPÓTESES
#1
#2
#3
#4
#5
#6
#7

O Processo de Teste

Use todas as ferramentas que aprendeu para descrever o que precisa testar e de que forma pretende fazê-lo, de modo a transformar sua ideia em realidade.

O que testar

Com o Canvas da Proposta de Valor e de Modelo de Negócio você delineia como acredita que sua ideia pode vir a ser um sucesso. É um embasamento que lhe permitirá facilmente explicitar as hipóteses que precisam ser verdadeiras para que sua ideia funcione. Comece testando as mais importantes com uma série de experimentos.

Como testar

Com o Cartão de Teste, você descreve de forma exata como verificará suas hipóteses mais importantes e o que pretende medir. Depois de realizar um ou mais experimentos, você usa o Cartão de Aprendizado para capturar seus insights e descrever se precisa saber mais, passar por idas e vindas, pivotar ou seguir em frente para testar as hipóteses relevantes seguintes.

E depois?

Fique de olho no sucesso e certifique-se de que está progredindo. Faça um rastreamento desde sua ideia inicial em direção a um negócio rentável e de escala, verificando os ajustes de problema-solução, de produto-mercado e de modelo de negócio.

1
(re)Formule suas ideias

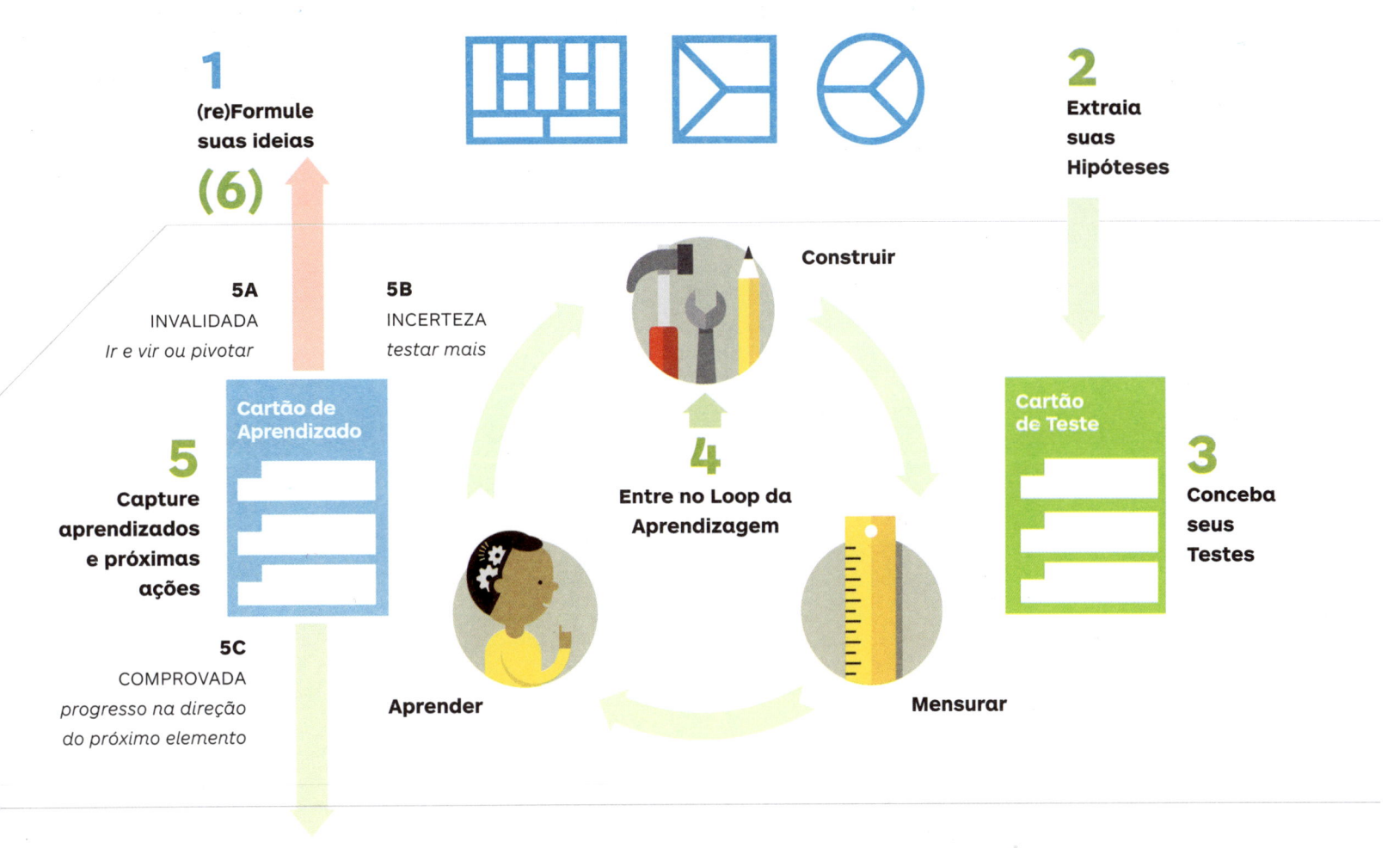

(6)

2
Extraia suas Hipóteses

5A
INVALIDADA
Ir e vir ou pivotar

5B
INCERTEZA
testar mais

Construir

Cartão de Aprendizado

5
Capture aprendizados e próximas ações

4
Entre no Loop da Aprendizagem

Cartão de Teste

3
Conceba seus Testes

5C
COMPROVADA
progresso na direção do próximo elemento

Aprender

Mensurar

6
Medir o Progresso

Pivotar

Descoberta do Cliente — Comprovação do Cliente — Criação do Cliente — Sede da Empresa

Meça seu Progresso

O processo de teste permite a você reduzir continuadamente a incerteza e o aproxima da transformação de sua ideia em um negócio de verdade. Mensure o progresso em direção a essa meta, rastreando as atividades que realizou e os resultados alcançados. Desenvolvemos estas duas páginas, para que você possa compreender se está progredindo com base no Termômetro de Prontidão para o Investimento*, de Steve Blank.

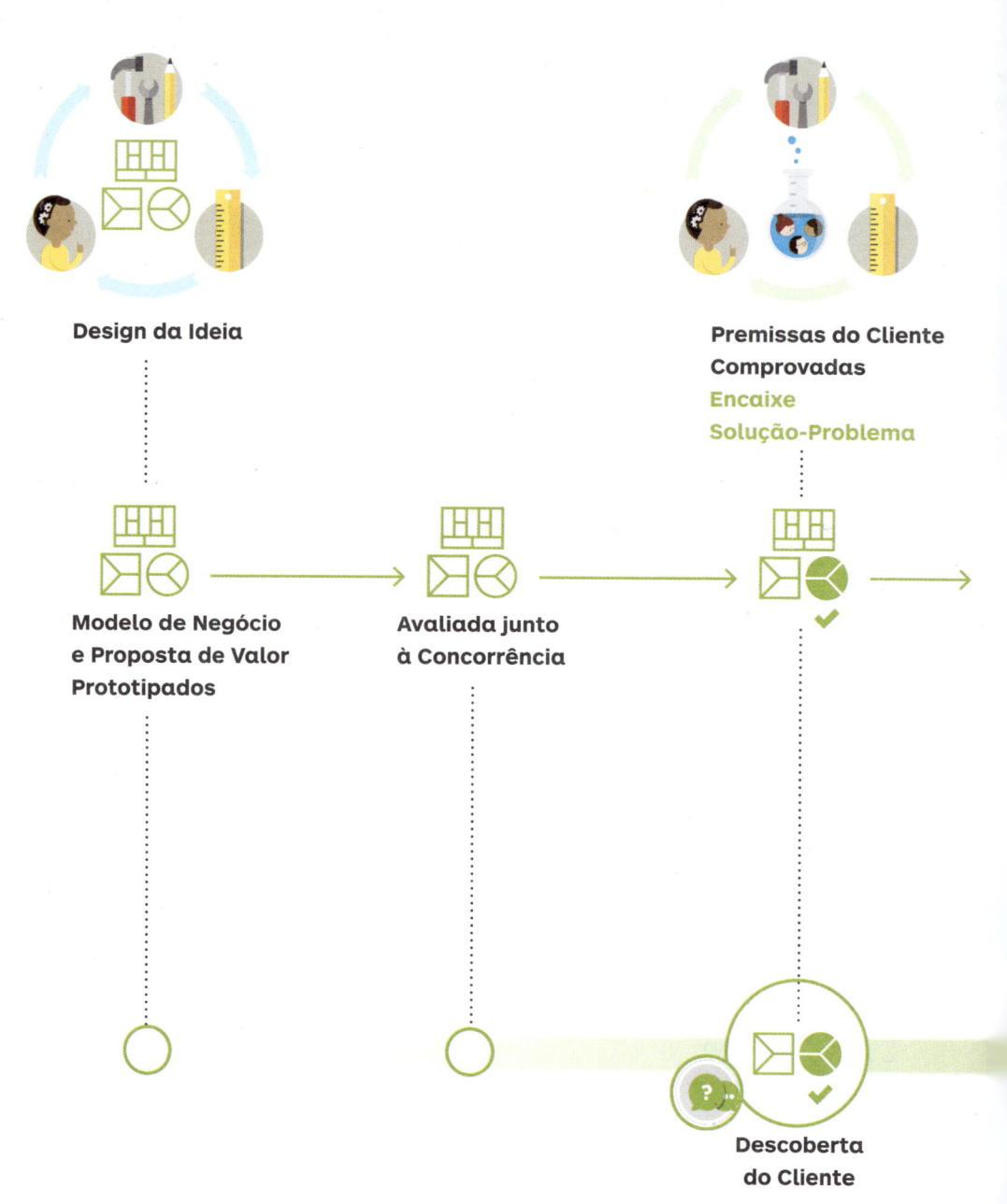

Faça o download dos Indicadores de Progresso.

Design da Ideia

Modelo de Negócio e Proposta de Valor Prototipados

Avaliada junto à Concorrência

Premissas do Cliente Comprovadas
Encaixe
Solução-Problema

Descoberta do Cliente

---

* Investment Readiness Thermometer (2013), de Blank
Disponível em: http://steveblank.com/2013/11/25/its-time-to-play-moneyballthe-investment-readiness-level/.

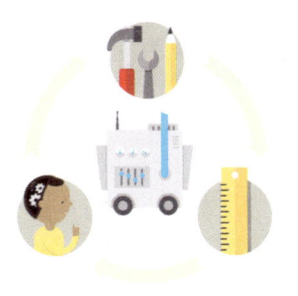

Proposta de Valor Comprovada
Encaixe Produto-Mercado

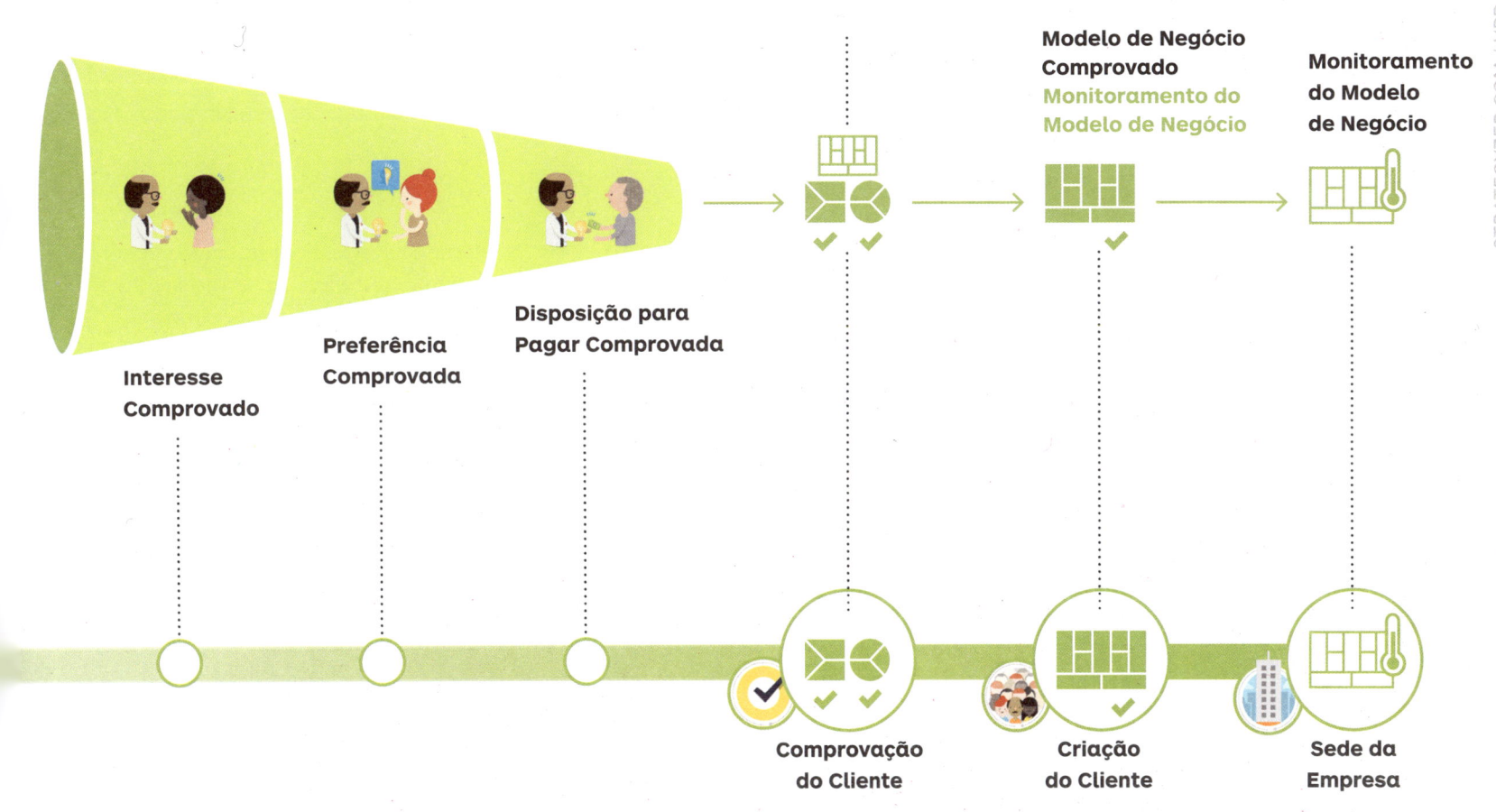

Modelo de Negócio Comprovado
Monitoramento do Modelo de Negócio

Monitoramento do Modelo de Negócio

Interesse Comprovado

Preferência Comprovada

Disposição para Pagar Comprovada

Comprovação do Cliente

Criação do Cliente

Sede da Empresa

O Painel de Progresso

Use o Painel de Progresso para gerenciar e monitorar seus testes e avaliar como está progredindo na direção do sucesso.

Obtenha o pôster do Painel de Progresso.

O que eu já testei?

Use o Canvas da Proposta de Valor e de Modelo de Negócio para rastrear os elementos que já testou, invalidou ou comprovou.

O que estou testando e o que aprendi?

Rastreie os testes que está planejando, construindo, mensurando e digerindo para aprender e para explicitar seus insights e medidas de follow-up.

Quanto progredi?

Mantenha um registro de quanto já progrediu.

1
(re) Formule suas ideias

2
Extraia suas Hipóteses

(6) Volte ao quadro de desenho: para ir e vir ou pivotar seu design.

3
Conceba seus testes

4
Testes

acumule → construa → meça → aprenda → realizado

5
Insights & Ações

5A INVALIDADO

5B SAIBA MAIS

5C COMPROVADO

Avance para a próxima etapa: prossiga, buscando transformar sua ideia em realidade.

6
Meça o Progresso

Owlet: Progresso Constante com Design e Teste Sistemáticos

Monitoramento sem fio de dados referentes a sono, batimentos cardíacos e oxigenação do sangue em bebês.

Modelo de Negócio da Owlet: versão 0

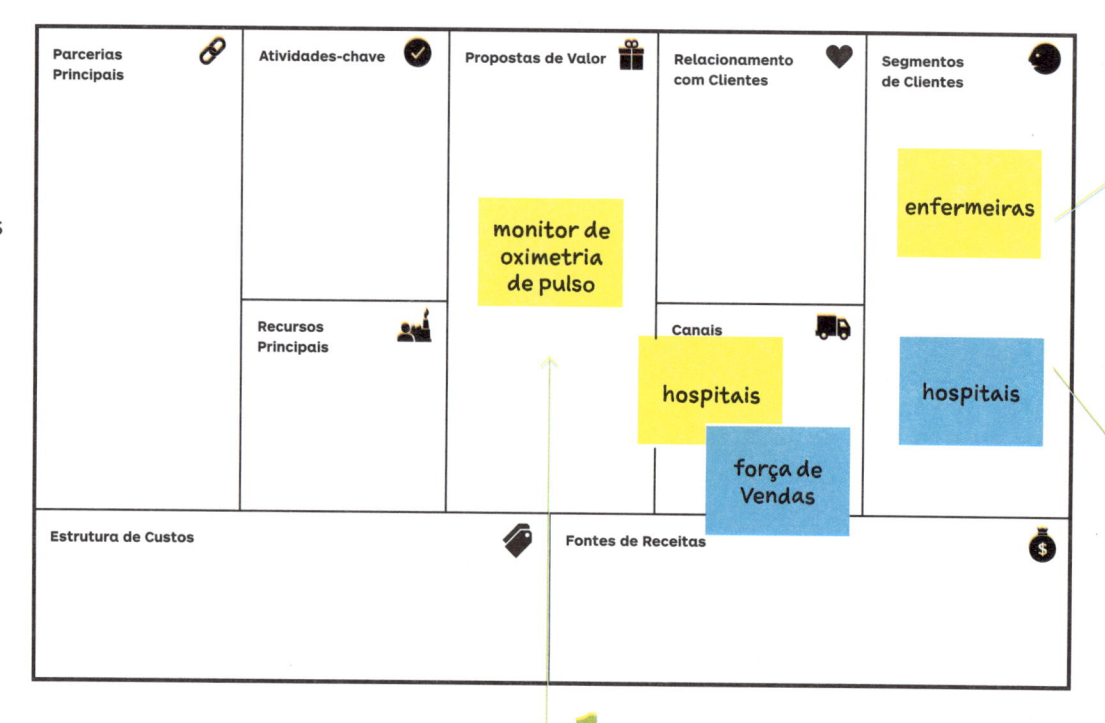

Parcerias Principais	Atividades-chave	Propostas de Valor	Relacionamento com Clientes	Segmentos de Clientes
		monitor de oximetria de pulso		**enfermeiras**
	Recursos Principais		Canais	
			hospitais	**hospitais**
			força de Vendas	

Estrutura de Custos	Fontes de Receitas

1
Ideia inicial
Uma oportunidade

O monitoramento da oximetria de pulso poderia ser mais fácil sem o cabo que liga o dispositivo à tela do monitor.

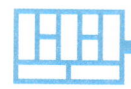

Assista à apresentação da Owlet online.

Caso adotado com permissão da Owlet: Owlet foi a vencedora da "Business Model Competition 2013".

Teste 1: Entrevistas com Enfermeiras

HIPÓTESE: a oximetria de pulso sem fio é mais conveniente.
MEDIDA: % de feedback positivo.
TESTE: Entrevista com enfermeiras.
DADOS: das 58 enfermeiras entrevistadas, 93% preferem a monitoria sem fio.
Comprovado: 1 semana, $ 0

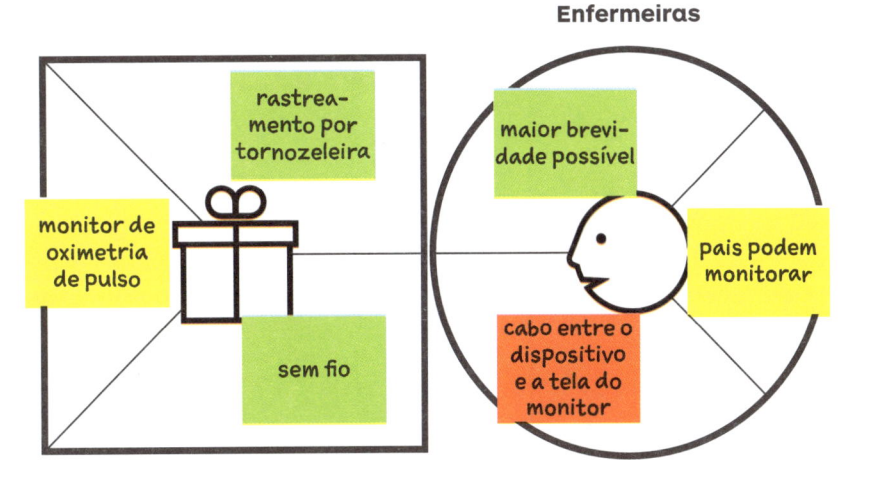

Enfermeiras

- rastreamento por tornozeleira
- monitor de oximetria de pulso
- sem fio
- maior brevidade possível
- pais podem monitorar
- cabo entre o dispositivo e a tela do monitor

Teste 1B: Entrevistas com a Administração do Hospital

HIPÓTESE: a oximetria de pulso sem fio é mais conveniente.
MEDIDA: % de feedback positivo.
TESTE: Entrevista com administradores do hospital.
DADOS: de 0% dispostos a pagar mais pelo dispositivo sem fio "comodidade no uso não é uma questão, se não for eficaz em termos de custo".
Invalidado: 1 semana, $ 0

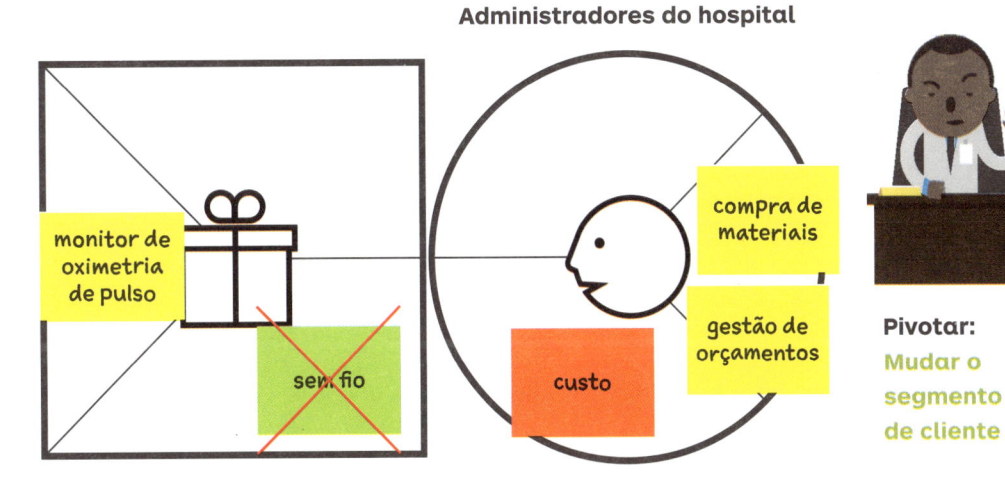

Administradores do hospital

- monitor de oximetria de pulso
- ~~sem fio~~
- compra de materiais
- gestão de orçamentos
- custo

Pivotar: Mudar o segmento de cliente

248

Modelo de Negócio da Owlet: versão 2

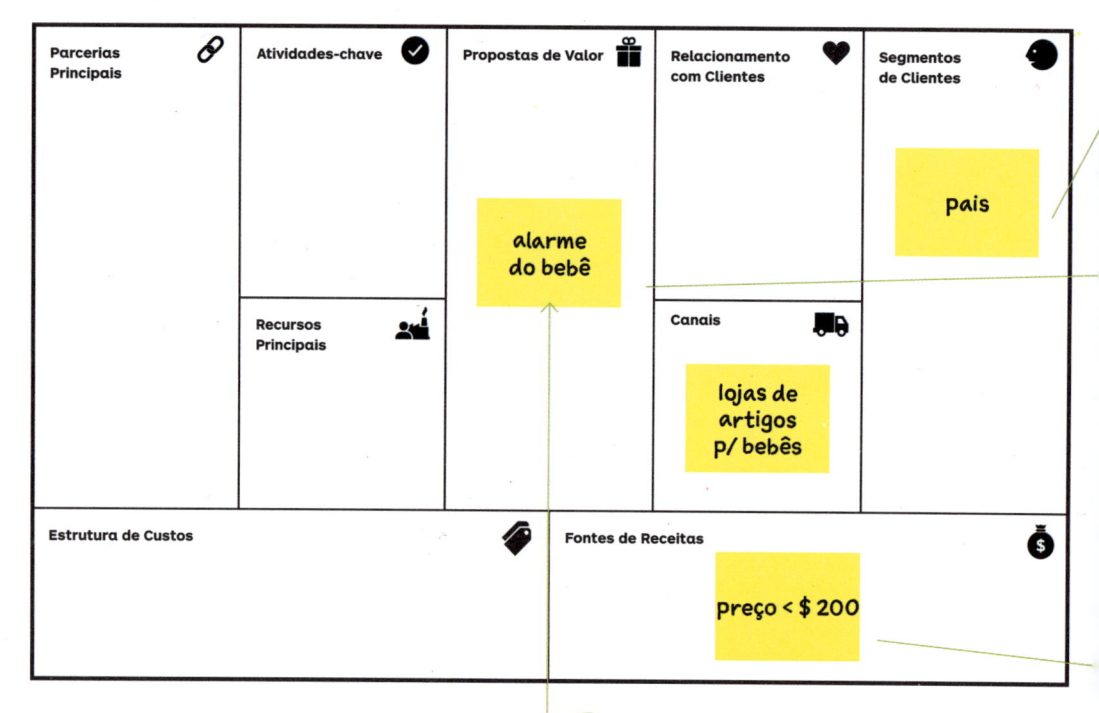

Parcerias Principais	Atividades-chave	Propostas de Valor	Relacionamento com Clientes	Segmentos de Clientes
		alarme do bebê		pais
	Recursos Principais		Canais	
			lojas de artigos p/ bebês	
Estrutura de Custos			Fontes de Receitas	
			preço < $ 200	

DADOS: Síndrome da Morte Súbita Infantil (SMSI) a primeira causa de mortalidade em bebês.

Um primeiro pivô depois de uma semana

Pivotar:
Mudar o segmento de cliente de enfermeiras e hospitais para pais preocupados.

2
Repetição
Tranquilidade mental para os pais
Um monitor sem fio que registra os padrões de batimentos cardíacos, oxigenação e sono do bebê e os envia por bluetooth para os smartphones dos pais; distribuído por lojas de artigos para bebês.

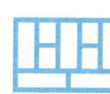

Teste 2: Entrevistas com os pais

HIPÓTESE: os pais estão dispostos a adotar e comprar um alarme para bebês sem fio.
MEDIDA: % de pais adeptos.
TESTE: entrevista com as mães.
DADOS: das 105 mães entrevistadas, 96% são adeptas ao monitoramento sem fio.
"Fantástico, quero comprar já!"
Comprovado

Test 3: *Landing page* do PVM

HIPÓTESE: uma botinha engenhosa é conveniente e fácil de usar para o monitoramento.
MEDIDA: número de comentários positivos.
TESTE: um PVM, com um vídeo em um site.
DADOS: 17 mil visualizações, 5.500 compartilhamentos no Facebook, 500 comentários positivos dos pais, distribuidores e empresas de pesquisa.
Comprovado, 2 semanas, $ 220

Test 4: Teste de preço A/B

HIPÓTESE: aluguel x compra a $ 200 + comissão de venda.
MEDIDA: % por comissão.
TESTE: A/B, em 3 rodadas, no site.
DADOS: 1.170 pessoas testadas, $ 299 o melhor preço.
Comprovado, 8 semanas, $ 30

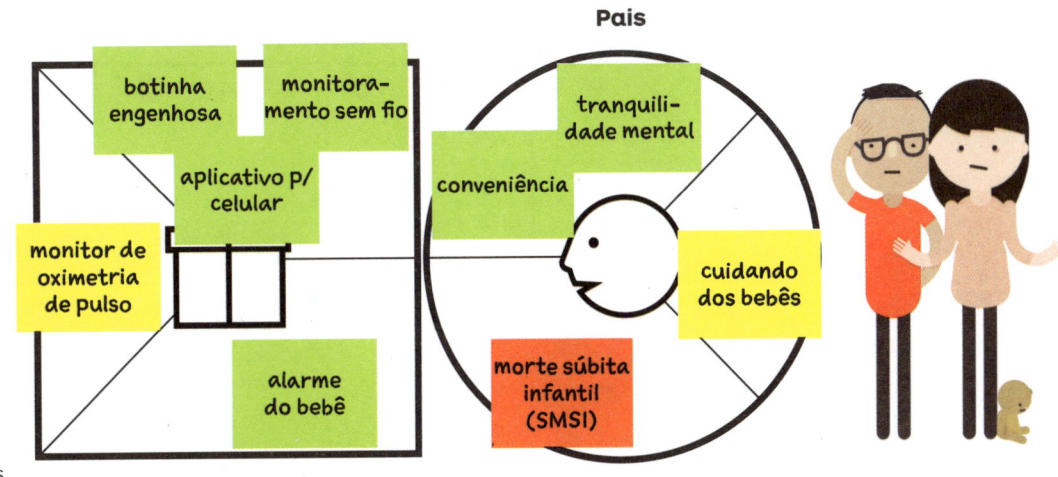

parece ser um bom negócio, mas...

Depois de 24 semanas e $ 1.150 em testes, incluindo uma prova técnica de conceito.

Funcionando de forma "enxuta"
Segundo especialistas, leva um ano para o FDA aprovar um alarme para bebês, $ 120-200 mil.

Modelo de Negócio da Owlet: versão 3

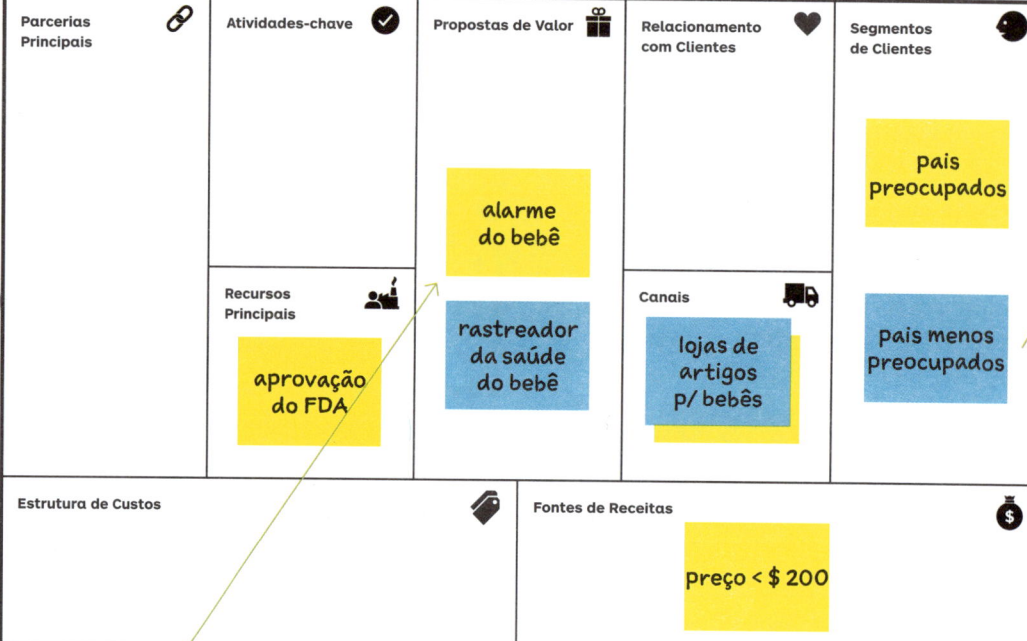

Parcerias Principais	Atividades-chave	Propostas de Valor	Relacionamento com Clientes	Segmentos de Clientes
		alarme do bebê		pais preocupados
	Recursos Principais		**Canais**	
	aprovação do FDA	rastreador da saúde do bebê	lojas de artigos p/ bebês	pais menos preocupados

Estrutura de Custos	Fontes de Receitas
	preço < $ 200

Precisa ser revalidado...

3
Repetição
Tranquilidade mental, mas para pais menos preocupados

Com um produto mais despojado, menos arriscado, um rastreador da saúde do bebê (padrões de batimento cardíaco, de níveis de oxigenação e de sono), mas sem alarme, para outro segmento de cliente: pais menos preocupados.

Teste 5: Entrevista/Proposta

HIPÓTESE: pais menos preocupados estão prontos para aderir e comprar um rastreador de saúde do bebê sem alarme.

MEDIDA: % de pais adeptos ao rastreador sem alarme.

TESTE: entrevistas em lojas distribuidoras, tendo de escolher entre o rastreador OWLET e outros sistemas semelhantes (vídeo, som e movimento).

DADOS: das 81 pessoas entrevistadas, 20% aderiram ao rastreador Owlet.

Comprovado, 3 semanas, $0

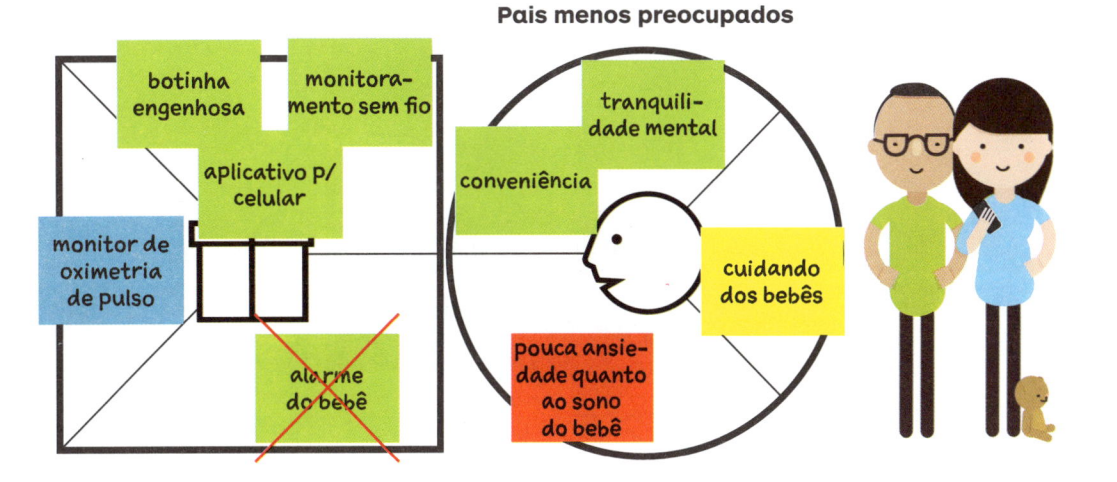

Pais menos preocupados

- botinha engenhosa
- monitoramento sem fio
- aplicativo p/ celular
- monitor de oximetria de pulso
- alarme do bebê
- tranquilidade mental
- conveniência
- cuidando dos bebês
- pouca ansiedade quanto ao sono do bebê

A Owlet decidiu começar pelo rastreador de saúde do bebê e mais tarde introduzir o alarme do bebê, depois da aprovação pela FDA.

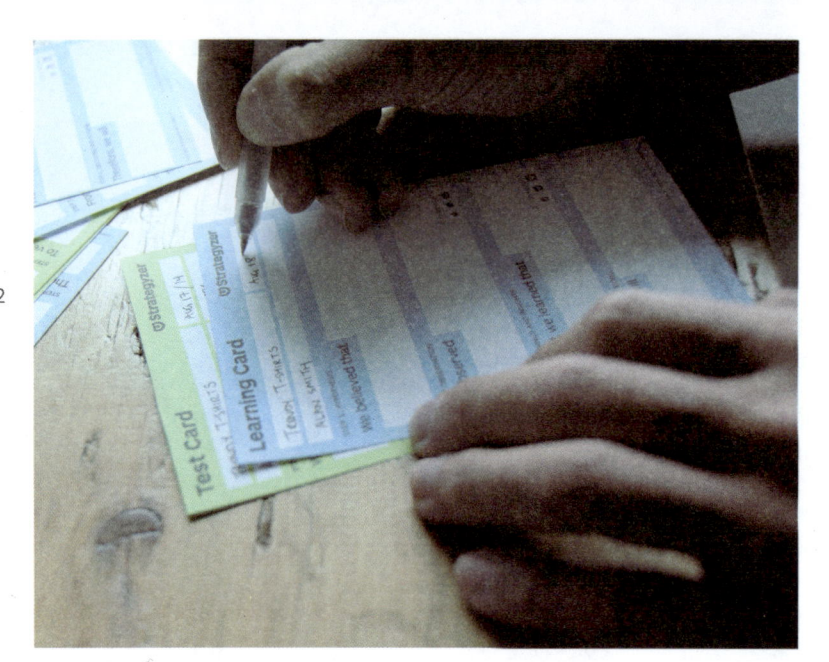

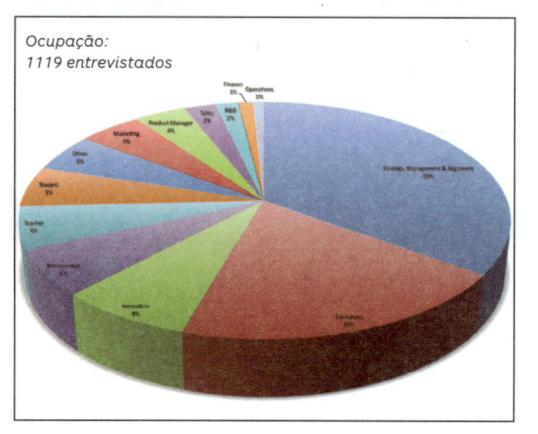

Lições Aprendidas

Teste passo a passo

Seus clientes são o juiz, o júri e o carrasco de sua proposta de valor, portanto saia do prédio da empresa e teste suas ideias com o processo de desenvolvimento de clientela e da *startup* enxuta. Procure começar com experimentos rápidos e baratos para testar as premissas que fundamentam suas ideias quando a incerteza está no nível máximo.

Biblioteca de Experimentos

Aquilo que seus clientes dizem pode diferir barbaramente daquilo que praticam na realidade. Vá além das conversas com clientes e conduza uma bateria de experimentos. Faça que eles atuem de modo a produzirem evidências de seu interesse, preferências e disposição para abrir a carteira.

Sintetizando

Lançar ideias sem testá-las é pura ilusão. Testar ideias sem lançá-las é mero passatempo. O lançamento de ideias testadas muda sua vida como empreendedor. Meça seu progresso, da ideia até o negócio concreto, etapa por etapa.

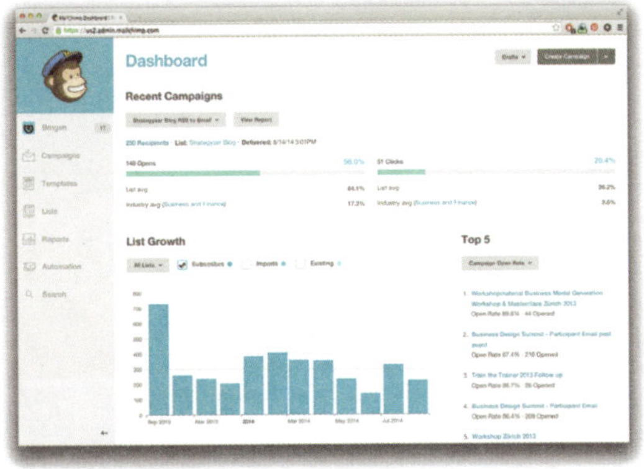
Dashboard
Recent Campaigns
List Growth
Top 5

Value Proposition Design Completion (Thank You)

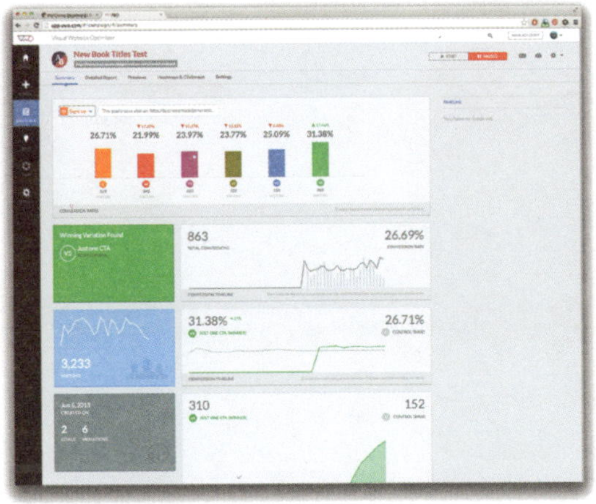
New Book Titles Test
26.71%
21.99%
23.97%
23.77%
25.09%
31.38%
863
26.69%
31.38%
26.71%
3,233
310
152

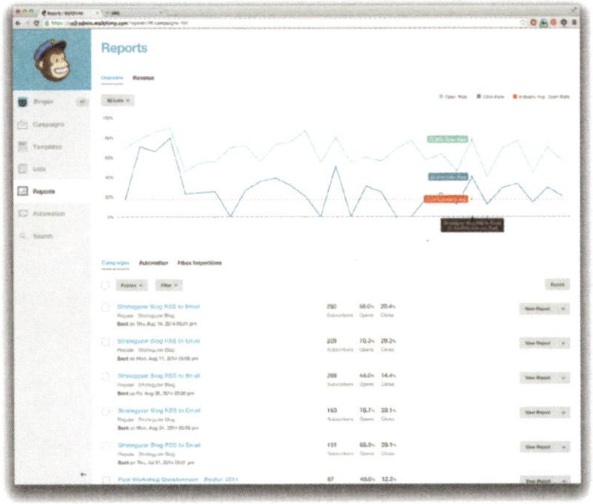
Reports

deser

volva

4

Use os Canvas da Proposta de Valor e de Modelo de Negócio como uma linguagem comum para **criar alinhamento** p. 260 em todas as partes da organização, enquanto ela evolui continuamente. Certifique-se de **medir e monitorar** p. 262 suas propostas de valor e modelos de negócio para **melhorar sempre** p. 264 e reinventar-se constantemente p. 266.

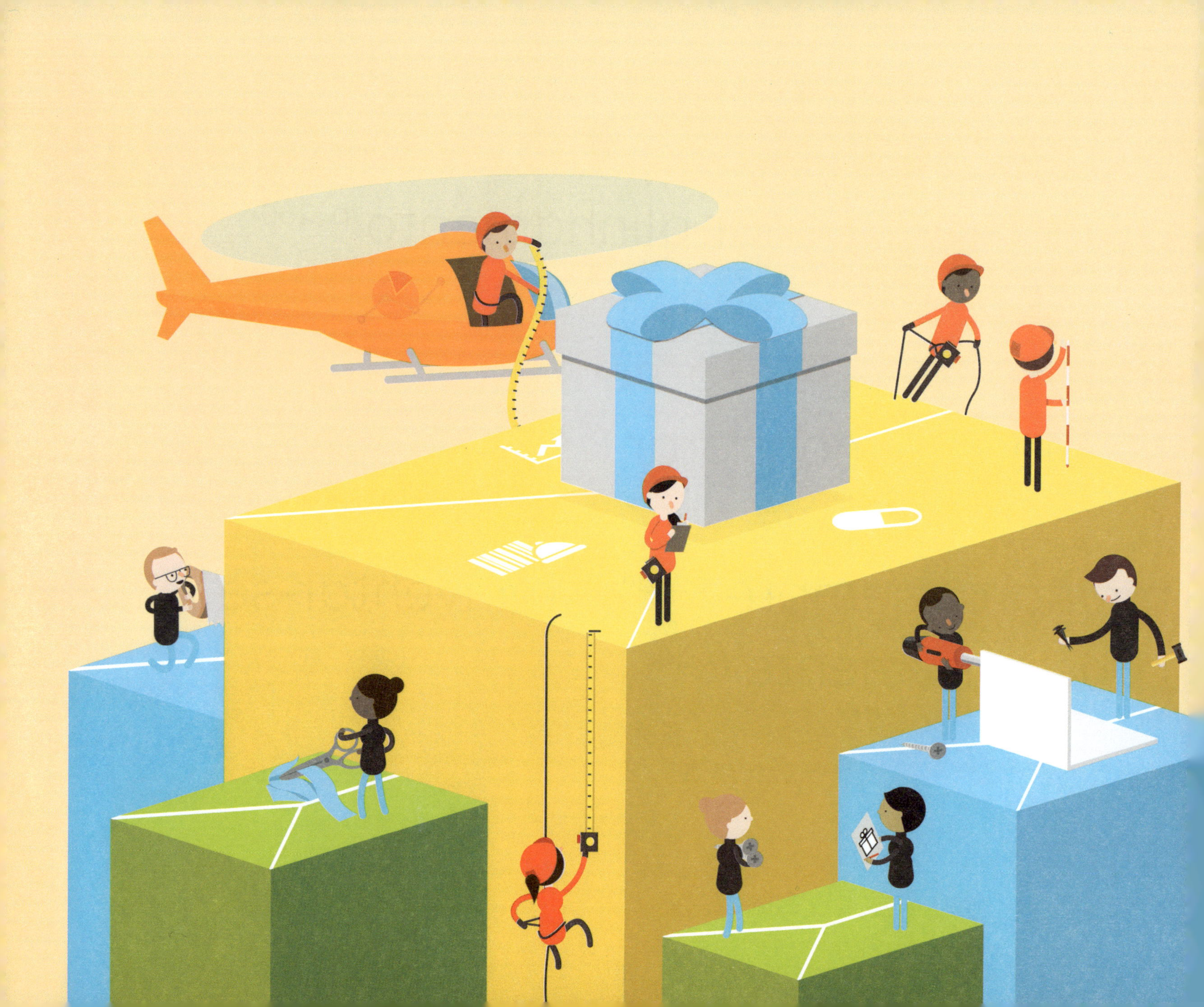

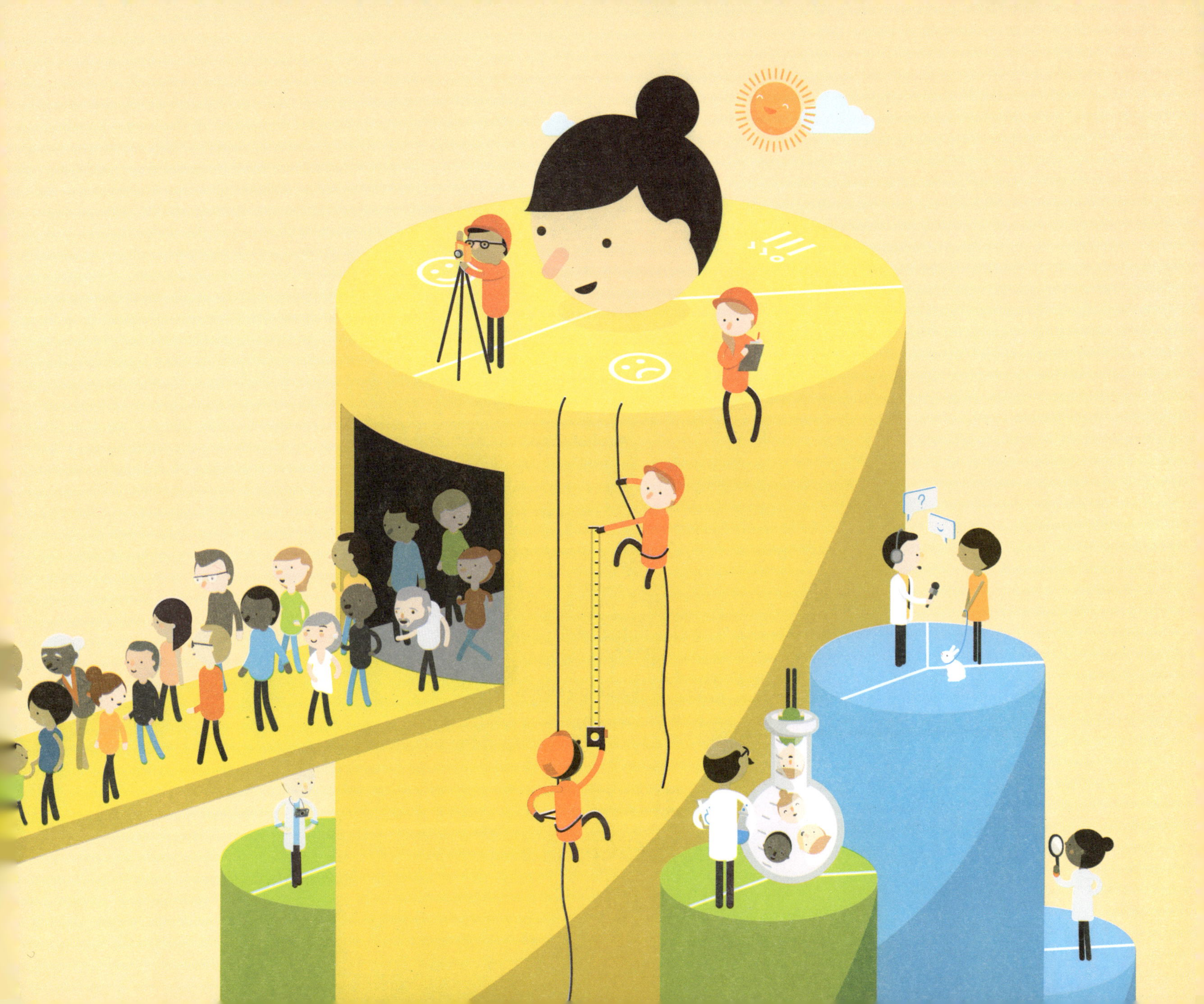

Crie Alinhamento

Na fase que sucede a pesquisa, o Canvas da Proposta de Valor se torna uma ferramenta de alinhamento para transmitir às partes interessadas como você pretende criar valor para os clientes.

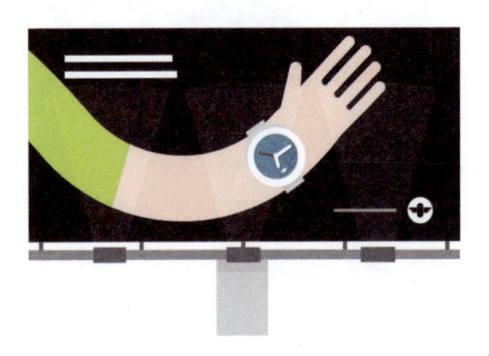

Publicidade

Embalagem

Conjunto de slides

Vídeos explicativos

Scripts de vendas

Produza mensagens alinhadas.

Alinhe as partes interessadas internas e externas.

Marketing
Elabore mensagens de marketing com base nas tarefas, dores e ganhos que estão sendo auxiliados por seus produtos. Alinhe a mensagem visualizada pelo cliente por todo o percurso, desde o anúncio até o design da embalagem. Indique analgésicos e criadores de ganhos a serem focados.

Parcerias (canais)
Convoque os canais parceiros e exponha sua proposta de valor. Ajude-os a compreender por que os clientes vão adorar seus produtos e serviços, destacando analgésicos e criadores de ganhos.

Colaboradores
Ajude todos os colaboradores a compreender que clientes você tem em vista, que tarefas, dores e ganhos está contemplando e descreva como exatamente seus produtos e serviços criarão valor para os clientes. Explique como a proposta de valor se ajusta ao modelo de negócio.

Vendas
Ajude o pessoal de vendas a compreender que segmentos devem mirar e o que são tarefas, dores e ganhos do cliente. Destaque os atributos de sua proposta de valor com maior probabilidade de venda, aliviando dores e criando ganhos. Alinhe scripts de venda e estratégias de apresentação.

Acionistas
Explique a seus acionistas de que forma exatamente você pretende criar valor para seus clientes. Esclareça como a proposta de valor (nova ou melhorada) reforçará seu modelo de negócio e criará uma vantagem competitiva.

Meça e Monitore

Use os Canvas da Proposta de Valor e de Modelo de Negócio para criar e monitorar indicadores de desempenho uma vez que sua proposta de valor esteja ativa no mercado. Rastreie o desempenho de seu modelo de negócio, de sua proposta de valor e da satisfação de seus clientes.

Desempenho do Modelo de Negócio

Desempenho da Proposta de Valor
(Dados Quantitativos)

Satisfação do Cliente
(Percepção)

Investigue / Mude

MONITORE
Indicador/alvo

Rastreie

CONSTRUA
(indicadores)

Meça
(continuamente)

desempenho

nível de tolerância

Indicador

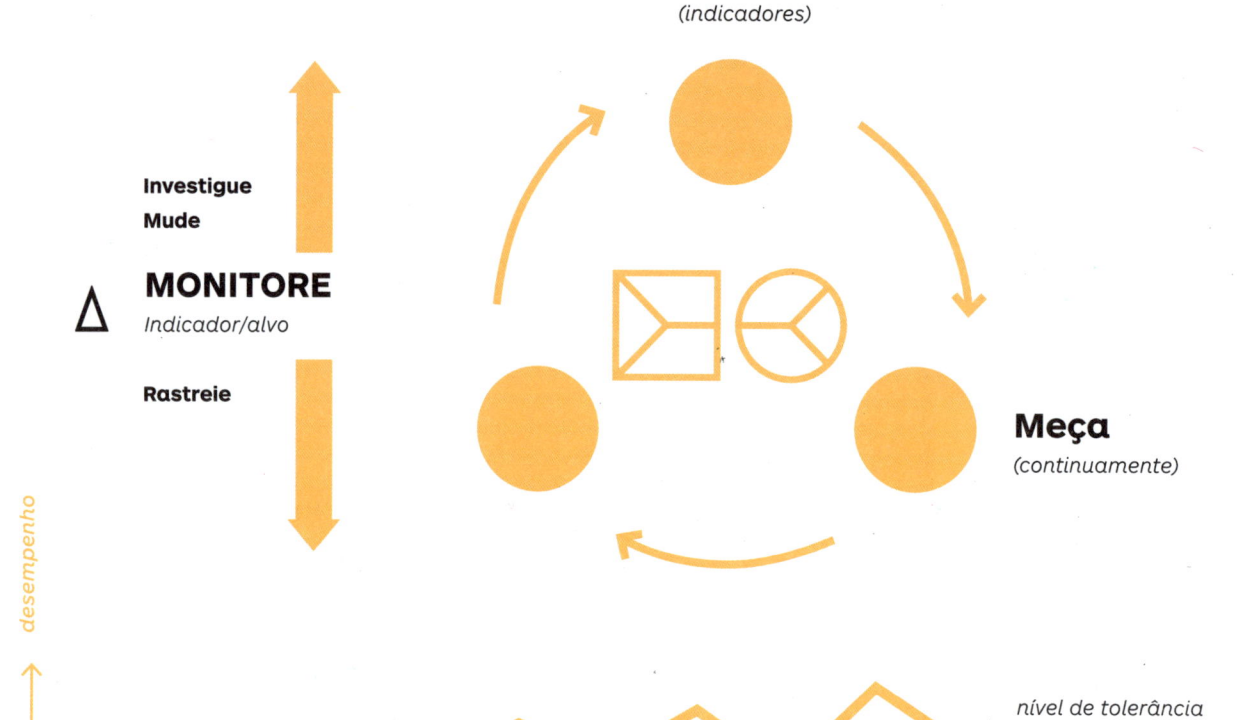

time

Alvo

- 50%
- 25%
- ★★★★☆
- 80% satisfeitos com o equilíbrio.

Indicador

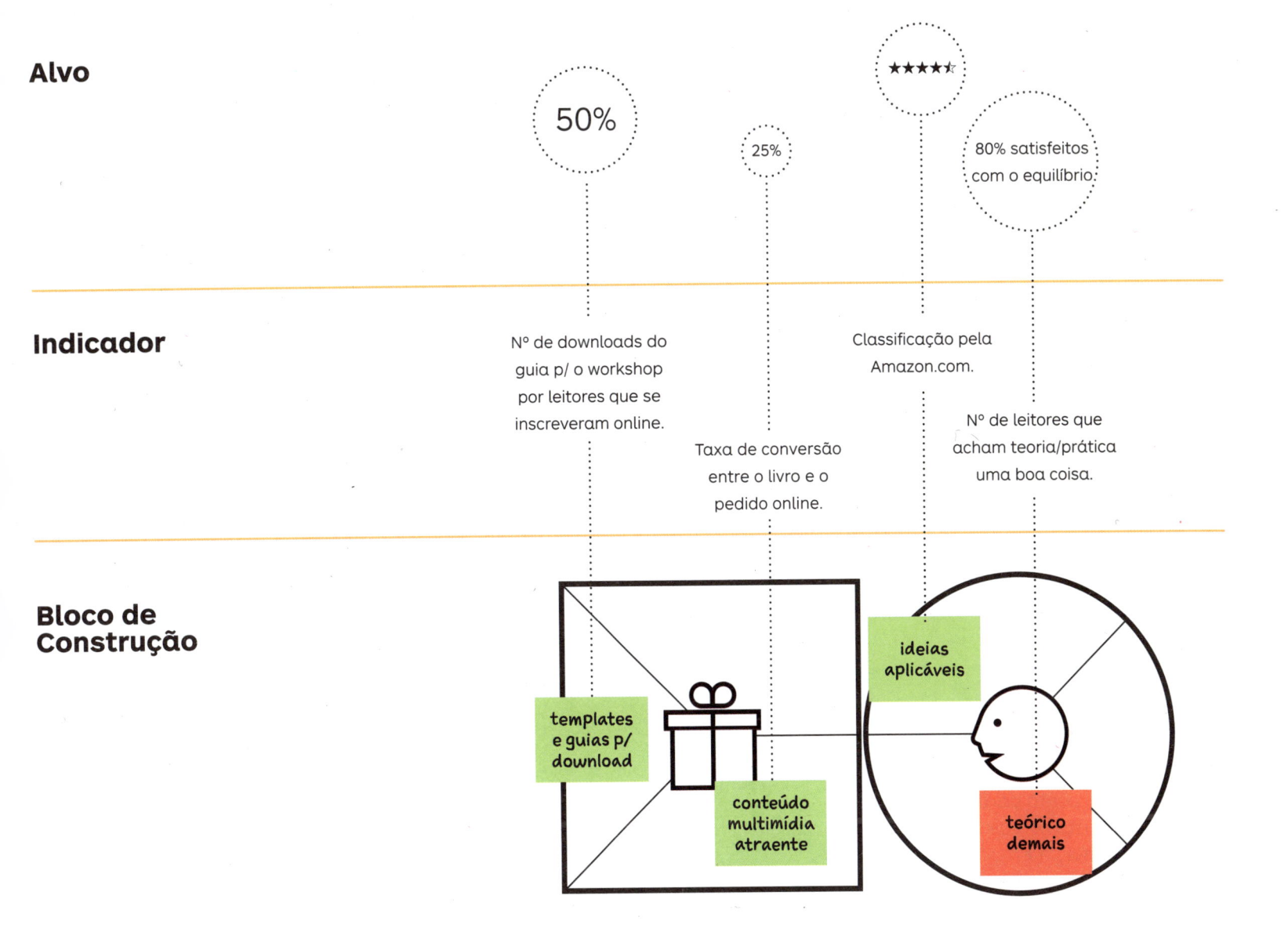

- Nº de downloads do guia p/ o workshop por leitores que se inscreveram online.
- Taxa de conversão entre o livro e o pedido online.
- Classificação pela Amazon.com.
- Nº de leitores que acham teoria/prática uma boa coisa.

Bloco de Construção

- templates e guias p/ download
- conteúdo multimídia atraente
- ideias aplicáveis
- teórico demais

Melhore Sempre

Desempenho da Proposta de Valor
(Dados Quantitativos)

Satisfação do Cliente
(Percepção)

Construa

Meça
Meça o que impacta na satisfação do cliente.

Aprenda

Cartão de Aprendizado

Cartão de Teste

5A
INCERTEZA
Teste mais

5B
COMPROVADO
Satisfação do cliente aumentada

5C
INVALIDADA
Nenhum impacto sobre a satisfação do cliente

Use as mesmas ferramentas e processos de teste e monitoramento para melhorar sua proposta de valor uma vez que esteja ativa no mercado. Teste continuamente cenários de melhoria do tipo "e se..." e meça o impacto que exercem sobre a satisfação do cliente.

Desempenho / *Tempo* / **Satisfação do Cliente**

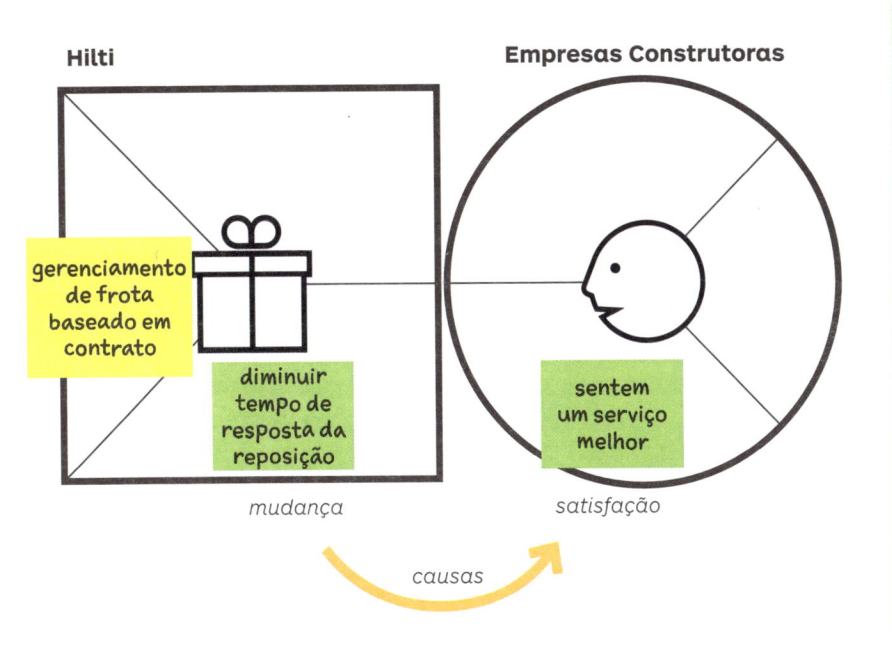

Hilti

- gerenciamento de frota baseado em contrato
- diminuir tempo de resposta da reposição

mudança → *causas* → *satisfação*

Empresas Construtoras

- sentem um serviço melhor

Cartão de Teste — Strategyzer

1ª ETAPA: HIPÓTESE
Acreditamos que se diminuirmos o tempo de resposta na substituição de peças quebradas, os clientes sentirão que contam com um serviço melhor.

2ª ETAPA: TESTE
Para verificá-lo, vamos diminuir o tempo de resposta para um cliente numa média de 25%.

3ª ETAPA: MÉTRICA
E mensurar a satisfação do cliente no começo e no final do experimento.

4ª ETAPA: CRITÉRIOS
Estaremos certos se a satisfação do cliente aumentar em x%.

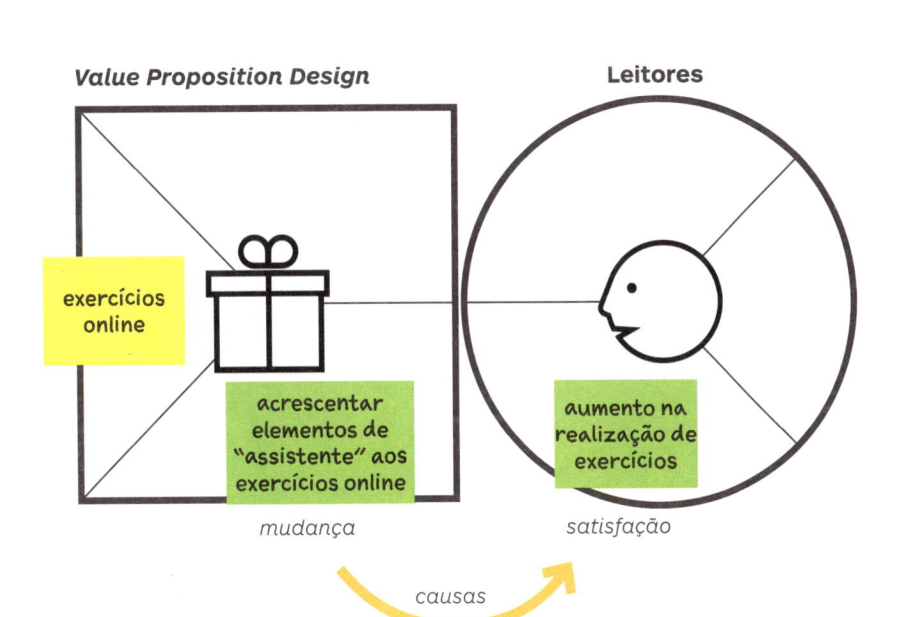

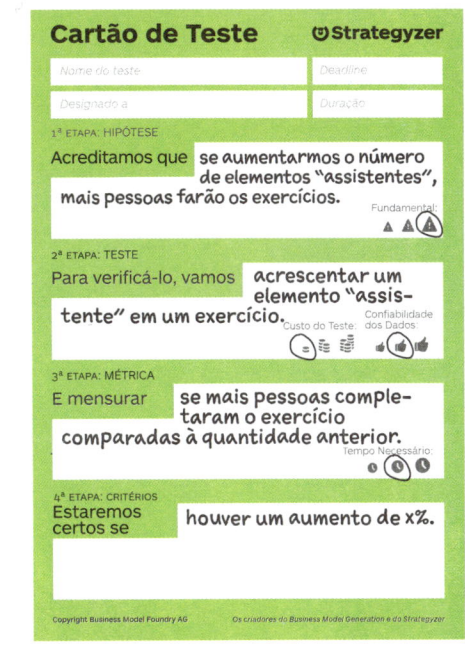

Value Proposition Design

- exercícios online
- acrescentar elementos de "assistente" aos exercícios online

mudança → *causas* → *satisfação*

Leitores

- aumento na realização de exercícios

Cartão de Teste — Strategyzer

1ª ETAPA: HIPÓTESE
Acreditamos que se aumentarmos o número de elementos "assistentes", mais pessoas farão os exercícios.

2ª ETAPA: TESTE
Para verificá-lo, vamos acrescentar um elemento "assistente" em um exercício.

3ª ETAPA: MÉTRICA
E mensurar se mais pessoas completaram o exercício comparadas à quantidade anterior.

4ª ETAPA: CRITÉRIOS
Estaremos certos se houver um aumento de x%.

Reinvente-se Constantemente

Empresas de sucesso criam propostas de valor que vendem, inseridas em modelos de negócio que funcionam. Aquelas que se destacam o fazem de forma contínua. Criam novas propostas de valor e modelos de negócio enquanto são bem-sucedidas.

Use as ferramentas e os processos do *Value Proposition Design* para se reinventar de forma contínua e criar novas propostas de valor inseridas em excelentes modelos de negócio.

Cinco itens a serem lembrados quando construir vantagens transitórias:

- Considere a exploração de novas propostas de valor e modelos de negócios com a mesma seriedade com que executa os já existentes.

- Invista na experimentação contínua de novas propostas de valor e modelos de negócio em vez optar por apostas grandes e ousadas, porém duvidosas.

- Reinvente-se enquanto é bem-sucedido, sem esperar que uma crise o force a fazê-lo.

- Veja novas ideias e oportunidades como um meio de estimular e mobilizar colaboradores e clientes e não como uma empreitada arriscada.

- Use os experimentos com clientes como instrumento de medida para julgar novas ideias e oportunidades em vez das opiniões de gerentes, estrategistas e especialistas.

Pergunte-se constantemente...

Que elementos de seu meio estão mudando? O que as mudanças de mercado, tecnológicas, regulatórias, macroeconômicas ou competitivas significam para suas propostas de valor ou modelos de negócio? Essas mudanças representam uma oportunidade de explorar novas possibilidades ou uma ameaça?

Seu modelo de negócio está expirando? Você precisa acrescentar novos recursos ou atividades? Os recursos e atividades atuais oferecem a oportunidade de expandir seu modelo de negócio? É possível fortalecer o modelo de negócio atual ou você precisa desenvolver modelos totalmente novos? Seu portfólio de modelo de negócio serve para o futuro?

A empresa de hoje precisa ser ágil e desenvolver o que a professora da Columbia Business School, Rita McGrath, chama de vantagens temporárias em seu livro *O Fim da Vantagem Competitiva*. Segundo ela, as empresas têm de desenvolver a capacidade de contemplar novas oportunidades de forma rápida e contínua, em vez de buscar vantagens competitivas de longo prazo cada vez mais insustentáveis.

Taobao: Reinventando o comércio Eletrônico

A Taobao é o fenômeno do comércio eletrônico chinês, parte do Grupo Alibaba. Deve-se a ela a liderança de uma nova onda de comércio na China, valendo-se da internet para criar um ecossistema em que operações comerciais seguras podem ser realizadas. Em dez anos, ela renovou seu modelo de negócios três vezes. Reagiu de forma proativa aos comportamentos em sua plataforma e na economia chinesa e se tornou um grande negócio.

Verifique o caso Taobao completo online.

2003
Uma nova plataforma cliente-para-cliente – C2C

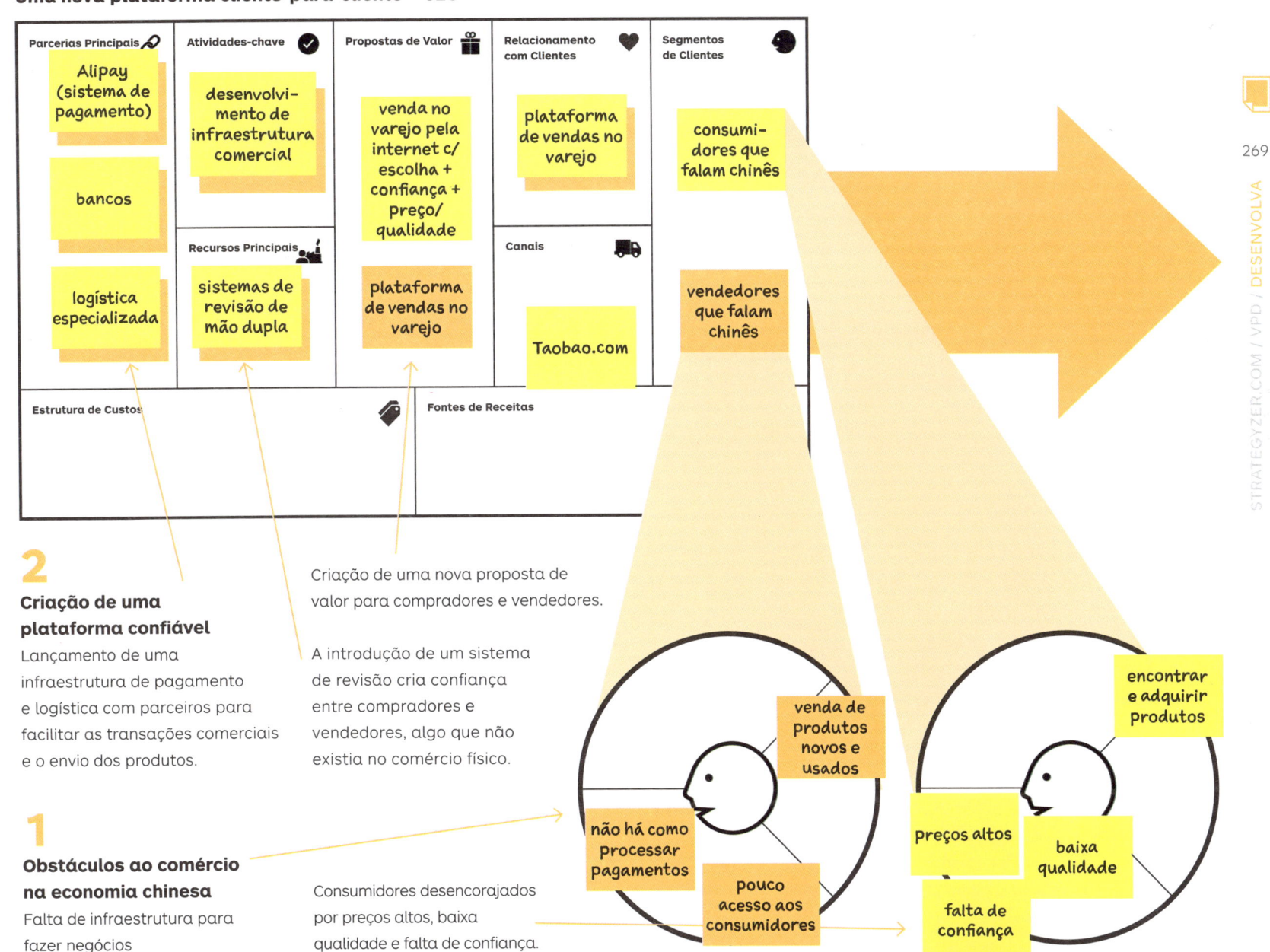

Parcerias Principais	Atividades-chave	Propostas de Valor	Relacionamento com Clientes	Segmentos de Clientes
Alipay (sistema de pagamento)	desenvolvimento de infraestrutura comercial	venda no varejo pela internet c/ escolha + confiança + preço/qualidade	plataforma de vendas no varejo	consumidores que falam chinês
bancos	**Recursos Principais**		**Canais**	
logística especializada	sistemas de revisão de mão dupla	plataforma de vendas no varejo	Taobao.com	vendedores que falam chinês

Estrutura de Custos | **Fontes de Receitas**

2
Criação de uma plataforma confiável
Lançamento de uma infraestrutura de pagamento e logística com parceiros para facilitar as transações comerciais e o envio dos produtos.

Criação de uma nova proposta de valor para compradores e vendedores.

A introdução de um sistema de revisão cria confiança entre compradores e vendedores, algo que não existia no comércio físico.

1
Obstáculos ao comércio na economia chinesa
Falta de infraestrutura para fazer negócios

Consumidores desencorajados por preços altos, baixa qualidade e falta de confiança.

- venda de produtos novos e usados
- não há como processar pagamentos
- pouco acesso aos consumidores
- encontrar e adquirir produtos
- preços altos
- baixa qualidade
- falta de confiança

2006
Taobao – Pequena B2C

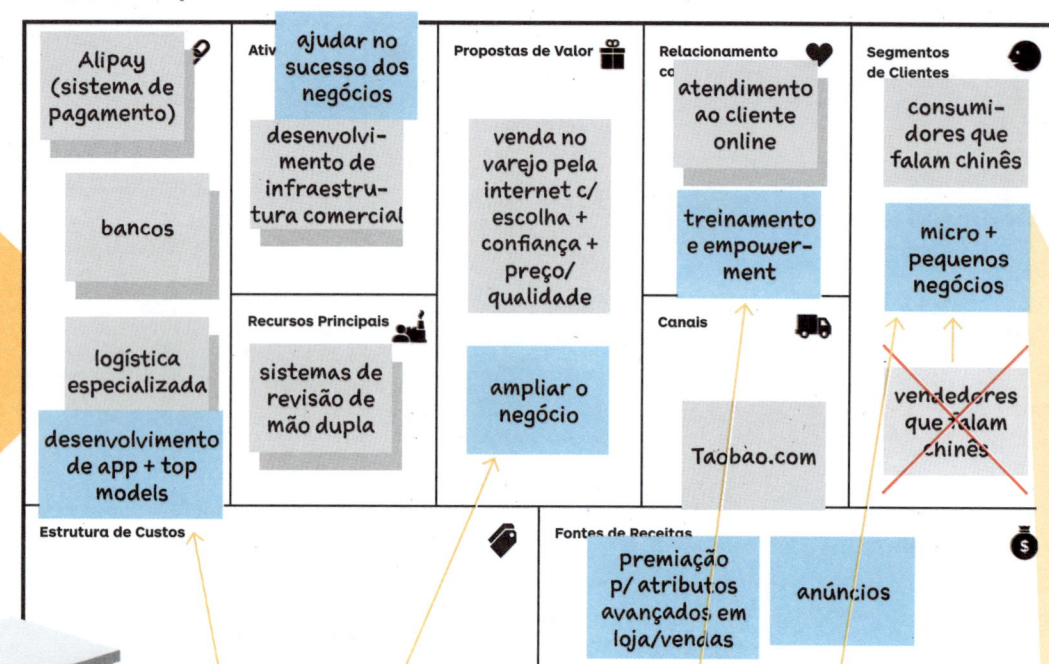

Atividades-Chave
- Alipay (sistema de pagamento)
- bancos
- logística especializada
- desenvolvimento de app + top models
- ajudar no sucesso dos negócios
- desenvolvimento de infraestrutura comercial

Recursos Principais
- sistemas de revisão de mão dupla

Propostas de Valor
- venda no varejo pela internet c/ escolha + confiança + preço/qualidade
- ampliar o negócio

Relacionamento com Clientes
- atendimento ao cliente online
- treinamento e empowerment

Canais
- Taobao.com

Segmentos de Clientes
- consumidores que falam chinês
- micro + pequenos negócios
- ~~vendedores que falam chinês~~

Estrutura de Custos

Fontes de Receitas
- premiação p/ atributos avançados em loja/vendas
- anúncios

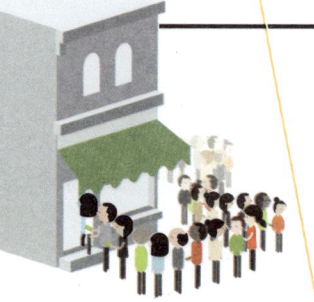

---

1 Nascimento de microempresários
A plataforma Taobao fica tão popular que milhões de vendedores veem uma oportunidade de se tornarem microempresários.

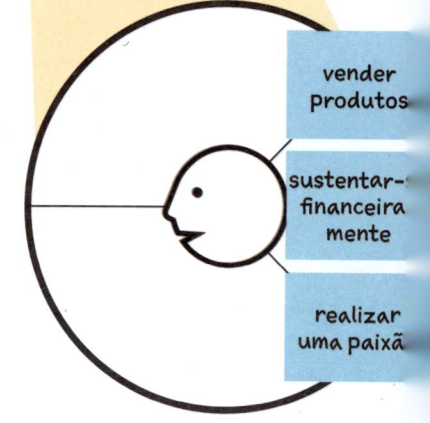

2 Rumo a novos empreendedores
A Taobao muda o foco e baseia-se nessa tendência atendendo a microempresários.

Criação da Universidade Taobao para ajudar os empreendedores a navegar pela plataforma e aprender sobre o negócio.

Inclusão de fornecedores terceirizados para fortalecer a proposta de valor.

- vender produtos
- sustentar-se financeiramente
- realizar uma paixão

2008
Taobao – Grande B2C

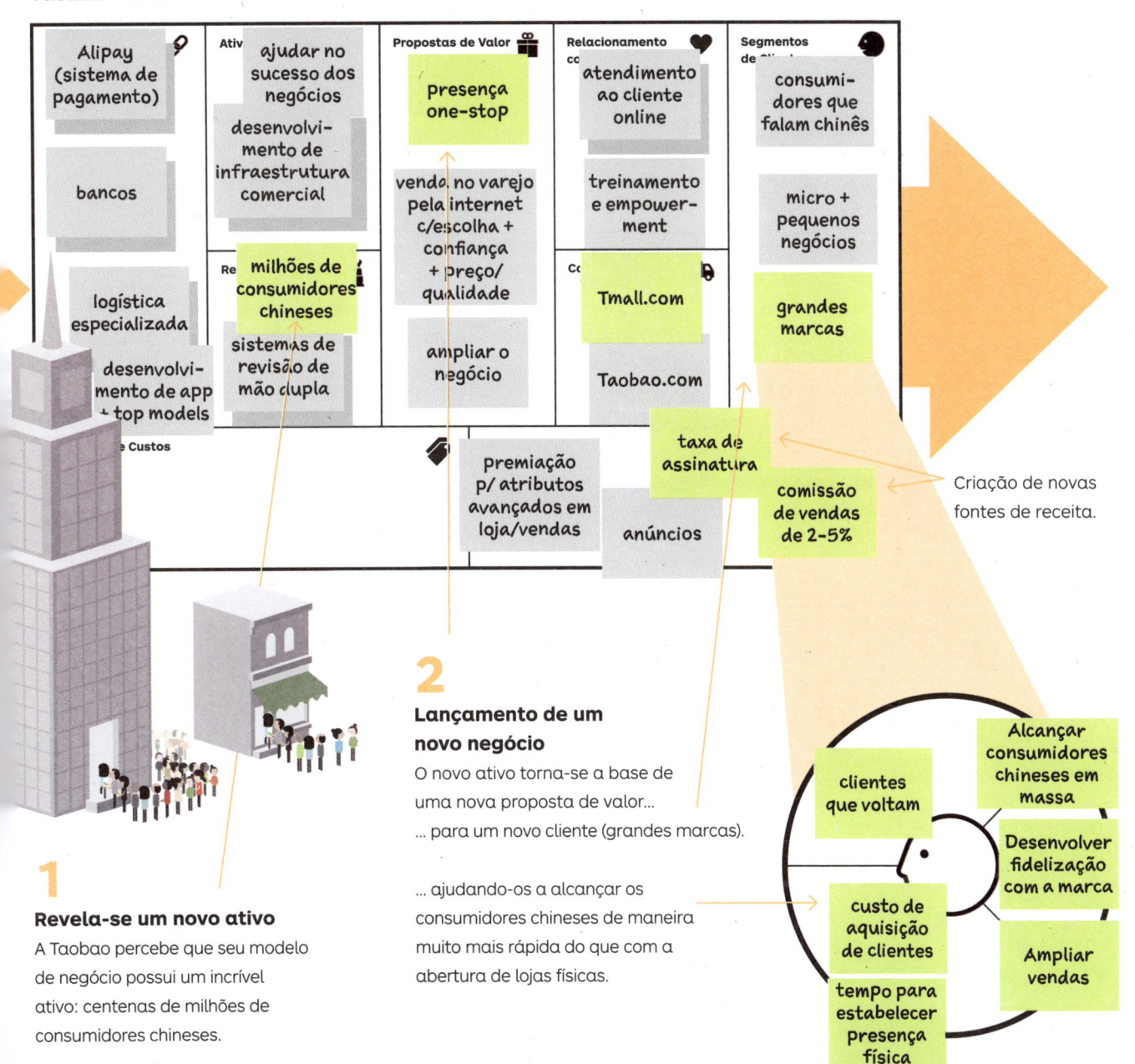

Atividades-Chave	Propostas de Valor	Relacionamento c/ Clientes	Segmentos de Clientes
Alipay (sistema de pagamento)	ajudar no sucesso dos negócios	**presença one-stop**	atendimento ao cliente online	consumidores que falam chinês
bancos	desenvolvimento de infraestrutura comercial	venda no varejo pela internet c/escolha + confiança + preço/qualidade	treinamento e empowerment	micro + pequenos negócios
logística especializada	**milhões de consumidores chineses**		**Tmall.com**	**grandes marcas**
desenvolvimento de app + top models	sistemas de revisão de mão dupla	ampliar o negócio	Taobao.com	

Estrutura de Custos: premiação p/ atributos avançados em loja/vendas — anúncios

Fontes de Receita: **taxa de assinatura** — **comissão de vendas de 2-5%**

→ Criação de novas fontes de receita.

1
Revela-se um novo ativo

A Taobao percebe que seu modelo de negócio possui um incrível ativo: centenas de milhões de consumidores chineses.

2
Lançamento de um novo negócio

O novo ativo torna-se a base de uma nova proposta de valor...

... para um novo cliente (grandes marcas).

... ajudando-os a alcançar os consumidores chineses de maneira muito mais rápida do que com a abertura de lojas físicas.

Ciclo: clientes que voltam — Alcançar consumidores chineses em massa — Desenvolver fidelização com a marca — Ampliar vendas — custo de aquisição de clientes — tempo para estabelecer presença física

2013
Taobao — ?

271

Em dez anos, a Taobao deixou de ser uma simples plataforma de comércio eletrônico para se tornar um complexo ecossistema, aperfeiçoando e reinventando suas propostas de valor e modelos de negócio no decorrer do processo. Com o desenvolvimento tecnológico, porém, a empresa não pode se acomodar. A Taobao é constantemente desafiada a continuar sua evolução.

STRATEGYZER.COM / VPD / DESENVOLVA

Lições Aprendidas

Crie alinhamento

Os Canvas da Proposta de Valor e de Modelo de Negócio são excelentes ferramentas de alinhamento. Utilize-os como uma linguagem comum para criar maior colaboração entre diferentes partes de sua organização. Ajude todos os interessados a compreender exatamente como você pretende criar valor para seus clientes e seu negócio.

Meça, monitore, aprimore

Acompanhe o desempenho de suas propostas de valor ao longo do tempo para certificar-se de que continua criando valor para o cliente mesmo com mudanças no mercado. Utilize as mesmas ferramentas e processos usadas para conceber suas propostas de valor para aprimorá-las.

Reinvente-se no sucesso

Não espere para reinventar suas propostas de valor e modelos de negócio. Reinvente-se antes que as condições do mercado o obriguem a fazê-lo, porque pode ser tarde demais. Crie estruturas organizacionais que lhe permitam aprimorar as propostas de valor e modelos de negócio existentes, ao passo que inventa novos modelos e propostas.

posf

ácio

Glossário

Analgésicos
Descrevem como produtos e serviços aliviam as dores do cliente eliminando ou reduzindo resultados negativos, riscos e obstáculos que o impedem de realizar (bem) um trabalho.

Call-to-action (CTA)
Estimula o sujeito a empreender uma ação; utiliza-se num experimento para testar uma ou mais hipóteses.

Canvas de Modelo de Negócio
Ferramenta estratégica de gestão para conceber, testar, desenvolver e administrar modelos de negócio (lucrativos e expansíveis).

Canvas de Propostas de Valor
Ferramenta estratégica de gestão para conceber, testar, desenvolver e administrar produtos e serviços. Totalmente integrado com o canvas de modelo de negócios.

Cartão de Aprendizado
Ferramenta estratégica de aprendizado para capturar insights de pesquisas e experimentos.

Cartão de Teste
Ferramenta estratégica de teste para desenvolver e estruturar suas pesquisas e experimentos.

Criadores de Ganhos
Descreve como produtos e serviços criam ganhos e ajudam os clientes a alcançar os resultados e vantagens que esperam, desejam ou sonham em ter, realizando (bem) um trabalho.

Desenvolvimento do Cliente
Processo de quatro passos concebido por Steve Blank para reduzir o risco e a incerteza de uma iniciativa, testando continuamente as hipóteses subjacentes a um modelo de negócio com clientes e partes interessadas.

Value Proposition Design
(Design de Proposta de Valor)
O processo de conceber, testar, desenvolver e administrar propostas de valor ao longo de todo seu ciclo de vida.

Dores do Cliente
Resultados negativos e obstáculos que o cliente quer evitar, porque o impedem de realizar (bem) um trabalho.

Encaixe
Quando seu Mapa de Valor coincide com as tarefas, dores e ganhos relevantes de seu segmento de cliente, e um número considerável de clientes "contrata" sua proposta de valor para atender a essas tarefas, dores e ganhos.

Evidência

Confirma ou invalida uma hipótese (de negócio), insight sobre o cliente, proposta de valor, modelo de negócio ou um ambiente.

Experimento/Teste

Procedimento para validar ou invalidar uma proposta de valor ou hipótese de modelo de negócio que produz evidência.

Ganhos do Cliente

Resultados e os benefícios que os clientes precisam, esperam, desejam ou sonham em alcançar.

Hipótese (de Negócio)

Algo que precisa ser verdadeiro para que sua ideia funcione parcial ou totalmente, mas que ainda não foi comprovado. .

Insight sobre o Cliente

Informações sobre seu cliente que o ajudam a conceber melhores propostas de valor e modelos de negócio.

Mapa do Ambiente

Ferramenta estratégica de previsão para mapear o contexto no qual você desenvolve e administra propostas de valor e modelos de negócio.

Mapa de Valor

Ferramenta de negócio que constitui o lado esquerdo de seu Canvas da Proposta de Valor. Mostra como seus produtos e serviços criam valor, aliviando dores e criando ganhos.

Modelo de Negócio

Fundamento lógico de como uma organização cria, entrega e captura valor.

Painel de Progresso

Ferramenta estratégica de gestão para administrar e monitorar o modelo de negócio e o processo de design de propostas de valor, acompanhando o progresso rumo a uma proposta de valor e um modelo de negócio de sucesso.

Perfil do Cliente

Ferramenta de negócio que constitui o lado direito de seu Canvas da Proposta de Valor. Mostra as tarefas, dores e ganhos de um segmento de clientes (ou partes interessadas) para o qual você pretende criar valor.

Produtos e Serviços

Os itens nos quais se baseia sua proposta de valor e que seus clientes podem ver em sua "vitrine", em termos metafóricos.

Produto Viável Mínimo (PVM)

Modelo de proposta de valor criado especificamente para validar ou invalidar uma ou mais hipóteses.

Proposta de Valor

Descreve os benefícios que os clientes podem esperar de seus produtos e serviços.

Prototipagem (alta/baixa fidelidade)

A prática de construir modelos de estudo, rápidos e rudimentares, a fim de explorar a conveniência e viabilidade de propostas de valor e modelos de negócio.

***Startup* Enxuta**

Abordagem apresentada por Eric Ries, fundamentada no processo de desenvolvimento de clientela de eliminar do desenvolvimento de produto a negligência e a incerteza, mediante a construção, o teste e a aprendizagem contínuas, num processo repetitivo.

Tarefas a Realizar

O que os clientes precisam ou desejam que seja feito em sua vida profissional ou pessoal.

Obtenha o Glossário em PDF.

Índice Remissivo

A

A/B, teste de divisão, 230-231, 236, 249
ad-libs, para prototipagem, 70, 76, 82-83
Airbnb, 53, 91
Alibaba, Grupo, 268
alinhamento, criando, 260-261
Analgésicos
    Criadores de ganho *versus*, 38
    Encaixe e, 9, 47
    Mapa de valor e, 33-34
    Produtos e serviços como, 31-32
Antropólogo, 24, 106, 114-115, 217
Anúncios, rastreamento de (biblioteca de experimentos), 220
Apple, 16, 102, 127, 156, 157
App Store (Apple), 16, 157
aprendendo (*Startup* enxuta), 185, 186-187
armadilhas de dados, evitando, 210-211
armazenamento de energia de ar comprimido
    Modelo de negócio, 152-153
    Prototipagem, 96-97
atividades-chave, definição de, xvi
avaliação
    da concorrência, 128-129, 130-131
    de habilidades para *Value Proposition Design*, xxii-xxiii
    de proposta de valor, 122-123
    Modelo de negócio e, 156-157
Azuri, 146-151

B

Bernarda, Greg, 289
Biblioteca de experimentos, 214-237, 252
Blank, Steve, 118, 182, 184, 187
brainstorming
    definição de critério com, 140
    possibilidades para, 92-93
    Ver também Pontos de partida
Bransfield-Garth, Simon, 146
Business Model Generation (Osterwalder), xiv, xvi
business-to-business (B2B), transações, 50-51, 97, 114, 125

C

Call-to-Action (CTA), 218-219
canais, definição de, xvi
Canvas
    Encaixes e, 3-5, 40-59
    exemplo do cinema, 54-55
    identificando partes interessadas com, 50-51
    Mapa de valor e, 3-5, 8, 26-39
    observando os clientes, 7
    Perfil do cliente e, 3-5, 9, 10-25
    Proposição de valor, definição de, 6
    resumido, 60
    Ver também Canvas de modelo de negócios; Perfil do cliente; Encaixe; Mapa de valor; Proposta de valor
Canvas de Modelo de Negócios
    definição, xv
    ilustração, xvii
Canvas de Propostas de Valor
    características de grandes propostas de valor, 72-73 (*Ver também* Design)
    para prototipagem, 77, 84-85
características, de clientes, 14-15
cartões de aprendizado, 206-207, 213
chapéus do pensamento (de De Bono), 136-137
Cientista, 107
Círculo construir, medir, aprender, 94, 95
classificação, de tarefas/dores/ganhos do cliente, 20-21
Comprador de valor (papel do cliente), 12
compradores econômicos, 50-51
Compre uma característica (Biblioteca de experimentos), 235
concorrência, avaliando, 128-129, 130-131
Círculo, testando o, 190-191
Cocriador (insight sobre o cliente), 107
Cocriador de valor (papel do cliente), 12

colegas, Value Proposition Design para, xxiv–xxv
Construção da empresa (processo de desenvolvimento de clientela), 183
contexto
    Tarefas a realizar, 13
    compreendendo, 126–127
Criação (processo de desenvolvimento de clientela), 183
Criadores de ganho, 8–9, 16, 33, 35, 37–39, 46, 49, 61, 122, 130–131, 187, 192, 261
critérios, definição de, 140–141

D

Dados de recenseamento do governo, 108
de Bono, Edward, 136–137
decisão, tomadores de, 50–51
Design, 64–170
    características de grandes propostas de valor, 72–73
    compreendendo os clientes, 70–71, 104–119 (Ver também Insight sobre o cliente)
    design/construção (startup enxuta), 185, 186–187
    em organizações estabelecidas, 158–187 (Ver também organizações estabelecidas)
    encontrando o modelo de negócio certo, 142–157 (Ver também modelo de negócio)
    fazendo escolhas, 120–141 (Ver também Escolhas)
    formando ideias com, 70–71
    limitações, 90–91
    Pontos de partida, 70–71, 86–103 (Ver também Pontos de partida)
    Prototipagem, possibilidades de, 70–71, 74–85 (Ver também Prototipagem)
    resumo, 170
    visão geral, 67
Design de propostas de valor
    Canvas de modelo de negócios, definição de, xv (Ver Canvas de modelo de negócios)
    Canvas de propostas de valor, definição de, xiv, xv (Ver também Canvas de propostas de valor)
    concorrência versus, 128–129
    ferramentas e processo, xii–xiii (Ver também Canvas; Design; Desenvolvimento; Teste)
    habilidades necessárias, xxii–xxiii
    Mapa do ambiente e, v, xv
    organização de livro e companheiro virtual, x
    para organizações estabelecidas, xix
    para startups, xviii
    para superar problemas, vi–vii
    uso bem-sucedido do, viii, xi
    usos do, xx–xxi
    venda para os colegas, xxiv–xxv
descoberta (Processo de desenvolvimento de clientela), 182
Desenvolvimento, 254–272
    criando alinhamento e, 260–261
    medindo e monitorando o, 262–263
    melhoria e, 264–265
    reinventando e, 266–267, 268–271
    resumo, 272
    visão geral, 257
Detective de dados, 106, 108–109, 217
Dell, 157
Dores do cliente
    abordagem do perfil psicodemográfico versus, 54–55
    classificação, 20–21
    como ponto de partida, 88–89
    definição de, 14–15
    melhores práticas para delinear, 24–25
    testando o círculo, objetivo, 190–191
    verificando encaixe e, 46–47
    Ver também Analgésicos
dramatização, 107, 124–125
Dropbox, 210

E

Earlyvangelists, 118
Eight19 (Azuri), 146–151
empurrar versus puxar, debate, 94–95, 96–97, 98–99, 100–101

Encaixe, 40–59
    Encaixes, múltiplos, 52–53
    diferentes soluções para os mesmos clientes, 58–59
    estágios do, 48–49
    lidando com as tarefas, dores e ganhos, 44–45
    lutando por, 42–43
    Perfil do cliente e contexto do cliente, 56–57
    Perfil do cliente e Mapa de valor como dois lados do, 3–5
    Perfil do cliente *versus* abordagem do perfil psicodemográfico, 54–55
    uso do, 60–61
    verificando, 46–47
Encaixe intermediário, 52–53
entrevista, de clientes, 106, 110–113, 217, 225
EPFL, 96
Escolhas, 120–141
    avaliação da proposta de valor, 122–123
    concorrência e, 128–129, 130–131
    contexto e, 126–127
    definição de critérios e seleção de protótipos, 140–141
    dicas para, 124, 131, 137
    dramatização e, 107, 124–125
    feedback e, 132–133, 134–135, 136–137
    visualização e, 138–139
escutando, 112
Estratégia do Oceano Azul, 130

Estratégia, Canvas de, 129, 130
estrutura de custos, definição de, xvi
Evidência
    Call-to-Action (CTA) e, 218–219
    necessidade de, 190–195
    produzindo, 97, 216
    Ver também Teste
exclusivo, rastreamento do link (Biblioteca de experimentos), 221
experiência, como feedback, 134
    Biblioteca de experimentos, 214–237
    Caixa do produto, 234
    Call-to-Action (CTA), 218–219
    Compre uma característica, 235
    dicas para, 217, 222, 224, 227, 229, 231, 233, 237
    escolhendo um mix de experimentos, 216–217
    experimentando para reduzir o risco, 178–179
    experimento, definição de, 216
    Experimentos em tamanho real, 226–227
    experimentos, design de, e, 204–205
    Ilustrações, storyboards e cenários, 222, 224–225
    Innovation Games, 232
    Lancha, 233
    Landing Page PVM, 228–229
    Pré-vendas, 237
    Produto Viável Mínimo (PVM), 222–223, 228–229
    Rastreamento de anúncios, 220

    rastreamento do link exclusivo, 221
    Simulação de vendas, 236–237
    Teste de divisão, 230–231
    Ver também Teste

F

Facebook, 157, 220, 249
falso negativo/falso positivo, armadilhas, 210
fatos, como feedback, 134
Federal Institute of Technology (Suíça), 96–97
feedback, 132–133, 134–135, 136–137
fichas técnicas, criando, 222
financeiras, questões
    estrutura de custos, definição de, xvi
    fontes de receita, definição de, xvi
    gerando receita, 144–145
    lucro, definição de, xvi
    testando a disposição para pagar dos clientes, 219 (*Ver também* Biblioteca de experimentos)
    testando a resistência, 154–155
    Ver também Modelo de negócio
folhetos, criando, 222

G

ganhos (*Ver* Ganhos do cliente)
Ganhos do cliente

abordagem do perfil psicodemográfico *versus*, 54–55
    classificação, 20–21
    como ponto de partida, 88–89
    definição de, 16–17
    melhores práticas para delinear, 24–25
    verificando encaixe e, 46–47
    testando o círculo, objetivo 190–191
    Ver também Criadores de ganhos
ganhos requeridos, de clientes, 16
Ganhos, criadores de
    Analgésicos *versus*, 38
    Encaixe e, 9, 47
    Mapa de valor e, 33–34
    Produtos e serviços como, 33
Google, 204, 206, 230
    AdWords, 210, 220, 231
    buscas, 108

H

Hilti, 90, 102, 164–165, 265
Hipótese (*Ver* Hipótese de negócio)
Hipótese de negócio
    definição, 201
    extraindo, 200–201
    priorizando, 202–203
    startup enxuta e, 185, 186–187
Hohmann, Luke, 232

I

Ikea, 157
Ilustrações, storyboards e cenários (Biblioteca de experimentos), 222, 224–225
Indigo, 150–151
Influentes, 50–51
Innovation Games, 232
Insight sobre o cliente, 104–119
    Antropólogo, 106, 114–115, 217
    Cientista, 107
    Cocriador, 107
    criando valor para, 144–145 (*Ver também* Modelo de negócio)
    Detetive de dados, 106, 108–109, 217
    dicas para, 113, 115, 117
    escolhendo um mix de experimentos para, 216–217 (*Ver também* Biblioteca de experimentos)
    formando ideias e, 70–71
    ganhando, 106–107
    identificando padrões, 111, 116–119
    Jornalista, 106, 110–113, 217, 225
    Personificador, 107, 124–125
    relacionamento com clientes (CRM), xvi, 109
iPod (Apple), 156

J

Jornalista, 106, 110–113, 217

L

lancha (Biblioteca de experimentos), 232–233
Landing Page PVM (Biblioteca de experimentos), 228–229
Lit Motors, 226
livros, como pontos de partida, 92–93
lucro, definição de, xvi

M

Mapa de valor, 26–39
    Analgésicos, 31–32
    criadores de ganho e, 33–34
    definindo como produtos e serviços criam valor, 36–38
    delineando propostas de valor, 34–35
    melhores práticas para delinear a criação de valor, 30
    Produtos e serviços, 29–30
    uso do, 60–61
Mapa do ambiente, xiv, xv
Marriott, 227
"máximo exaurido", armadilha do, 211
medida

Desenvolvimento e, 262–263
Startup enxuta, característica, 185, 186–187
Ver também Teste
MedTech, 154–155
melhores práticas
　mapeando a criação de valor, 30
　para delinear tarefas, dores e ganhos de clientes, 24–25 (Ver também Ganhos do cliente; Dores do cliente; Tarefas a realizar)
melhoria
　contínua, 264–265
　para organizações estabelecidas, 160–161, 162–163
　Ver também Desenvolvimento
mercado, puxada do, 95
Mínimo, Produto Viável (PVM)
　Prototipagem e, 77
　Startup enxuta com, 184
　testando com, 222–223, 228–229
Modelo de negócio, 142–157
　armazenamento de energia de ar comprimido, 152–153
　avaliando, 156–157
　Azuri, exemplo da, 146–151
　criando valor para clientes e, 144–145
　Encaixe e, 48–49, 52–53
　plataforma modelos de negócio, 52–53
　resistência, teste de, 154–155
　teste, 194–195
mudança (Ver Desenvolvimento)

N

esboço em guardanapo, para prototipagem, 76, 80–81
Nespresso, 90, 156
novas iniciativas, Design de propostas de valor para, xviii

O

observação, de clientes, 106, 114–115, 216–217
　(Ver também Biblioteca de experimentos)
obstáculos, de clientes, 14–15 (Ver também Dores do cliente)
opinião, como feedback, 134
organizações estabelecidas, 158–169
　Design de propostas de valor for, xix
　inventando e melhorando, 160–161, 162–163
　reinventando, 164–165
　workshops para, 166–167, 168–169
Osterwalder, Alexander, xiv, xvi, 288
Owlet, 246–251

P

padrões, identificando, 111, 116–119
Papadakos, Trish, 289
parcerias principais, definição de, xvi
partes interessadas

dramatização e, 107, 124–125
　identificando, 50–51
passo a passo, teste, 196–213
　cartões de aprendizado para insight, 206–207, 213
　cartões de teste para design de experimentos, 204–205, 212
　dicas para, 210
　evitando armadilhas de dados, 210–211
　extraindo hipóteses, 200–201
　priorizando hipóteses, 202–203
　velocidade de aprendizado e, 208–209
　visão geral, 198–199
Perfil do cliente, 10–25
　tarefas, dores e ganhos como nova abordagem, 54–55
　Tarefas a realizar, definição de, 12–13
　business-to-business (B2B), transações, 50–51
　classificação de tarefas, dores e ganhos, 20–21
　compreendendo o ponto de vista do cliente, 22–23
　contexto do cliente e, 56–57
　definição de, 9
　diferentes soluções para os mesmos clientes, 58–59
　Dores do cliente, definição de, 14–15
　esboçando, 18–19
　Ganhos do cliente, definição de, 16–17

ganhos, 24-25
identificando tarefas de valor elevado, 100-101
inovando, 102-103
melhores práticas para delinear tarefas, dores e segmentos de clientes, xvi, 116
uso do, 60-61
Ver também Tarefas a realizar; Pontos de partida
perfis psicodemográficos, como abordagem tradicional, 54-55
Personificador, 107
perspectiva, dos clientes, 22-23 (Ver também Insight sobre o cliente)
pesquisa, sobre clientes (Ver também Insight sobre o cliente)
Pigneur, Yves, 288
Planilha do dia típico, 115-116
planos de negócios, processos de experimentação *versus*, 179
plataforma modelos de negócio, 52-53
"ponto máximo", armadilha, 211
Pontos de partida, 86-103
contemplando preocupações de clientes com, 88-89
dicas para, 93, 97
empurrar *versus* puxar, debate, 94-95, 96-97, 98-99, 100-101

formando ideias com, 70-71
inovação com perfil do cliente, 102-103
limitações de design e, 90-91
livros e revistas para, 92-93
Pré-vendas (Biblioteca de experimentos), 237
priorização, 202-203, 219 (Ver também Biblioteca de experimentos)
problema, Encaixe da solução de, 48-49
problemas, de clientes, 14-15 (Ver também Dores do cliente)
Processo de desenvolvimento de clientela, 182-183
Produto, caixa do (Biblioteca de experimentos), 234
Produto-Mercado, Encaixe, 48-49
Produtos e serviços
correspondendo às expectativas do cliente com, 31-32
múltiplos Encaixes, 52-53
testando o quadrado, objetivo, 192-193
tipos de, 29-30
valor de, para clientes, 31-32
Progresso, painel de, 242-243, 244-245
Proposta de valor
avaliação, 122-123
avaliando a concorrência e, 128-129, 130-131
definição de, vi, xvi, 6
relação de modelo de negócio com, 152-153
Ver também Canvas de propostas de valor;

Design de propostas de valor
Prototipagem, 74-85
ad-libs para, 76, 82-83
Canvas de propostas de valor para, 77, 84-85
definição de, 76
dicas para, 77
embalagem e, 223, 234
esboço em guardanapo para, 76, 80-81
espaços para, 227
formando ideias com, 70-71
princípios de, 78-79
selecionando protótipos, 140-141
Ver também Biblioteca de experimentos

Q

quadrado, testando o, 192-193

R

receita, definição de fontes de, xvi
recomendantes, 50-51
recursos principais, definição de, xvi
reinventando, para evoluir, 266 (267-271)
relatórios de pesquisa terceirizados, 108
resistência, teste de, 154-155
resultados
Ganhos do cliente como, 16-17
indesejados, por clientes, 14-15

Bios

Alex Osterwalder

O Dr. Alexander Osterwalder é o principal autor do best-seller internacional *Business Model Generation*, empreendedor convicto e palestrante disputado. Cofundador da Strategyzer, empresa de software especializada em ferramentas e conteúdo para gestão estratégica e inovação, Osterwalder cunhou o termo Canvas de Modelo de Negócio, uma ferramenta de gestão estratégica para criar, testar, desenvolver e gerir modelos de negócios, usada por empresas como Coca-Cola, GE, P&G, Mastercard, Ericsson, Lego e 3M. Osterwalder também é orador programático em grandes organizações e principais universidades do mundo inteiro, incluindo Stanford, Berkeley, MIT, IESE e IMD. Siga-o online em @alexosterwalder.

Yves Pigneur

O Dr. Yves Pigneus é coautor de *Business Model Generation* e professor de administração e sistemas de informação na Universidade de Lausanne (Suíça). Tendo ocupado cátedras como convidado nos Estados Unidos, Canadá e Cingapura, Yves costuma dar palestras sobre modelos de negócio em universidades, grandes corporações, eventos de empreendedores e conferências internacionais.

Greg Bernarda

Greg Bernarda é um pensador, criador e facilitador que apoia indivíduos, equipes e organizações com estratégia e inovação. Trabalha com líderes experientes para (re)criar um futuro que colaboradores, clientes e comunidades podem reconhecer como próprio. Seus projetos já foram implementados por organizações como Colgate, Volkswagen, Harvard Business School e Capgemini. Greg é palestrante, cofundador de uma série de eventos sobre sustentabilidade em Pequim e conselheiro da Utopies, em Paris. Antes disso, participou do Fórum Econômico Mundial por oito anos, definindo iniciativas para os membros lidarem com questões globais. Greg fez MBA na Oxford Saïd e é *coach* de modelos de negócios da Strategyzer.

Alan Smith

Alan é obcecado por design, negócios e as formas de lidar com isso. Empreendedor experiente na área de design, já trabalhou com cinema, televisão, jornal, celulares e internet. Antes, fundou a agência internacional de design The Movement, com escritórios em Londres, Toronto e Genebra. Ajudou a criar o Canvas de Modelo de Negócio com Alex Osterwalder e Yves Pigneur e o revolucionário design do *Business Model Generation*. Alan é cofundador da Strategyzer, onde desenvolve ferramentas e conteúdo junto com uma equipe incrível, ajudando os empresários a fazerem coisas que os clientes querem. Siga-o online em @thinksmith.

Trish Papadakos

Trish é designer, fotógrafa e empreendedora. Fez mestrado em design na Central St. Martins, em Londres, e bacharelado pelo York Sheridan Joint Program, de Toronto. Trish ensina design na universidade em que estudou, trabalhou em agências premiadas, lançou diversas empresas e está trabalhando pela terceira vez com a equipe da Strategyzer. Siga suas fotos no Instagram, em @trishpapadakos.

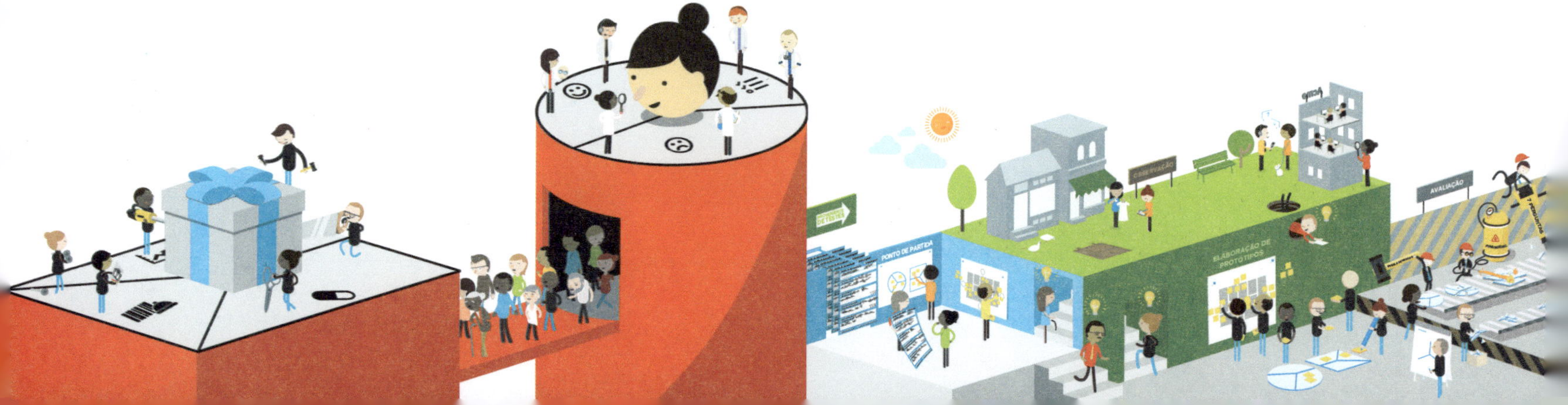

DE PARTIDA
ELABORAÇÃO DE PROTÓTIPOS
AVALIAÇÃO
7 PERGUNTAS

Não arrisque perder tempo, energia e dinheiro trabalhando em produtos e serviços que ninguém quer. Vire o livro!